Gaspésie
Bas-Saint-Laurent
Îles de la Madeleine

7e édition

Y a des grèves autour de la mer
Des coquillages et du sel
Et de vieux marins qui ne voguent plus
Qu'on a débarqués mais qui sont repartis
Dans des voyages sans escale

Y a le soleil sur la mer
Et toi au bord
Qui le regarde descendre dans l'eau

Extrait de «La Gaspésie»
Félix Leclerc

ULYSSE

Le plaisir de mieux voyager

Bas-Saint-Laurent

▲ Particulièrement découpée, la côte du magnifique parc national du Bic cache bien des secrets dans ses baies et ses anses échancrées. (page 78)
© Parc national du Bic, Mathieu Dupuis, Sépaq

◀ Dans l'arrière-pays du Bas-Saint-Laurent s'étend le Témiscouata, une région de collines boisées et de lacs, renommée pour ses milieux sauvages. (page 65)
© Thierry Ducharme

Page précédente

◀ Le Site historique maritime de la Pointe-au-Père, avec le Musée de la Mer et le Lieu historique national du Phare-de-Pointe-au-Père. (page 80)
© Michel Laverdière

◀ Centre administratif de la grande région de l'Est du Québec, la belle ville de Rimouski est à la fine pointe de la culture et des arts. (page 78)
© Michel Laverdière

◀ Rendez-vous sur l'île Verte pour observer le salage du poisson, goûter le pré-salé, observer les baleines, photographier les oiseaux. (page 76)
© Philippe Richard

Gaspésie

- ▲ Sur la presqu'île du superbe parc national Forillon, l'Anse-Blanchette fait face à la baie de Gaspé. (page 123)
  © Serge Ouellet

- ▶ L'île Bonaventure abrite la plus importante colonie de fous de Bassan au monde. (page 131)
  © Parc national de l'Île-Bonaventure-et-du-Rocher-Percé, Jean-Pierre Huard, Sépaq

- ▼ À Carleton-sur-Mer, la pointe Tracadigash s'empreint d'un cadre de toute beauté. (page 139)
  © Patrick Matte

Page précédente

- ◀ L'attrayante région de Percé, avec le rocher Percé, l'île Bonaventure et le mont Joli. (page 128)
  © Thierry Ducharme

Gaspésie

Îles de la Madeleine

- ▲ Le phare de l'Anse-à-la-Cabane offre un décor saisissant. (page 175)
  © Dreamstime.com / Craig Doros

- ▲ Le rivage des Îles accueille les bateaux entre les marées.
  © iStockphoto.com / Denis Tangney

- ▲ Le mois de mai est le mois de la «Mise à l'eau des cages». (page 191)
  © Dreamstime.com / Craig Doros

- ▶ La plage de la Grande Échouerie s'étend jusqu'à l'infini. (page 178)
  © Philippe Richard

Îles de la Madeleine

▲ Le merveilleux site du phare du Cap Alright
domine un imposant escarpement rocheux.
(page 176)
© Philippe Richard

▲ L'activité hivernale par excellence aux Îles:
l'observation des blanchons sur la banquise.
(page 21)
© iStockphoto.com / FloridaStock

▶ Pour un coucher de soleil, les étonnantes falaises
de la Belle Anse sont toutes désignées. (page 172)
© Dreamstime.com / Craig Doros

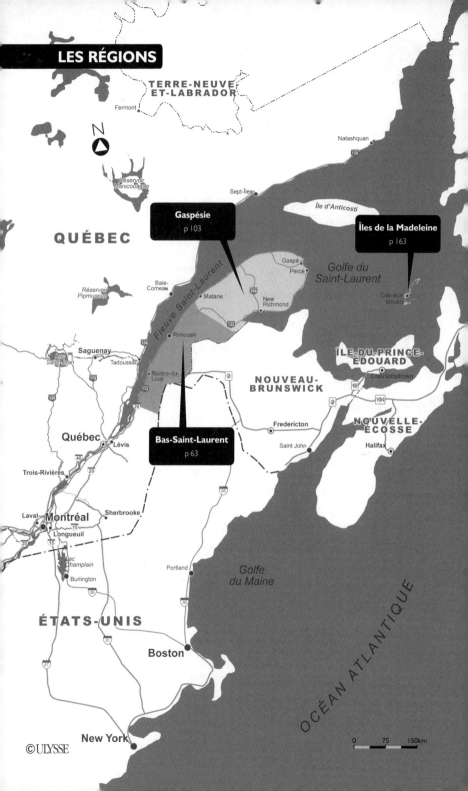

Recherche et rédaction
Thierry Ducharme (Gaspésie,
Bas-Saint-Laurent)
Aurélie Hubert (Îles de la Madeleine)
Pierre Daveluy (Portrait)
Contribution
France Charest et Olivier Matton (parc
national de Miguasha), Alexis de
Gheldere (parc national de la Gaspésie),
Alain Demers (parcs nationaux du Bic et
de l'Île-Bonaventure-et-du-Rocher-Percé),
Yves Ouellet (parc national Forillon)

Éditeur et directeur de production
Olivier Gougeon

Éditeur adjoint
Pierre Ledoux

Correcteur
Pierre Daveluy

Infographistes
Marie-France Denis
Pascale Detandt
Isabelle Lalonde

Cartographe
Philippe Thomas

Photographies
Page couverture
Fous de bassan © Parc national de l'Île-
Bonaventure-et-du-Rocher-Percé,
Jean-Pierre Huard, Sépaq
Page de garde
Rocher Percé © Serge Ouellet
Phare madelinot © Dreamstime.com /
Craig Doros

Remerciements
Les auteurs tiennent à remercier Alexandra Proulx de l'Association touristique régionale
de la Gaspésie, Geneviève Bouchard, Émilie Harvut et Julie Brodeur.

Les Guides de voyage Ulysse reconnaissent l'aide financière du gouvernement du
Canada par l'entremise du Programme d'aide au développement de l'industrie de l'édition (PADIÉ) pour leurs activités d'édition.

Les Guides de voyage Ulysse tiennent également à remercier le gouvernement du
Québec – Programme de crédit d'impôt pour l'édition de livres – Gestion SODEC.

Catalogage avant publication de Bibliothèque et Archives nationales du Québec et Bibliothèque
et Archives Canada

Vedette principale au titre :
      Gaspésie, Bas-Saint-Laurent, Îles de la Madeleine
      (Guide de voyage Ulysse)
      Comprend un index.
      ISBN 978-2-89464-825-4
      1. Gaspésie (Québec) - Guides. 2. Bas-Saint-Laurent (Québec) - Guides. 3. Les Îles-de-la-Madeleine (Québec)
      - Guides. I. Collection.

FC2945.G3G37   917.14'79045   C98-301807-3

À moi...
la Gaspésie,
le Bas-Saint-Laurent
et les Îles de la
Madeleine!

Les régions de la Gaspésie, du Bas-Saint-Laurent et des Îles de la Madeleine regorgent de paysages de toute beauté qui incitent à la rêverie ou à l'aventure, pour un séjour des plus paisibles ou des plus actifs, selon vos désirs. L'information qui suit vous aidera à planifier un voyage sur mesure selon vos goûts et intérêts, bien sûr, mais également en fonction de la durée de votre séjour. Pour bien profiter de tout ce que ces régions ont à offrir, il faut prendre le temps de les découvrir, en une ou deux semaines, bien qu'une visite éclair dans le Bas-Saint-Laurent puisse se faire en quelques jours. Au cours de votre voyage, vous verrez souvent le temps s'écouler au fil de l'eau...

En temps et lieux

Bas-Saint-Laurent

■ Deux jours

Promenez-vous dans le **Pays de Kamouraska**, situé à 2h de route de la ville de Québec, d'où le Saint-Laurent s'élargit de plus en plus vers l'est. Le long de la route 132, vous croiserez de petits villages tournés depuis toujours vers le fleuve et, par beau temps, vous aurez la chance d'admirer de superbes couchers de soleil.

■ Une semaine ou plus

Après avoir sillonné le Pays de Kamouraska, traversez la petite ville industrielle de **Trois-Pistoles** et l'une des principales agglomérations du Bas-Saint-Laurent, **Rivière-du-Loup**. Un séjour prolongé vous donnera l'occasion de visiter la réserve ornithologique de l'**île aux Basques**, face à Trois-Pistoles, ou les **îles du Pot à l'Eau-de-Vie**, au large de Rivière-du-Loup, où vous côtoierez la faune marine en plein cœur du fleuve. Puis rendez-vous jusqu'au **parc national du Bic**, reconnu pour la richesse de sa flore. Poursuivez votre tournée du Bas-Saint-Laurent par la découverte de la belle ville de **Rimouski** et, un peu plus à l'est, de **Pointe-au-Père**, où se trouvent le **Musée de la mer** et le **Lieu historique national du Phare-de-Pointe-au-Père**.

Pour terminer en beauté, faites une incursion par les terres pour aller à la rencontre du **Témiscouata**, cette belle région de lacs et de forêts. Les résidents de la petite ville de **Notre-Dame-du-Lac**, blottie au bord du grand **lac Témiscouata**, vous accueilleront dans leurs gîtes et vous raconteront l'histoire des lieux. Vous apprécierez particulièrement une balade à vélo dans cette contrée que traverse le **parc linéaire interprovincial Petit Témis**.

Gaspésie

■ Une semaine

Pour bien prendre le pouls de la Gaspésie et de ses habitants, nous vous suggérons d'y passer au moins une semaine. Passé la région du Bas-Saint-Laurent, franchissez les portes de la Gaspésie à **Sainte-Flavie** et allez humer les fleurs des splendides **Jardins de Métis**. En longeant l'estuaire du Saint-Laurent, vous verrez ensuite **Cap-Chat** et ses impressionnantes installations éoliennes, avant d'atteindre **Sainte-Anne-des-Monts**. Prenez le temps de faire un détour par l'intérieur des terres pour aller explorer le magnifique **parc national de la Gaspésie**, et offrez-vous une nuitée au **Gîte du Mont-Albert**, entouré des plus hauts sommets du Québec méridional.

À partir de Sainte-Anne-des-Monts, les paysages de la **Haute-Gaspésie**, où les montagnes plongent littéralement dans les eaux du fleuve, vous laisseront sans voix. Au bout de la péninsule gaspésienne, laissez-vous émerveiller par le spectacle naturel des falaises du **parc national Forillon**, là où la terre finit et la mer débute…

En poursuivant votre tour de la Gaspésie, vous arriverez à **Percé**, d'où surgiront devant vous le célèbre **rocher Percé**, ce monument naturel qui fait la fierté des Gaspésiens, et l'**île Bonaventure**, qui abrite la plus importante colonie de fous de Bassan au monde. Dans le village de **L'Anse-à-Beaufils**, arrêtez-vous au **Magasin Général Historique Authentique 1928** pour une incursion dans l'histoire gaspésienne. Chemin faisant, vous longerez la **baie des Chaleurs**, ponctuée de sympathiques villages d'origine acadienne, comme **Bonaventure** et **Carleton-sur-Mer**, qui vous réserveront un bel accueil, sans oublier le petit **parc national de Miguasha**, reconnu par l'UNESCO comme Patrimoine mondial de l'humanité. Vous bouclerez la boucle de la Gaspésie après avoir traversé la belle **vallée de la Matapédia**, au creux de laquelle coule la rivière du même nom, réputée pour les saumons qui la peuplent.

■ Deux semaines

Un séjour de deux semaines en Gaspésie permet d'explorer plus à fond ses splendides parcs nationaux. Dans le **parc national de la Gaspésie**, rendez-vous au **Centre de découverte et de services** pour voir l'exposition *Une mer de montagnes au cœur de la Gaspésie*. Le **Gîte du Mont-Albert** vous servira de point de départ pour arpenter les nombreux sentiers du parc et partir à la découverte des plus hauts monts du Québec méridional, comme le **mont Jacques-Cartier**, le **mont Richardson**, le **mont Xalibu** et le **mont Albert**.

Dans le **parc national Forillon**, prenez le temps de visiter le centre d'interprétation afin d'en apprendre davantage sur la faune et la flore du parc. Allez voir les **maisons de Grande-Grave**, le **phare de Cap-Gaspé** et le **fort Péninsule**, érigé au cours de la Seconde Guerre mondiale pour protéger le Canada contre les sous-marins allemands. Dans le secteur Sud du parc, les bâtiments témoignent de la fascinante histoire des pêches en Gaspésie, notamment l'**ancien magasin Hyman** et la **maison Blanchette**.

Un séjour prolongé dans la région de Percé permet de profiter pleinement des installations du **parc national de l'Île-Bonaventure-et-du-Rocher-Percé**. Au **Musée Le Chafaud**, vous découvrirez la grande époque de la pêche à la morue, en plus d'en apprendre davantage sur la géologie, la faune et la flore de la péninsule gaspésienne.

Finalement, au creux de la baie des Chaleurs, prenez le temps d'explorer le **parc national de Miguasha**, qui se distingue par la richesse fossilifère de sa falaise. Les expositions du **Musée d'histoire naturelle** du parc et la fascinante visite guidée sur la falaise vous renseigneront sur les fossiles. Du haut de la falaise, vous aurez une vue splendide sur l'estuaire de la rivière Ristigouche et les montagnes environnantes.

À moi… la Gaspésie, le Bas-Saint-Laurent et les Îles de la Madeleine!

Îles de la Madeleine

■ Une semaine

Si vous n'avez qu'une semaine à consacrer aux Îles, commencez par vous rendre sur une plage pour caresser le sable fin et plonger dans la mer. Chacune des plages a son charme, mais la **dune du Havre-Aubert**, la **plage de la Dune de l'Ouest**, la **plage de la Dune du Sud** et la **plage de la Grande Échouerie** sont particulièrement recommandées. Dans l'île du Havre Aubert, rendez-vous sur le **Site historique de La Grave**, où de petites boutiques d'artisans côtoient cafés, restos et musées. Dans l'île du Cap aux Meules, ne manquez pas le spectacle du soleil couchant sur les **falaises de la Belle Anse**.

Un séjour d'une semaine vous donnera amplement le temps de faire une excursion en bateau ou en kayak pour admirer le **littoral** singulier de l'archipel. Une promenade en vélo sur l'un des parcours panoramiques de l'archipel, notamment le **Tour de l'île du Cap aux Meules**, le **Tour de la Pointe-Basse** et le **Tour de la montagne**, vous permettra de bien emplir vos poumons d'air marin, alors qu'une randonnée jusqu'à l'**île Boudreau** à partir de l'île de la Grande Entrée vous fera découvrir des veines d'argile et une colonie de phoques. Puis, pour une activité aussi unique que mémorable, rendez-vous au Club Vacances Les Îles pour faire l'**exploration des grottes de surface** en habit isothermique.

■ Deux semaines

Une journée ou deux suffisent pour parcourir les Îles d'un bout à l'autre, mais, si vous voulez réellement goûter aux Îles de la Madeleine, prenez tout votre temps. En deux semaines, vous apprécierez le rythme de vie des Madelinots et savourerez vraiment les multiples splendeurs de l'archipel.

Une petite excursion au sommet de la **Butte du Vent** sur l'île du Cap aux Meules s'impose pour saisir toute l'immensité du golfe du Saint-Laurent de même que la petitesse du territoire madelinien. Pour un panorama tout aussi saisissant, rendez-vous au **phare du Cap Alright** sur l'île du Havre aux Maisons. Un peu plus loin, une promenade dans le sinueux chemin des Montants, bordé de doux vallons verdoyants, vous mènera aux **Buttes pelées** et à un paysage qui incite à la quiétude et à la contemplation.

Deux réserves naturelles sont accessibles à quiconque veut admirer et mieux connaître la riche et unique diversité écologique des Îles de la Madeleine. S'étendant sur la Grosse Île, la **réserve nationale de faune de la Pointe-de-l'Est** abrite de nombreuses espèces d'oiseaux et une végétation typique du milieu dunaire. L'autre, l'**île Brion**, est située à 16 km au large de la Grosse Île et impressionne par son état primitif. Sur place, vous comprendrez ce qui a pu tant émerveiller Jacques Cartier lors de son passage en 1534.

Enfin, après quelques jours sur l'archipel, vous serez sans aucun doute intrigué par la silhouette massive de l'**île d'Entrée**, qui émerge du golfe du Saint-Laurent à l'est de l'archipel. Offrez-vous une journée pour explorer cette île, la seule qui soit habitée sans être reliée par route au reste de l'archipel. Vous serez enchanté de vous balader dans son pâturage communautaire et de gravir le plus haut sommet des Îles, **Big Hill**.

À la carte

Pour les férus d'histoire et de culture

■ Bas-Saint-Laurent

Le Bas-Saint-Laurent possède un patrimoine historique particulièrement riche. Le **Musée François-Pilote** de La Pocatière, le **Musée de Kamouraska** de la ville du même nom et le **Musée du Bas-Saint-Laurent** de Rivière-du-Loup témoignent tous du passé de la région. Pour leur part, les archéologues en herbe peuvent se rendre à l'**île aux Basques** afin de découvrir les installations des pêcheurs basques qui venaient ici chaque année pour la chasse à la baleine, bien avant que Jacques Cartier n'y mette les pieds.

■ Gaspésie

Haut lieu historique, Gaspé fut l'endroit où, en 1534, Jacques Cartier prit possession du Canada au nom du roi de France. Installée 400 ans plus tard, la **croix de Gaspé** commémore toujours l'arrivée du célèbre navigateur malouin. Même si la Gaspésie fut par la suite reléguée au second plan du développement colonial, elle prit de l'importance pour les Acadiens qui vinrent s'y établir au XVIIIe siècle. Vous pourrez d'ailleurs vous instruire sur la grande épopée acadienne au **Musée acadien du Québec** de Bonaventure.

Parmi les nombreux autres sites historiques intéressants qui parsèment la péninsule gaspésienne, figurent la **Villa historique Reford**, située en plein cœur des Jardins de Métis, qui fait revivre l'histoire des Métissiens du début du XXe siècle; le **Magasin Général Historique Authentique 1928** de L'Anse-à-Beaufils, qui propose une fascinante incursion dans l'univers d'un magasin général québécois des années 1920; et le **Lieu historique national de la Bataille-de-la-Ristigouche**, qui commémore la bataille navale où se scella le sort de la Nouvelle-France en 1760. Vous pourrez même en apprendre davantage sur l'histoire de notre planète avec les fossiles du **parc national Miguasha**, vieux de quelque 380 millions d'années.

Comme cette région est très liée aux ressources de la mer, son développement économique fut et demeure toujours dépendant de tout ce qui touche de près ou de loin les pêcheries. Pour un portrait éloquent du passé de cette industrie, allez visiter l'ancien village de pêcheurs du XIXe siècle qui se trouve dans le secteur Sud du **parc national Forillon**, de même que le **Parc du Bourg de Pabos**, où des fouilles archéologiques ont permis de mettre au jour les vestiges d'un poste de pêche du XVIIIᵉ siècle. Enfin, le très moderne **Carrefour national de l'aquaculture et des pêches** de Grande-Rivière présente une exposition sur ce que pourrait être l'avenir des pêcheries dans la région.

■ Îles de la Madeleine

La vie des Madelinots et leur histoire sont indissociables de la mer. Ainsi, le **Musée de la Mer** à Havre-Aubert est le lieu de prédilection pour tout apprendre sur l'histoire des insulaires et l'évolution des méthodes de pêche et de navigation. On y trouve également une carte répertoriant les quelque 400 naufrages qui sont survenus au large des côtes et qui ont valu aux Îles la triste réputation de «cimetière marin». Le **Centre d'interprétation du phoque** à Grande-Entrée vous invite quant à lui à explorer l'univers fascinant de ce mammifère marin. Vous comprendrez comment et pourquoi les Madelinots ont depuis toujours entretenu un lien étroit avec le «loup marin» et en apprendrez davantage sur la chasse controversée qu'on lui fait. Puis, rendez-vous dans la petite école rouge de la Grosse Île qui loge le **Complexe historique et patrimonial de C.A.M.I.** Ici, des vestiges d'une autre époque témoignent de l'héritage et de la culture des communautés anglophones des Îles. Sur le même site, le **Musée des vétérans** rend hommage aux Madelinots qui ont combattu pour leur pays au cours de la Seconde Guerre mondiale.

Pour les sportifs

■ Bas-Saint-Laurent

La région du Bas-Saint-Laurent, dont la côte épouse la rive du fleuve, se prête tout particulièrement à la pratique d'une foule d'activités aquatiques. Ainsi, vous pourrez parcourir la **Route bleue du sud de l'estuaire** à bord d'un canot ou d'un kayak, ou encore participer à l'une des nombreuses excursions d'**observation des baleines** proposées dans la région. Sur la terre ferme, quelques grands sites naturels comme le **parc national du Bic**, la **réserve faunique de Rimouski** et le **Canyon des Portes de l'Enfer** permettent de s'offrir de belles randonnées et de camper en pleine nature.

■ Gaspésie

Avec ses magnifiques parcs nationaux et ses réserves fauniques, la Gaspésie offre une foule d'activités de plein air, sur terre ou sur mer. Vous pourrez explorer le littoral de la péninsule gaspésienne à bord d'un kayak de mer grâce à la **Route bleue de la Gaspésie**, faire de la plongée sous-marine dans le **parc national Forillon** ou encore prendre le large avec l'un des nombreux croisiéristes de la région pour faire l'**observation des baleines**. Les randonneurs, les cyclistes, les fondeurs et les raquetteurs, qu'ils soient novices ou aguerris, ne seront pas en reste: le **parc national de la Gaspésie** et le **parc national Forillon** comptent de superbes réseaux de sentiers qui sillonnent des paysages tout à fait spectaculaires. Et les plus téméraires pourront prendre leur envol au **Festival du Vol Libre** de Mont-Saint-Pierre, ou encore jouer à Tarzan dans le parcours d'aventure en forêt de **Cap-Chat**.

■ Îles de la Madeleine

Classé par les médias spécialistes comme l'une des 10 meilleures destinations de sport de glisse et de vent au monde, l'archipel est un paradis pour les adeptes de cerf-volant de traction, de voile et de planche à voile. La diversité des plans d'eau et la vélocité des vents comblent débutants et professionnels. Pour la pratique autonome de ces activités, vous pouvez vous rendre au **parc Fred-Jomphe**, sur la baie du Havre aux Basques; ceux qui préfèrent être encadrés peuvent faire appel à l'une des nombreuses entreprises récréotouristiques des Îles. Le kayak de mer est également une activité prisée puisqu'il permet de découvrir de façon privilégiée la splendeur des caps de grès rouge qui forment le littoral. Dans les eaux baignant l'île du Cap aux Meules, les excursions autour des **falaises de Gros-Cap** ou au pied des **falaises de la Belle Anse** sont particulièrement intéressantes. Les nombreux sentiers qui bordent les falaises et sillonnent l'archipel émerveilleront les cyclistes, notamment le parcours panoramique du **chemin Gros-Cap**, le **sentier de l'Anse de l'Étang-du-Nord**, la **piste cyclo-pédestre de la Belle-Anse** et le **Sentier du littoral de Cap-aux-Meules**. Pour leur part, les amateurs de pêche auront un bon choix d'excursions au large des côtes, dont celle tout à fait unique de la **pêche au requin** proposée par la Pourvoirie Mako.

Pour les gastronomes

■ Bas-Saint-Laurent

Le Bas-Saint-Laurent est reconnu comme une région de villégiature depuis longtemps. Vous n'aurez donc aucun mal à trouver une auberge dont la table est gastronomique. Et comme la région est tournée vers le fleuve, votre assiette s'en fera l'écho. Pour faire plaisir à vos papilles, attablez-vous à l'auberge **La Solaillerie** de Saint-André, à l'**Auberge sur Mer** de Notre-Dame-du-Portage ou à l'**Auberge du Chemin Faisant** de Cabano. Si vous vous attardez dans les environs du parc national du Bic, offrez-vous un repas et une nuitée à la fabuleuse et romantique **Auberge du Mange-Grenouille**, un des lieux de villégiature les plus originaux du Québec. Et si vous désirez prendre une bouchée santé en cours de route tout en profitant d'une belle vue sur le fleuve, faites un arrêt à la renommée **Boulangerie Niemand** de Kamouraska, une boulangerie biologique installée dans une superbe résidence victorienne. Le logo des **Saveurs du Bas-Saint-Laurent** vous permettra d'identifier plus facilement les produits authentiques de la région.

■ Gaspésie

Attendez-vous à retrouver la mer dans votre assiette en Gaspésie! Que ce soit dans l'un des restaurants renommés de la région ou un petit casse-croûte au bord de la route, vous dégusterez des produits de la mer frais et préparés avec soin. De plus, le label **Gaspésie Gourmande** vous assure que les mets qui vous seront servis sont les fruits du labeur local.

Lors de votre tour de la Gaspésie, ne manquez pas de vous rendre dans certains hauts lieux de la gastronomie régionale, comme le **Gîte du Mont-Albert** du parc national de la Gaspésie, l'**Auberge Fort-Prével** de Saint-Georges-de-Malbaie ou l'**Auberge du Gargantua** de Percé. Si vous planifiez un séjour d'aventure, descendez à l'**Auberge de Montagne des Chics-Chocs**, située dans la réserve faunique de Matane, d'autant plus que son menu est axé sur une nourriture saine qui vous permettra d'entreprendre votre journée de randonnée du bon pied!

■ Îles de la Madeleine

Les Îles de la Madeleine sont reconnues pour leur homard, et vous le retrouverez au menu de tous les restaurants et casse-croûte des Îles, en coquille, en sandwich, en bouillabaisse ou dans le fameux pot-en-pot aux fruits de mer. Mais la gastronomie madelinienne ne se limite pas à ce crustacé. Pour découvrir les délicieux produits du terroir madelinot, recherchez l'appellation **Le bon goût frais des Îles**, qui indique qu'il s'agit bien d'un produit local. Parmi les commerçants et producteurs qui proposent ces produits, figurent la **Boucherie spécialisée Côte à Côte**, la charcuterie artisanale **Les Cochons Tout Ronds**, les **Pêcheries Gros-Cap** et la **Fromagerie du Pied-de-Vent**.

Si vous désirez vous offrir un repas raffiné, les chefs du **Bistro du bout du monde**, de **La Table des Roy** et du restaurant **Le Réfectoire** seront fiers de vous présenter les nouveaux arrivages frais du jour qui mettent en valeur les saveurs des Îles. Et pour un repas typique des Îles dans un environnement plus animé, rendez-vous à l'incontournable **Café de La Grave**.

Sommaire

Liste des cartes

Liste des encadrés

Légende des cartes

★ Attraits

▲ Hébergement

● Restaurants

▬ Mer, lac, rivière

▬ Forêt ou parc

▢ Place

✪ Capitale de pays

✪ Capitale provinciale

—·—·—·— Frontière internationale

··········· Frontière interprovinciale

▬▬ Chemin de fer

▓▓▓ Tunnel

✈ Aéroport

🛆 Aire de pique-nique

🟦 Banque

◼ Bâtiment / Point d'intérêt

✉ Bureau de poste

✝ Cimetière

Ⓗ Hôpital

🛈 Information touristique

▲ Montagne

🌳 Parc

⌂ Pavillon de services

🔅 Phare

◐ Plage

≋ Point de vue

⚓ Port

◆ Réserve faunique

🅿 Stationnement

▲ Terrain de camping

⛴ Traversier (ferry)

⛴ Traversier (navette)

Symboles utilisés dans ce guide

@ Accès à Internet

♿ Accessibilité partielle ou totale aux personnes à mobilité réduite

≡ Air conditionné

🍷 Apportez votre vin

🐕 Animaux domestiques admis

◎ Baignoire à remous

🏋 Centre de conditionnement physique

🍴 Cuisinette

½p Demi-pension (nuitée, dîner et petit déjeuner)

△ Foyer

Ⓤ Label Ulysse pour les qualités particulières d'un établissement

pc Pension complète

pdj Petit déjeuner inclus dans le prix de la chambre

≋ Piscine

❄ Réfrigérateur

🍴 Restaurant

bc Salle de bain commune

bp/bc Salle de bain privée ou commune

))) Sauna

🕆 Spa

▤ Télécopieur

☎ Téléphone

tlj Tous les jours

Classification des attraits touristiques

★★★ À ne pas manquer

★★ Vaut le détour

★ Intéressant

Classification de l'hébergement

L'échelle utilisée donne des indications de prix pour une chambre standard pour deux personnes, avant taxe, en vigueur durant la haute saison.

$	moins de 60$
$$	de 60$ à 100$
$$$	de 101$ à 150$
$$$$	de 151$ à 225$
$$$$$	plus de 225$

Classification des restaurants

L'échelle utilisée dans ce guide donne des indications de prix pour un repas complet pour une personne, avant les boissons, les taxes et le pourboire.

$	moins de 15$
$$	de 15$ à 25$
$$$	de 26$ à 50$
$$$$	plus de 50$

Tous les prix mentionnés dans ce guide sont en dollars canadiens.

Les sections pratiques aux bordures grises répertorient toutes les adresses utiles. Repérez ces pictogrammes pour mieux vous orienter:

 Hébergement

 Restaurants

 Sorties

▣ Achats

Situation géographique dans le monde

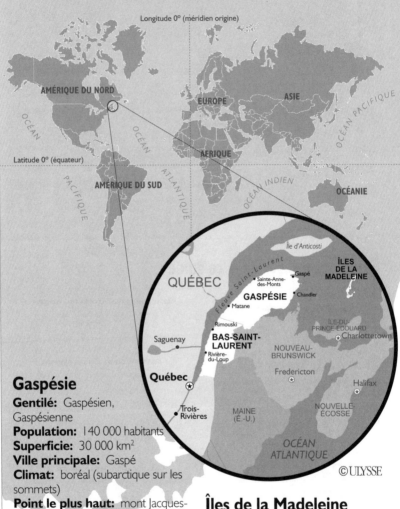

©ULYSSE

Gaspésie

Gentilé: Gaspésien, Gaspésienne
Population: 140 000 habitants
Superficie: 30 000 km²
Ville principale: Gaspé
Climat: boréal (subarctique sur les sommets)
Point le plus haut: mont Jacques-Cartier (1 268 m)

Bas-Saint-Laurent

Surnom: Bas-du-Fleuve
Gentilé: Bas-Laurentien, Bas-Laurentienne
Population: 200 000 habitants
Superficie: 22 000 km²
Ville principale: Rimouski
Climat: tempéré
Point le plus haut: pic Champlain (346 m)

Îles de la Madeleine

Gentilé: Madelinot, Madelinienne
Population: 13 000 habitants
Superficie: 200 km²
Île principale: île du Cap aux Meules
Climat: maritime
Point le plus haut: Big Hill (174 m)
Fuseau horaire: heure normale de l'Atlantique, soit une heure de plus que l'heure normale de l'Est, à laquelle vit le reste du Québec

Portrait

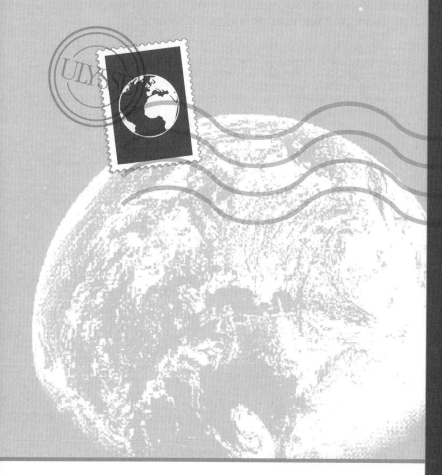

U n chapelet de villes et de villages pittoresques défile le long des côtes du Bas-Saint-Laurent et de la Gaspésie, alors que l'arrière-pays ondule au gré des vertes vallées ou des massifs rocheux. Les Îles de la Madeleine, archipel balayé par les vents du large, émergent, quant à elles, du vaste golfe du Saint-Laurent, aux eaux nourricières et ludiques… Vous voici en pays de découvertes et d'aventures, pour une immersion en pleine nature.

Terre mythique à l'extrémité est du Québec, la Gaspésie habite les rêves de ceux qui caressent le projet d'en faire enfin le «tour». Parcourir ses splendides paysages côtiers, là où les monts Chic-Chocs plongent abruptement dans les eaux froides du fleuve Saint-Laurent. Se rendre jusqu'au célèbre rocher Percé et prendre le large pour l'île Bonaventure. Fouler les étendues magnifiques des parcs nationaux. Revenir lentement et jouir du caractère unique de la baie des Chaleurs ou sillonner les perspectives dramatiques et profondes de la vallée de la Matapédia.

Le Bas-Saint-Laurent épouse les rives du fleuve Saint-Laurent entre le doux Pays de Kamouraska et Sainte-Luce, lieu de villégiature aux belles plages de sable. L'hinterland, parsemé de vastes terres fertiles et de forêts centenaires, et riche de nombreux lacs et cours d'eau, dévoile des paysages vallonnés. Depuis les berges du fleuve, les couchers de soleil éclatants, parmi les plus beaux du Québec, s'accompagnent des accents maritimes envoûtants. Le Bas-Saint-Laurent demeure un vaste patrimoine naturel et culturel, un trésor protégé mais accessible à tous les carrefours.

Aux Îles de la Madeleine, le blond des dunes et des longues plages sauvages se marie au rouge des falaises de grès et au bleu de la mer. Attrayantes, les Îles révèlent de superbes panoramas qui exhalent leurs effluves salins contre vents et marées. Sans oublier les jolies bourgades aux maisons peintes de couleurs vives, qui ont une histoire semblable à celle de leurs occupants: elles se sont éparpillées au hasard du paysage comme les braves Acadiens d'autrefois qui les ont choisies comme terre d'exil lors du Grand Dérangement de 1755.

Géographie

■ Gaspésie

Gaspé et Gaspésie tirent leur nom du mot micmac *Gespeg*, qui signifie «la fin des terres». Jadis nombreux, les Micmacs, surnommés les «Indiens de la mer», habitent ces terres depuis des millénaires.

La péninsule de la Gaspésie est en grande partie entourée par les eaux du Saint-Laurent, d'abord fleuve, puis estuaire et enfin golfe, sans oublier celles de la baie des Chaleurs. Elle se trouve tout juste au nord-est de la région du Bas-Saint-Laurent qui lui donne accès. La grande majorité des 140 000 Gaspésiens habitent des villages côtiers, laissant le centre de la péninsule recouvert d'une riche forêt boréale. Ce modeste nombre d'habitants, pour une superficie de plus de 30 000 km², s'explique facilement par la géomorphologie sévère de la Gaspésie.

La Gaspésie compte plusieurs rivières à saumons réputées à travers le monde, notamment la York, la Bonaventure et la Ristigouche. Par contre, le relief accidenté et l'importance du couvert forestier permettent de ne consacrer qu'une petite portion de son vaste territoire à l'agriculture.

Le rocher Percé

On estime que le rocher Percé perd 300 tonnes de roches par année. Bref, tout laisse croire qu'il va finir par disparaître... d'ici 20 000 ans! Cette sensibilité à l'érosion est à l'origine du fameux trou, d'un diamètre de 20 m. Mais il semblerait qu'il ait déjà eu jusqu'à quatre trous!

Selon les récits des premiers marins venus d'Europe aux XVIe et XVIIe siècles, le rocher comportait alors quatre arches. En 1675, le père Leclercq mentionne la présence de trois ouvertures dans ses écrits. Cette observation corrobore celle de Nicolas Denys, seigneur de Percé, qui relate en 1672 que le rocher a une ouverture mais que deux autres sont en train de s'agrandir.

Une peinture de 1760 (après la conquête anglaise), réalisée par un aide de camp de l'armée de Wolfe, illustre le rocher avec deux arches. La troisième arche se serait donc effondrée entre-temps. En 1812, l'arpenteur général du Bas-Canada, Joseph Bouchette, évoque également la présence de deux trous.

Puis, en 1845, une arche croule, créant ainsi une drôle de tour isolée et ramenant le célèbre rocher au seul trou d'aujourd'hui. Par la suite, l'obélisque s'est passablement effrité, au point de perdre jusqu'au tiers de sa structure dans les années 1950.

Au cœur du territoire se dresse le plus haut sommet du Québec méridional, dans cette partie de la chaîne des Appalaches que l'on nomme «les monts Chic-Chocs». Ce sommet, le mont Jacques-Cartier, haut de 1 268 m, trône précisément dans la partie occidentale du massif des monts McGerrigle, constituants des Chic-Chocs.

On estime la formation de la péninsule gaspésienne à plus de 500 millions d'années. Inscrit en 1999 sur la Liste du patrimoine naturel de l'UNESCO, le parc national de Miguasha, qui donne sur la baie des Chaleurs, expose d'ailleurs d'intéressants spécimens, dont deux fossiles de poissons âgés de 380 millions d'années. Le rocher Percé, pour sa part, a été formé au fond de la mer il y a quelque 375 millions d'années, et depuis il est constamment érodé par les vagues, le vent, les précipitations atmosphériques et le gel; du reste, environ 300 tonnes de roches s'en détachent annuellement.

Au-delà de la ville de Mont-Saint-Pierre, les Appalaches s'enfoncent sous les eaux du Saint-Laurent, pour en ressortir aux monts Long Range, dans l'île de Terre-Neuve. Le mouvement des glaces, à l'ère quaternaire (il y a environ deux millions d'années), a creusé de profondes vallées encaissées et formé, au pied des caps abrupts, une dentelle d'anses sur le fleuve où les premiers habitants ont développé quelques postes de pêche à la morue.

Peuple de pêcheurs, les Gaspésiens ont profité de l'embouchure des rivières, souvent profonde, pour aménager de vastes installations portuaires. Et la baie de Gaspé se présente elle-même comme un des plus importants abris naturels pour les navires dans l'Est canadien.

Portrait – Géographie

■ Bas-Saint-Laurent

Surnommé le «Bas-du-Fleuve», car la région longe la rive sud de l'estuaire du Saint-Laurent, le Bas-Saint-Laurent était, à l'époque des grandes seigneuries – il y en avait 24 entre 1672 et 1751 –, à vocation exclusivement agricole. Aujourd'hui encore, les basses terres du littoral sont souvent exploitées pour les cultures, petites ou grandes. L'hinterland, quant à lui, s'est vu recouvrir par les hauts plateaux des Appalaches et compte également de nombreux lacs.

Les quelque 200 000 Bas-Laurentiens jouissent d'un territoire de plus de 22 000 km^2 qui s'étend entre la Gaspésie, au nord-est, et la région de Chaudière-Appalaches, au sud-est.

Le fleuve Saint-Laurent, qui s'élargit jusqu'à 30 km devant la région, est parsemé de plusieurs îles le long de la côte, et sa rive peut devenir escarpée à certains endroits, avec d'abruptes falaises plongeant dans ses eaux. Mais le relief offre aussi quelques belles pentes douces, surtout où les agglomérations urbaines importantes, comme Rivière-du-Loup et Rimouski, se sont développées.

Particuliers au Bas-Saint-Laurent, les monadnocks, ces collines de quartz qui forment des pitons rocheux isolés entre la plaine et les battures du pays du Kamouraska, semblent surgir de la terre. Ce terme d'origine abénaquise signifie «à la montagne d'argent»: les monadnocks étaient jadis sacrés aux yeux des Autochtones.

■ Îles de la Madeleine

Les Micmacs appelaient les Îles de la Madeleine *Menagoesenog*, c'est-à-dire «les îles balayées par la vague». Jacques Cartier les rebaptisa les «Araynes» (du latin *arena*, sable). Puis, en 1663, François Doublet leur donna leur nom actuel en l'honneur de sa femme, Madeleine Fontaine, bien qu'en 1629 Samuel de Champlain eût inscrit sur une carte «La Magdeleine» à l'endroit où se trouve l'île du Havre Aubert.

Situées au cœur du golfe du Saint-Laurent, à plus de 250 km de Gaspé, les îles de la Madeleine, qui vivent à l'heure de l'Atlantique, soit une heure plus tard qu'au Québec, constituent un archipel en forme d'hameçon d'environ 65 km de longueur, composé d'une douzaine d'îles, dont six sont reliées entre elles par des cordons littoraux ou tombolos doubles qui isolent de vastes lagunes. Elles comptent quelque 300 km de plages de sable caressées par des eaux qui peuvent atteindre entre 17°C et 20°C en été. Les dunes, quant à elles, occupent 60% de toute l'étendue du littoral, et le sous-sol contient du gypse, des argilites, des siltstones, du calcaire et d'importants gisements de sel.

Le point culminant de l'archipel, qui couvre quelque 200 km^2, est Big Hill (174 m), sur l'île d'Entrée. Pour leur part, les falaises de grès rouge admirablement sculptées par le vent et les vagues ainsi que les 435 km de littoral des îles sont parsemés de havres naturels, d'arches étonnantes, de grottes mystérieuses et de baies pittoresques.

Les 13 000 Madelinots et Madeliniennes, en grande majorité francophones, se regroupent sur sept îles: l'île de la Grande Entrée, la Grosse Île, l'île aux Loups, l'île du Havre aux Maisons, l'île du Cap aux Meules, l'île du Havre Aubert et l'île d'Entrée. Parmi celles-ci, seule l'île d'Entrée, où vivent quelques familles d'origine écossaise, n'est pas reliée par voie terrestre au reste de l'archipel.

Faune

■ Gaspésie

Grâce aux parcs nationaux et aux réserves fauniques québécoises, d'innombrables espèces animales plus fascinantes les unes que les autres se trouvent bien protégées en Gaspésie, malgré les nombreux braconniers... Le parc national de la Gaspésie compte le seul troupeau de caribous vivant au sud du fleuve Saint-Laurent. Mais l'orignal (élan d'Amérique), le plus grand des cervidés, et le chevreuil (cerf de Virginie) se retrouvent dans toutes les forêts gaspésiennes. La population de l'orignal atteint une densité exceptionnelle dans la réserve faunique de Matane, où un centre d'interprétation permet de se familiariser avec le «roi de nos forêts».

Sur l'île Bonaventure vit la plus grande et la plus accessible colonie de fous de Bassan au monde, au nombre de 120 000, en plus de 200 000 autres oiseaux marins. La population de mouettes tridactyles de l'île y est la plus nombreuse du golfe du Saint-Laurent. Par ailleurs, près de 350 espèces d'oiseaux ont été répertoriées dans une quarantaine de sites d'observation en Gaspésie, petit paradis pour ornithophiles et ornithologues.

Les eaux des rivières sont très poissonneuses en Gaspésie, où les amateurs de pêche au saumon et à la truite sont toujours comblés. Bien qu'il passe une partie de sa vie en eau salée, le très convoité saumon de l'Atlantique se reproduit dans l'eau douce des rivières. La Gaspésie compte ainsi de nombreuses rivières à saumons dont certaines parmi les plus réputées au monde. Dans le secteur de la Gaspésie, la pêche commerciale en eau salée permet de capturer bon an, mal an quelque 30 000 tonnes de poissons, de mollusques et de crustacés. Homard, crevettes et crabe font notamment la joie des pêcheurs gaspésiens ainsi que des gourmets et autres convives.

Les eaux riches en krill et en poissons de la baie de Gaspé et du golfe du Saint-Laurent attirent sept espèces de cétacés: le rorqual bleu ou baleine bleue (la plus grande baleine au monde), le rorqual commun, le spectaculaire rorqual à bosse, le petit rorqual, le globicéphale noir, le dauphin à flancs blancs et le marsouin commun. Sans oublier les phoques gris et communs qu'on peut facilement observer à partir des rives.

La surpêche de la morue

Il demeure difficile de nommer un seul coupable dans la tragédie de la disparition de la morue de l'Atlantique. Pêcheurs cupides? Nouvelles technologies de pêche trop performantes? Gouvernement canadien négligeant? Braconniers étrangers sans scrupules? Phoques trop gourmands? Quoi qu'il en soit, on se retrouve avec les résultats actuels: un moratoire décrété en 1992 et la fermeture de la pêche en 2003. Aujourd'hui, certains pêcheurs disent prendre de plus en plus de ce poisson dans leurs filets, tant et si bien que certaines régions dont l'économie dépendait autrefois de cette industrie demandent la réouverture de la pêche à la morue. Verra-t-on un retour de la ruée vers «l'or blanc», comme certains appellent la morue?

■ Bas-Saint-Laurent

Pêchée depuis plus de trois siècles dans l'estuaire du Saint-Laurent, l'anguille d'Amérique est toujours l'objet d'une pêche commerciale, dont la plupart des prises sont acheminées vers l'Europe et le Japon. La côte du pays du Kamouraska est reconnue pour être le meilleur endroit pour la pêche à l'anguille au Québec. Objets de curiosité, les engins de pêche à fascines se dressent aux abords des rives du fleuve. Cette technique ingénieuse de pêche fut inventée par les Amérindiens: les fascines sont des branchages d'aune ou de bouleau entrelacées sur des piquets; les poissons n'osent pas traverser cette espèce de palissade; ils la longent et pénètrent à l'intérieur du port (le cercle au bout) par une petite ouverture; là, ils ne peuvent que tourner en rond pour être ensuite recueillis à marée basse.

Les forêts du Bas-Saint-Laurent abritent une bonne population de chevreuils, et la région attire un grand nombre d'oiseaux, soit quelque 320 espèces, grâce entre autres à ses tourbières, à ses lacs et aux battures du fleuve. Les eaux du fleuve devant la côte du Bas-Saint-Laurent attirent, quant à elles, plusieurs cétacés et de nombreux phoques. D'ailleurs, même si la fosse marine qui attire les plus grands mammifères au monde est plutôt située près de la rive nord du fleuve, dans les environs de Tadoussac, plusieurs entreprises d'excursions en mer pour l'observation des baleines proposent des sorties au départ du Bas-Saint-Laurent.

■ Îles de la Madeleine

Paradis des oiseaux, marins, riverains ou terrestres, les Îles de la Madeleine accueillent donc également un grand nombre d'amateurs et d'observateurs de faune ailée. Habitats naturels, les lagunes, falaises, collines et dunes des Îles abritent une avifaune nombreuse et diversifiée qui compte entre 250 et 300 espèces. Les étangs d'eau douce, pour leur part, en plus de constituer des haltes migratoires, représentent autant d'aires géographiques pour les oiseaux nicheurs.

Sillonnée de quelques sentiers d'observation, la forêt des Îles, dominée par le sapin baumier et l'épinette blanche, cache dans ses arbres plusieurs espèces associées au milieu forestier. Les plages de sable qui s'étirent d'île en île et les cordons littoraux qui protègent les lagunes recèlent leur lot d'oiseaux. D'ailleurs, les plages, en plus d'être le terrain de jeu des vacanciers, constituent le site de nidification estivale du pluvier siffleur, une espèce menacée d'extinction à l'échelle de la planète.

Tout autour des Îles de la Madeleine vivent quatre espèces de phoques: le phoque gris, qui préfère les eaux tempérées à proximité des îlots rocheux, des bancs de sable ou des côtes, et qui est l'espèce la plus nombreuse en été; le phoque commun, plus petit et plus pâle que le phoque gris, qui se la coule douce sur les récifs, les barres sableuses et les rochers que la marée basse laisse à découvert; le phoque du Groenland, une espèce arctique dénommée communément «loup marin», qui émigre sur les côtes des Îles vers la fin du mois de décembre et qui met bas sur la banquise au début du mois de mars (son petit, le célèbre blanchon, a un poil long et blanc durant la première semaine après sa naissance); et le phoque à capuchon, un animal agressif qui tire son nom de sa membrane nasale, qui vit dans les eaux de l'Arctique entre le Groenland et le continent européen, et qui migre parfois en hiver autour de l'archipel pour mettre bas sur le pack de glace.

Au fil des siècles, les Îles sont devenues une terre d'accueil pour les petits mammifères que sont le rat surmulot, le campagnol des champs, la souris sylvestre, le tamia rayé, le renard roux, l'écureuil roux et le lièvre d'Amérique, la plupart de ces espèces ayant été introduites par l'homme, volontairement ou non. Et l'on y retrouve même

Blanchons

Symbole de l'écotourisme aux Îles de la Madeleine, le blanchon est le petit du phoque du Groenland, le «loup marin» pour les gens des Îles. En effet, le phoque du Groenland vient mettre bas sur les banquises des Îles durant les premières semaines de mars, après un long périple le long des côtes du Labrador et dans le golfe du Saint-Laurent. Près de trois millions de phoques font ce voyage chaque année et remontent, après le sevrage, dans l'Arctique, où ils passent la majeure partie de leur vie.

Les phoques arrivent aux Îles en janvier après avoir suivi les côtes du Labrador pendant environ quatre mois. Ils demeurent dans le golfe durant deux ou trois mois, au cours desquels ils augmentent leur masse en matières grasses. Le mois de mars voit naître par milliers ces petites boules de fourrure, qui attendrirent le monde entier dans les années 1970, alors que les groupes écologiques manifestaient contre leur chasse. Les blanchons doivent attendre un mois avant leur premier plongeon, ce qui nous permet de les observer facilement. Durant cette période, les blanchons connaissent une croissance hors du commun.

Au cours des 12 jours d'allaitement, ils triplent leur poids, le lait maternel étant cinq fois plus riche que le lait de vache.

Les blanchons ne sont plus menacés par la chasse depuis 1987, mais les phoques sont toujours chassés. Ceux-ci constituent de redoutables prédateurs pour les bancs de poissons et abîment les filets de pêche remplis de belles prises. D'ailleurs, plusieurs pêcheurs les tiennent même responsables de la diminution des stocks de poissons. En 2004, Pêche et Océans Canada estimait la population totale du phoque du Groenland à 5,8 millions d'individus, soit le triple de ce qu'elle était en 1970. Pour les chasseurs de Terre-Neuve-et-Labrador et du golfe du Saint-Laurent, le gouvernement fédéral fixe des quotas selon un plan de gestion quinquennal qui établit à 270 000 les prises annuelles maximales en 2007.

La viande de «loup marin» est une viande brune fort appréciée. Vous en trouverez dans plusieurs coopératives d'alimentation des Îles et à la **Boucherie spécialisée Côte à Côte** (voir p 191).

quelques visons d'Amérique, une progéniture qui descend des quelques visons qui se sont jadis échappés d'un élevage.

Flore

■ Gaspésie

La flore gaspésienne est très variée en raison des divers microclimats de la péninsule. Sur les plus hautes montagnes, les arbres, de plus en plus rabougris et façonnés par les vents, finissent tôt ou tard par disparaître. Ils font alors place à la toundra, cette végétation arctique de mousses, de lichens et de plantes herbacées qui ne poussent pas plus bas. Les caribous du parc national de la Gaspésie, où s'élèvent entre autres les monts Albert et Jacques-Cartier, se retrouvent ainsi dans un milieu qui leur est familier.

En plus basse altitude, la forêt est reine, recouvrant une grande partie du territoire où les essences résineuses, tel le sapin baumier, dominent. Quelques essences feuillues, comme l'érable et le bouleau jaune, croissent entre autres le long des côtes maritimes.

Des barachois sont visibles sur le littoral gaspésien. Ces lagunes peu profondes se trouvent limitées notamment par des bancs de sable, qui sont autant de milieux particuliers où la végétation doit résister à la salinité de la terre. Ici les amants de la nature observent volontiers une flore aquatique ou semi-aquatique. Pour se familiariser avec les espèces végétales qui parsèment la péninsule gaspésienne, on peut visiter le Bioparc de la Gaspésie, dans la ville de Bonaventure.

Enfin, la Gaspésie est populaire auprès des horticulteurs en herbe et des paysagistes professionnels, entre autres car la municipalité de Grand-Métis abrite les Jardins de Métis. Aménagés dans l'esprit des jardins de collection du XIXe siècle et aujourd'hui réputés mondialement, les Jardins de Métis, grâce à leurs 3 000 espèces et variétés de plantes indigènes et exotiques, constituent une œuvre exceptionnelle d'art horticole.

■ Bas-Saint-Laurent

La région du Bas-Saint-Laurent, l'une des régions les plus diversifiées du Québec sur le plan de la flore et de la topographie, draine de nombreux lacs, tel le lac Témiscouata, et plusieurs cours d'eau, comme la rivière Matapédia, frontière naturelle entre la Gaspésie et le Bas-Saint-Laurent. Par ailleurs, la nature du sol dans le Bas-du-Fleuve détermine la répartition des peuplements forestiers.

L'érable à sucre pousse sur les flancs et les sommets des collines, où le sol se veut épais et donc moyennement drainé, et les thuyas croissent plutôt dans les dépressions humides. Le chêne rouge et le pin, quant à eux, se dressent sur les sommets plus secs, tandis que le peuplier baumier et l'orme d'Amérique préfèrent les berges des cours d'eau, le long desquels le sol possède une texture plus fine tout en étant plus humide et argileux. Chacun de ces peuplements forestiers est parsemé d'une flore de sous-bois qui lui est propre. De plus, les ruisseaux et rivières, les étangs et les lacs, les marécages et les tourbières sont autant d'écosystèmes qui rehaussent la biodiversité des paysages forestiers du Bas-Saint-Laurent. Par contre, les forêts ont perdu de leur dynamique naturelle au XXe siècle en raison de coupes mal planifiées.

■ Îles de la Madeleine

Les Îles de la Madeleine recèlent plusieurs espèces de graminées qui colonisent le sable de l'archipel, comme l'ammophile. La forêt des Îles, pour sa part, est principalement à l'état de la restauration. Souvent rabougris et plutôt denses, les nouveaux arbres, surtout des conifères, subissent au fil des saisons les affres des vents salins et sablonneux.

Joyau de la nature situé à quelque 15 km au nord de la Grosse Île, l'île Brion, la moins accessible mais probablement la plus belle des Îles, offre une grande diversité d'écosystèmes. Désignée comme réserve écologique en 1988, elle ne peut être visitée que pour des fins scientifiques ou éducatives. Même Jacques Cartier, en juin 1534, alors que cette île est la première qu'il visite dans la région, s'en émerveille dans son journal de bord: *Cette île est la meilleure terre que nous ayons vue, car un arpent de cette terre vaut mieux que tout Terre-Neuve. Nous la trouvâmes pleine de beaux arbres, de prairies, de champs de blé sauvage et de pois en fleur, aussi épais et aussi beaux que je ne vis jamais en Bretagne, tellement qu'il me semblait qu'ils avaient été semés par un laboureur.* Il lui donna son nom actuel pour faire honneur à son protecteur, l'amiral Brion-Chabot.

La flore la plus caractéristique de l'archipel se retrouve dans les milieux humides, qui s'étendent sur plus du quart de la superficie des Îles. Essentielle à l'équilibre écologique de l'archipel, l'ammophile retient, grâce à ses tiges souterraines, le sable des dunes. Beaucoup d'autres espèces de graminées parsèment les marais et les prés salés. La sphaigne, cette mousse des marais dont la décomposition est à l'origine de la formation de la tourbe, se rencontre, quant à elle, dans les étangs, les tourbières et les marais d'eau douce. Des fleurs et des fruits sauvages ajoutent leurs couleurs à toute cette végétation déjà diversifiée qu'il est possible d'observer entre autres le long de la Dune du Sud, aux abords de la baie du Havre aux Basques, sur la «montagne» de l'île du Havre-Aubert et dans la réserve nationale de faune de la Pointe-de-l'Est.

Histoire

■ Gaspésie

Il y a environ 3 000 ans, le territoire de la Gaspésie devint la terre d'accueil de la nation algonquine des Micmacs. Ces «Indiens de la mer» vivaient essentiellement de la chasse et de la pêche. Durant la belle saison, ils installaient leurs campements au bord de la mer, là où les rivières poissonneuses se jetaient. En hiver, ils pénétraient dans l'hinterland pour chasser le gros gibier, tel le caribou. Par ailleurs, selon certains historiens, la région aurait été fréquentée au XIIe siècle par des pêcheurs norvégiens venus du Groenland et de l'Islande, qui auraient même établi des postes de pêche sur le littoral gaspésien...

La Gaspésie entre dans l'histoire l'année même de la découverte du Canada par l'explorateur malouin Jacques Cartier. D'ailleurs, la croix arborant l'écusson aux trois fleurs de lys que Cartier plante sur le rivage de la baie de Gaspé, le 24 juillet 1534, marque la prise de possession du Canada au nom du roi de France. La colonisation du territoire par la France s'ensuivra, mais beaucoup plus tard.

Les pêcheurs basques, bretons, rochelais et normands, eux, n'attendent pas: ils commencent l'exploitation des bancs de morues de la côte gaspésienne. Au tournant du XVIIe siècle, le littoral compte cinq postes de pêche estivale. Malgré tout, le développement des pêcheries françaises est difficile pour plusieurs raisons: le sous-financement des entreprises, le climat rude et les incursions anglaises, auxquelles la France n'est plus en mesure de résister. Cette France qui s'est désintéressée trop tôt de ses colonies d'Amérique et qui sera aux prises avec les Britanniques lors de la guerre de Sept Ans. Du reste, elle perdra la guerre en 1760, avec la capitulation de Montréal, et tout le Canada avec le traité de Paris de 1763.

Après la Conquête, les pêcheries se développent; la côte gaspésienne voit alors surgir de petits chantiers navals où l'on construit des embarcations ainsi que des entrepôts de salage du poisson. Les Européens chassent la baleine dans la baie de Gaspé, et les Micmacs pêchent le saumon dans les rivières se jetant dans la baie des Chaleurs. Le Jersiais Charles Robin s'établit sur le banc de Paspébiac en 1767 pour y exploiter la morue du golfe; dans les années 1780, il en détiendra pratiquement le monopole.

En 1830, les Britanniques aménagent une route militaire entre Halifax et Québec pour faire échec à la menace américaine. Deux ans plus tard, le chemin Kempt est terminé: il relie la région de Métis à celle de la Baie-des-Chaleurs en suivant la vallée de la Matapédia. C'est le début du développement de la Gaspésie, déjà peuplée de nombreux Acadiens qui avaient fui la déportation en 1755, auxquels se sont ajoutés, dans les années 1780, des loyalistes fidèles à la couronne d'Angleterre ayant quitté les colonies américaines. Plus tard se joindront à eux plusieurs Québécois et quelques immigrants britanniques.

À la fin du XIXᵉ siècle, l'arrivée des bateaux à vapeur et le développement des installations portuaires pour les accueillir, ainsi que la construction de routes et de voies ferrées, marquent un tournant dans l'histoire de la Gaspésie, qui peut enfin s'ouvrir aux régions. À la même époque, l'industrie de la pêche, en déclin car la morue séchée n'est plus au goût du jour, se diversifie grâce au homard et au hareng. L'agriculture de subsistance se développe à une plus grande échelle, puis au début du XXᵉ siècle, l'industrie du bois de sciage fait son apparition.

Coulant des jours tranquilles depuis près de deux siècles, les Gaspésiens subiront les contrecoups de la Seconde Guerre mondiale, qui oppose les puissances alliées aux puissances totalitaires. En effet, des sous-marins allemands réussissent à atteindre le golfe du Saint-Laurent pour faire sombrer les navires marchands en route pour l'Angleterre. C'est ainsi que le hameau de Prével, situé à mi-chemin entre Percé et Gaspé, devient un site stratégique: y sera érigée une batterie côtière. Disparue depuis, elle fait place aujourd'hui au centre de villégiature de l'Auberge Fort-Prével.

Depuis les années 1950, la Gaspésie écrit une autre page de son histoire. Le développement touristique prend enfin une place de plus en plus importante alors que sévit un chômage endémique. Avec la modernisation de la région et des services qu'elle offre, le «tour de la Gaspésie» s'inscrit dans la continuité de la tradition d'accueil des Gaspésiens.

■ Bas-Saint-Laurent

Les côtes du Bas-Saint-Laurent sont connues des Amérindiens depuis 9 000 ans. Le secteur de Squatec, particulièrement, recèle de très anciens vestiges des premières nations qui se sont établies dans la région.

Dès le début du XVIᵉ siècle, les pêcheurs basques, tout comme les Normands et les Bretons, exploitent les ressources halieutiques du Saint-Laurent, aussi bien de l'estuaire que du golfe. Après les voyages de Jacques Cartier au Canada, ils se dotent d'une flotte de morutiers et de baleiniers en raison de la grande quantité de poissons qui peuplent le golfe et les bancs de Terre-Neuve.

Le déclin des colonies de baleines dans ces eaux, vers 1570, les conduira vers l'estuaire moyen du Saint-Laurent, à la hauteur du fjord du Saguenay. Aussi l'île aux Basques, située de l'autre côté du fleuve au large de Trois-Pistoles, deviendra-t-elle l'un des endroits qu'ils privilégient pour dépecer et faire fondre le blanc de baleine ou spermaceti, cette matière grasse que l'on utilisait à l'origine pour la fabrication de bougies.

Les riches terres bordant le Saint-Laurent sont défrichées puis cultivées dès le XVIIIᵉ siècle. Comme ailleurs en Nouvelle-France, la zone habitée forme une étroite lisière le long du fleuve. Le paysage de ces plaines restera d'ailleurs structuré selon le mode de division du sol hérité de l'époque seigneuriale. Marginal jusqu'en 1790 bien qu'une vingtaine de seigneuries aient été concédées dans la région pendant le Régime français, le peuplement permanent des terres du Bas-Saint-Laurent débute dès les origines de la Nouvelle-France, puis se fait par étapes selon la succession des différents modes de mise en valeur du territoire. La traite des fourrures y attire les premiers colons qui fondent, avant la fin du XVIIᵉ siècle, les postes de Rivière-du-Loup, du Bic, de Cabano et de Notre-Dame-du-Lac.

En 1783, l'ouverture du chemin du Portage, qui relie la vallée du Saint-Laurent et les colonies anglaises des Maritimes, permet au Bas-du-Fleuve de s'ouvrir aux autres régions. Puis en 1830, le chemin du Roy longera le fleuve jusqu'à Rimouski. Les terres de l'intérieur sont, quant à elles, colonisées un peu plus tard, soit vers 1850, alors que l'exploitation des richesses forestières se fait de pair avec la culture du sol.

Au XIXᵉ siècle, le Bas-Saint-Laurent devient l'un des principaux lieux de villégiature des riches Montréalais, qui s'y font construire de luxueuses résidences victoriennes. Par ailleurs, c'est au large de Pointe-au-Père que, le 29 mai 1914, le paquebot *Empress of Ireland* fait naufrage, entraînant dans la mort plus de 1 000 personnes.

À compter de 1970, après la fermeture de plusieurs villages, divers mouvements populaires se forment devant la menace de fermeture d'autres localités. C'est ce que l'on désignera du nom des «Opérations Dignité», qui proposent la prise en charge du développement par les communautés mêmes. Les initiatives de développement de trois villages du Témiscouata, réunis sous l'appellation «JAL» (pour Saint-Juste-du-Lac, Auclair et Lejeune) illustrent la détermination de la population de la région du Bas-Saint-Laurent.

■ Îles de la Madeleine

Les Îles de la Madeleine furent d'abord habitées sporadiquement par les Micmacs, surnommés les «Indiens de la mer». Dès le XVᵉ siècle, elles étaient régulièrement visitées par des chasseurs de morses et de phoques, ainsi que par des pêcheurs et des baleiniers principalement d'origine bretonne ou basque. En 1534, Jacques Cartier y fit escale lors de sa première expédition en Amérique du Nord.

En 1591, les Îles de la Madeleine ont été le théâtre du premier affrontement entre Anglais et Français pour la possession d'un territoire en Amérique. Nicolas Denys obtient de la Compagnie de la Nouvelle-France les droits sur un grand territoire incluant les Îles de la Madeleine et devient en 1653 le premier seigneur des Îles. Dix ans plus tard, la Compagnie des Cent-Associés (ancienne Compagnie de la Nouvelle-France) concède formellement les Îles à François Doublet afin qu'il y établisse une colonie de peuplement. Malgré l'échec de son entreprise – ce sera le premier et le seul essai d'implanter une véritable colonie aux Îles sous le Régime français –, il laissera aux îles le prénom de sa femme, Madeleine Fontaine.

L'occupation permanente de l'archipel ne débuta qu'après 1755, lorsque des familles acadiennes vinrent s'y réfugier après avoir échappé au Grand Dérangement. À la suite de la Conquête, les Îles de la Madeleine furent annexées à la province de Terre-Neuve en 1763 avant d'être intégrées au territoire québécois en 1774. En 1792, après la Révolution française, des familles acadiennes de Saint-Pierre-et-Miquelon se rendent dans l'archipel en compagnie du prêtre Jean-Baptiste Allain et s'y établissent. Ce sera le début de la véritable colonisation des Îles de la Madeleine.

Quelques années plus tard, en 1798, le roi George III accorda le titre de seigneur des Îles de la Madeleine à l'amiral Isaac Coffin, amorçant ainsi une période sombre pour les habitants de l'archipel. Lui et sa famille y ont en effet régné en despotes. À partir de 1854, devant l'impossibilité de devenir propriétaires fonciers, des familles complètes quittent les Îles pour aller s'établir sur la Basse-Côte-Nord, entre autres à

Havre-Saint-Pierre, à Blanc-Sablon et à Natashquan. En 1888, une étude du gouvernement québécois sur la tenure des terres mènera en 1895 à une loi sur le rachat des terres, dont le règlement ne se fera que sous le gouvernement Duplessis, 160 ans après l'arrivée de Coffin. Par ailleurs, les paroisses catholiques des Îles passeront sous l'autorité du diocèse de Gaspé en 1946, après avoir été sous la houlette de l'évêché de Charlottetown durant 128 ans.

Entre 500 et 1 000 naufrages auraient eu lieu dans les eaux entourant les Îles de la Madeleine, mais seulement 400 ont été répertoriés. La plupart des rescapés, souvent originaires de pays étrangers, ont choisi de vivre parmi leurs sauveteurs. De toute cette mosaïque humaine sont issus maints faits vécus et légendes qui colorent la tradition orale madelinienne. Et aujourd'hui encore, les Madelinots conservent une langue qui leur est particulière et une façon de vivre unique.

Économie

■ Gaspésie

L'exploitation forestière, l'agriculture et la pêche étaient jadis les principaux facteurs économiques de la Gaspésie. Mais la ressource forestière a été pratiquement épuisée par des coupes de bois abusives; l'agriculture, qui attire quant à elle beaucoup moins d'entrepreneurs depuis les années 1960, a réussi tout de même à faire mieux avec moins; et la ressource halieutique a été presque également épuisée à son tour par la surpêche et la prédation naturelle.

D'ailleurs, depuis quelque temps, ces ressources naturelles ne sont plus les seules à faire vivre les Gaspésiens, car tous les tous les secteurs, qu'ils soient éolien, industriel, agricole ou commercial, sont en ébullition. C'est ainsi que l'agroalimentaire, les biotechnologies, l'industrie pharmaceutique, la construction navale et la transformation du bois consolident la nouvelle économie gaspésienne.

La découverte de l'important potentiel éolien de la péninsule a fait souffler un vent de prospérité au-dessus de la Gaspésie. D'ailleurs, après Cap-Chat, Matane, Saint-Ulric et Rivière-au-Renard, sans oublier les monts Copper et Miller, tous dotés de parcs éoliens, on prévoit la construction de plusieurs autres parcs éoliens d'ici 2012, notamment à Carleton-sur-Mer, Murdochville, Baie-des-Sables et Les Méchins. De plus, quelques entreprises de fabrication de composantes d'éoliennes se sont établies en Gaspésie, et d'autres viendront s'y installer dans les prochaines années. Une ligne de transport d'électricité qui s'étendrait sur 120 km pourrait même voir le jour en Haute-Gaspésie. Cependant, des Gaspésiens opposés au développement à outrance veulent sensibiliser le gouvernement du Québec à la préservation des magnifiques paysages de la péninsule.

Plusieurs usines de transformation ou de préparation du bois se sont également implantées en Gaspésie ces dernières années, et d'autres s'y retrouveront aussi, dans le but de diversifier l'industrie forestière par le développement de nouveaux produits. Ce nouveau virage forestier pour les Gaspésiens permettra de léguer une forêt en santé aux générations futures.

Autre facteur économique important, le tourisme en Gaspésie se développe constamment, depuis plusieurs dizaines d'années, grâce aux milieux naturels exceptionnels que compte la péninsule et à une clientèle diversifiée. L'écotourisme et le tourisme d'aventure en Gaspésie font d'ailleurs de nombreux adeptes, la demande et l'offre en tourisme spécialisé se révélant de plus en plus grandes.

■ Bas-Saint-Laurent

L'industrie du bois de sciage est l'un des plus gros employeurs dans le Bas-Saint-Laurent, et ce, depuis la fin du XIXe siècle. En 1946, la région comptera plus de 250 scieries. Depuis, d'autres entreprises œuvrant dans le secteur forestier ont vu le jour, telles les usines de transformation du bois et les usines de pâte et papier.

Le Bas-Saint-Laurent a vu naître un grand entrepreneur, le financier Jules-A. Brillant, qui prit en 1927 le contrôle de la Compagnie de téléphone nationale et en assuma la présidence. En 1955, la compagnie devint Québec-Téléphone, jusqu'à ce que le géant canadien Telus s'en porte acquéreur il y a quelques années. Aujourd'hui, Rimouski, la métropole de la région, abrite d'ailleurs le siège social de Telus au Québec. En 1972, la compagnie MotoSki, qui produisait des motoneiges depuis le début des années 1960 à La Pocatière, fut rachetée par Bombardier. Elle se transformera alors en l'une des plus grosses usines de fabrication de voitures de métro et de trains au monde.

Le Bas-du-Fleuve compte aussi des dizaines de centres de recherche et de transfert technologique. Les centaines de personnes qui y travaillent s'intéressent aux biotechnologies marines, notamment pour les industries pharmaceutique (les remèdes et les médicaments), nutraceutique (par exemple, les acides gras oméga-3 et oméga-6) et cosméceutique (entre autres les crèmes de jouvence).

Par ailleurs, la région du Bas-Saint-Laurent produit près de la moitié de la tourbe au Québec. Elle compte une vingtaine d'entreprises dans l'industrie de la tourbe, qui bénéficient des technologies agroenvironnementales de pointe. Elle profite également de l'expertise des institutions d'enseignement qui appuient les entreprises dans leurs domaines respectifs. On n'a qu'à penser aux cégeps de la région (Rimouski, Rivière-du-Loup, La Pocatière) et à l'UQAR (Université du Québec à Rimouski), ainsi qu'à tous les instituts spécialisés (biotechnologies marines, technologie agroalimentaire, sciences de la mer, technologie physique, transformation des produits forestiers, etc.).

Comme le Bas-Saint-Laurent est exposé à de grands vents, près d'une trentaine de projets de parcs éoliens sont en voie de réalisation dans le cadre d'appels d'offres prévus par Québec. Sauf que la multiplication de ces projets et l'empressement de certains promoteurs ont soulevé l'inquiétude de plusieurs citoyens, qui souhaitent que le développement de l'industrie éolienne dans la région se fasse aussi en harmonie avec les milieux de vie et dans l'intérêt de la préservation du capital naturel.

Finalement, l'industrie touristique dans le Bas-Saint-Laurent est en constant développement. La région se distingue aussi bien par son caractère écotouristique que par son patrimoine naturel et culturel.

■ Îles de la Madeleine

Depuis toujours tournés vers la mer, les habitants des Îles de la Madeleine vivent encore principalement de la pêche au crabe, aux mollusques, au maquereau et surtout au homard. Les Îles possèdent aussi une grande usine de transformation du poisson. Pour sa part, la chasse aux phoques demeure également une importante source de revenus pour les Madelinots. Elle se déroule au mois de mars sur la banquise.

Une des seules activités économiques permanentes des Îles avec le secteur des services, l'exploitation des gisements de sel pour le déglaçage des routes a lieu depuis plus d'une vingtaine d'années par Mines Seleine. Les galeries de la mine s'étendent sur un diamètre de 1 km sous la dune et la mer.

Portrait - Économie

De plus en plus importante chaque année, l'industrie touristique, quant à elle, se retrouve même au second rang des facteurs économiques des Îles après l'industrie de la pêche (exploitation et transformation des ressources halieutiques). Les pêcheries et le tourisme sont par ailleurs essentiellement saisonniers.

L'industrie touristique madelinienne offre des produits de qualité issus d'une centaine de petites entreprises, aussi les Îles de la Madeleine attirent-elles leur lot de visiteurs chaque année. Son prochain défi résidera dans la prolongation de la saison touristique. Déjà, quelques entreprises offrent la possibilité de faire du camping d'hiver et de la raquette sur les Îles.

Aux Îles, le vent est aussi omniprésent que la mer. D'ailleurs, la population, sans rejeter tout développement éolien qui se ferait en harmonie avec le milieu, a manifesté son vœu de préserver les paysages. Hydro-Québec présentera probablement un nouveau projet, après avoir en vain tenté d'implanter en 2006 quelques éoliennes sur l'île d'Entrée, les résidants de l'île s'étant alors opposés au projet.

Vie politique

Au référendum de 1980, la Gaspésie vota comme l'ensemble du Québec, c'est-à-dire contre le projet de souveraineté-association prôné par le Parti québécois, alors au pouvoir. En 1995, au second référendum tenu par le gouvernement du Parti québécois, les Gaspésiens ont voté «oui» à 58% pour le projet de souveraineté du Québec, comme l'ont fait les Bas-Laurentiens et les Madelinots, majoritairement souverainistes.

■ Gaspésie

La Gaspésie compte trois circonscriptions électorales provinciales: la circonscription de Gaspé, la circonscription de Bonaventure et la circonscription de Matane. Au moment de mettre sous presse, la Commission de la représentation électorale du Québec soumettait une refonte de la carte électorale qui aurait pour conséquence de faire disparaître la circonscription de Gaspé. Au niveau fédéral, les régions de la Gaspésie et des Îles de la Madeleine comptent deux circonscriptions: la circonscription de Gaspésie–Îles-de-la-Madeleine et la circonscription de Haute-Gaspésie–La Mitis–Matane–Matapédia (cette circonscription s'étend aussi sur une partie de la région du Bas-Saint-Laurent).

Depuis 1791, date du premier parlement élu au Québec, la Gaspésie envoie des représentants aux assemblées législatives. À l'époque, la région n'était représentée que par un seul député. Et jusqu'à la confédération de 1867, les élus seront souvent bien loin des préoccupations des pêcheurs gaspésiens. Généralement étrangers à la région, ils se rapprocheront surtout des exigences des marchands et des entrepreneurs. Par ailleurs, Honoré Mercier, premier ministre du Québec de 1887 à 1891, a représenté la circonscription de Bonaventure.

La Gaspésie a eu l'honneur de voir naître de grands politiciens québécois: Bona Arsenault (1903-1993), en politique de 1931 à 1976, historien et généalogiste qui a publié une *Histoire des Acadiens*; Gérard D. Lévesque (1926-1993), élu dans la circonscription de Bonaventure, et qui encore aujourd'hui possède le record du député ayant siégé le plus longtemps à l'Assemblée nationale, soit plus de 37 ans, et ce, sans interruption; René Lévesque (1922-1987), un grand souverainiste qui s'est battu toute sa vie pour la cause des Québécois et qui fut le premier ministre du Québec de 1976 à 1984; et l'abbé Michel Le Moignan (1919-2000), qui fut député de Gaspé en 1976 et l'un des cofondateurs de la Société historique de la Gaspésie et du Musée d'histoire et de traditions populaires de la Gaspésie.

■ Bas-Saint-Laurent

Le Bas-Saint-Laurent compte quatre circonscriptions électorales provinciales: la circonscription de Rimouski, la circonscription de Kamouraska-Témiscouata, la circonscription de Rivière-du-Loup et la circonscription de Matapédia. Au moment de mettre sous presse, la Commission de la représentation électorale du Québec soumettait une refonte de la carte électorale qui aurait pour conséquence de faire disparaître la circonscription de Kamouraska-Témiscouata. Au niveau fédéral, la région du Bas-Saint-Laurent compte deux circonscriptions: la circonscription de Rimouski-Neigette–Témiscouata–Les Basques et la circonscription de Montmagny–L'Islet–Kamouraska–Rivière-du-Loup (cette circonscription s'étend aussi sur une partie de la région de Chaudière-Appalaches).

De 1840 à 1890, une véritable élite politique bas-laurentienne verra le jour. Au cours de ce demi-siècle, la députation sera la chasse-gardée d'hommes dont l'occupation assure une indépendance financière (professions libérales, petits industriels). Ces tendances subsisteront jusqu'au XXe siècle.

■ Îles de la Madeleine

Les Îles de la Madeleine comptent une seule circonscription électorale provinciale: la circonscription des Îles-de-la-Madeleine. Au niveau fédéral, elles sont rattachées à la circonscription électorale de Gaspésie–Îles-de-la-Madeleine.

De 1936 à 1976, soit durant 40 ans, les Îles n'ont connu que deux députés au niveau provincial. Hormidas Langlais, de l'Union nationale, sera élu de 1936 à 1962, et Louis-Philippe Lacroix, du Parti libéral, le sera de 1962 à 1976.

Arts et culture

■ Gaspésie

La Gaspésie est animée d'une riche expression culturelle. Faites-vous plaisir en assistant à une pièce de théâtre ou à un spectacle, ou encore allez voir une exposition dans un musée. Lors de vos sorties culturelles, vous rencontrerez des gens créatifs et fascinants qui vous feront partager leur démarche artistique, et peut-être même leur art de vivre en Gaspésie.

Terre d'inspiration et de création, la Gaspésie accueille encore aujourd'hui en son sein une multitude de créateurs dans tous les domaines et nombre de lieux de diffusion pour les faire connaître, que ce soit pour les arts de la scène, les arts visuels, le patrimoine, la littérature ou les métiers d'art.

Les artistes de la chanson et de la musique, entre autres, attirent de nombreux spectateurs lors de leurs prestations sur les scènes gaspésiennes. Auteurs-compositeurs-interprètes, chansonniers, musiciens de blues ou de jazz, tous sont accueillis avec enthousiasme. Petites et grandes salles, bars, festivals et scènes extérieures sont autant de lieux pour les découvrir.

Plusieurs artistes gaspésiens ont marqué la scène artistique québécoise, entre autres Kevin Parent, Isabelle Boulay et Laurence Jalbert. Malgré qu'il soit né dans la banlieue montréalaise, le chanteur Kevin Parent a été élevé dès son jeune âge en Gaspésie. Depuis une douzaine d'années, il a enregistré plusieurs disques devenus de grands

Portrait – Arts et culture

succès. La chanteuse Isabelle Boulay, quant à elle, est née à Sainte-Félicité. Sa carrière fulgurante débute en 1996. Depuis, elle a enregistré de nombreux disques et connaît un franc succès aussi bien ici, au Québec, qu'en Europe. Enfin, la chanteuse Laurence Jalbert, native de Rivière-au-Renard, a à son actif une dizaine d'albums. À ses débuts, elle est montée sur scène en se produisant dans des pianos-bars au sein de différents groupes.

■ Bas-Saint-Laurent

La vie culturelle dans le Bas-Saint-Laurent est particulièrement riche et diversifiée. Les arts de la scène, les arts visuels, les métiers d'art, les arts médiatiques, le cinéma, la vidéo, les institutions muséales, bref, tous les domaines de la culture sont bien représentés dans le Bas-Saint-Laurent. Plusieurs événements culturels ont cours dans la région toute l'année, surtout en été et en automne. Le Bas-Saint-Laurent est aussi reconnu pour son riche héritage patrimonial, qu'on découvre à travers ses paysages, ses sites archéologiques et architecturaux ou ses biens culturels.

Le Bas-Saint-Laurent a vu naître plusieurs écrivains, notamment l'un des plus connus au Québec, Victor-Lévy Beaulieu, né à Saint-Paul-de-la-Croix. L'un des auteurs québécois les plus prolifiques des 30 dernières années, il a écrit des pièces de théâtre, des feuilletons pour la télévision, des romans et autres essais pour ses lecteurs. Dans la vie privée comme dans ses œuvres, cet homme de paroles clame ses convictions, haut et fort. Il a remporté de nombreux prix littéraires. Dans le but de développer la littérature de l'Est du Québec, il a fondé en 1995 les Éditions Trois-Pistoles, qu'il dirige toujours aujourd'hui.

L'Orchestre symphonique de l'Estuaire, établi à Rimouski, a été fondé en 1993 pour promouvoir et diffuser la musique classique et symphonique dans le Bas-Saint-Laurent, en Gaspésie et même sur la Côte-Nord, trois régions non desservies par les grands orchestres professionnels du Québec et du Canada. Cet orchestre de tournée présente ses concerts dans les églises et les écoles des principales villes des régions.

■ Îles de la Madeleine

Les Îles de la Madeleine voient surgir depuis plusieurs années l'émergence d'une pratique artistique inspirée par l'environnement et nourrie par le dynamisme de ceux qui l'animent. Elles comptent entre autres sur la présence de nombreux artistes en arts visuels et artisans de haut calibre, qui offrent tous une production originale de calibre international. Des festivals animent également de façon originale la vie culturelle sur les Îles.

Sept jeunes artistes originaires des Îles de la Madeleine, et diplômés de l'École nationale de cirque de Montréal, ont fondé en 1993 le Cirque Éloize, qui propose un regard nouveau sur les arts du cirque et qui est aujourd'hui réputé à travers le monde.

Suroît, un groupe de quatre musiciens issus des Îles de la Madeleine, offre un mariage réussi du style épuré des musiques traditionnelles et des sonorités modernes d'aujourd'hui.

Le poète, écrivain et dramaturge Sylvain Rivière, natif de la Gaspésie, habite les Îles de la Madeleine depuis 1981. Il a publié une vingtaine d'ouvrages depuis 1982 et il est le directeur artistique du Festival international Contes en Îles, qui célèbre la tradition orale.

Renseignements généraux

L e présent chapitre a pour but de vous aider à planifier votre voyage avant votre départ et une fois sur place. Ainsi, il offre une foule de renseignements précieux aux visiteurs venant de l'extérieur quant aux procédures d'entrée au Canada et aux formalités. Il renferme aussi plusieurs indications générales qui pourront vous être utiles lors de vos déplacements. Nous vous souhaitons un excellent voyage au Québec, particulièrement dans les magnifiques régions du Bas-Saint-Laurent, de la Gaspésie et des Îles de la Madeleine!

Formalités d'entrée

■ Passeport et visa

Pour la plupart des citoyens des pays de l'Europe de l'Ouest, un passeport valide suffit, et aucun visa n'est requis pour un séjour de moins de trois mois au Canada. Il est possible de demander une prolongation de trois mois (voir ci-dessous). Un billet de retour ainsi qu'une preuve de fonds suffisants pour couvrir le séjour peuvent être requis. Pour connaître la liste des pays dont le Canada exige un visa de séjour, consultez le site Internet de **Citoyenneté et Immigration Canada** *(www. cic.gc.ca)* ou prenez contact avec l'ambassade canadienne la plus proche.

Prolongation du séjour

Il faut adresser sa demande par écrit au moins trois semaines avant l'expiration du visa (date généralement inscrite dans le passeport) à l'un des centres de Citoyenneté et Immigration Canada. Votre passeport valide, un billet de retour, une preuve de fonds suffisants pour couvrir le séjour ainsi que 75$ pour les frais de dossier (non remboursables) vous seront demandés.

Avertissement: dans certains cas (études, travail), la demande doit obligatoirement être faite avant l'arrivée au Canada. Communiquez avec **Citoyenneté et Immigration Canada** *(☎888-242-2100 de l'intérieur du Canada, ☎514-496-1010, 416-973-4444 ou 604-666-2171 de l'extérieur du pays, www.cic.gc.ca).*

Séjour aux États-Unis

Cette section s'adresse aux visiteurs européens et aux Canadiens qui voudraient effectuer un séjour aux États-Unis après leur voyage à travers le Québec. Pour entrer aux États-Unis par avion, les citoyens canadiens ont besoin d'un passeport depuis le 23 janvier 2007. Cependant, et ce jusqu'au 1er juin 2009, ceux qui y vont par voiture ou par bateau peuvent présenter soit leur passeport **ou** une pièce d'identité avec photo émise par un gouvernement (par exemple, un permis de conduire) **et** un certificat de naissance ou une carte de citoyenneté.

Les résidants d'une trentaine de pays dont la France, la Belgique et la Suisse, en voyage de tourisme ou d'affaires, n'ont plus besoin d'être en possession d'un visa pour entrer aux États-Unis à condition de:

• avoir un billet d'avion aller-retour;

• présenter un passeport électronique sauf s'ils possèdent un passeport individuel à lecture optique en cours de validité et émis au plus tard le 25 octobre 2005; à défaut, l'obtention d'un visa sera obligatoire;

• projeter un séjour d'au plus 90 jours (le séjour ne peut être prolongé sur place: le visiteur ne peut changer de statut, accepter un emploi ou étudier);

• présenter des preuves de solvabilité (carte de crédit, chèques de voyage);

• remplir le formulaire de demande d'exemption de visa (formulaire I-94W) remis par la compagnie de transport pendant le vol;

- le visa est toujours nécessaire pour certaines catégories de voyageurs (étudiants ou visa précédemment refusé).

■ Douane

Si vous apportez des cadeaux à des amis canadiens, n'oubliez pas qu'il existe certaines restrictions.

Pour les **fumeurs** *(au Québec, l'âge légal pour acheter des produits du tabac est de 18 ans)*, la quantité maximale est de 200 cigarettes, 50 cigares, 200 g de tabac ou 200 bâtonnets de tabac.

Pour les **alcools** *(au Québec, l'âge légal pour acheter et consommer de l'alcool est de 18 ans)*, le maximum permis est de 1,5 litre de vin (en pratique, on tolère deux bouteilles par personne), 1,14 litre de spiritueux et, pour la bière, 24 canettes ou bouteilles de 355 ml.

Pour de plus amples renseignements sur les lois régissant les douanes canadiennes, contactez l'**Agence des services frontaliers du Canada** *(☎800-959-2036 de l'intérieur du Canada, ☎204-983-3700 ou 506-636-5067 de l'extérieur du Canada; www. cbsa-asfc.gc.ca)*.

Il existe des règles très strictes concernant l'importation de **plantes** ou de **fleurs**; aussi est-il préférable, en raison de la sévérité de la réglementation, de ne pas apporter ce genre de cadeau. Si toutefois cela s'avère «indispensable», il est vivement conseillé de s'adresser au service de l'**Agence canadienne d'inspection des aliments** *(www. inspection.gc.ca)* ou à l'ambassade du Canada de son pays **avant** de partir.

Si vous voyagez avec un **animal de compagnie**, il vous sera demandé un certificat de santé (document fourni par un vétérinaire) ainsi qu'un certificat de vaccination contre la rage. La vaccination de l'animal devra avoir été faite **au moins 30 jours avant** votre départ et ne devra pas être plus ancienne qu'un an.

Accès et déplacements

■ En avion

C'est de loin le moyen de transport le plus coûteux; cependant, certaines compagnies aériennes proposent régulièrement des prix réduits. Il importe donc d'être un consommateur averti et de comparer les offres.

Il existe un grand aéroport au Québec, soit à **Dorval** (voir ci-dessous), dans la région de Montréal. Le deuxième plus important, celui de **Québec** (voir ci-dessous), ne dessert qu'un nombre limité de destinations, bien qu'il reçoive des vols internationaux.

Quelques petits aéroports régionaux sont décrits dans ce guide, pour les déplacements essentiellement internes. Pour plus d'information sur ces aéroports, référez-vous à la section «Accès et déplacements» au début des chapitres sur les régions du Bas-Saint-Laurent, de la Gaspésie et des Îles-de-la-Madeleine.

Aéroport international Pierre-Elliott-Trudeau de Montréal

L'aéroport international Pierre-Elliott-Trudeau de Montréal, nommé en hommage à l'ancien premier ministre canadien et que l'on peut aussi tout simplement appeler «**Montréal-Trudeau**», est situé à Dorval à une vingtaine de kilomètres du centre-ville de Montréal, soit à plus ou moins 20 min en voiture. Pour se rendre au centre-ville, il faut prendre l'autoroute 20 Est jusqu'à la jonction avec l'autoroute Ville-Marie (720), direction «Centre-ville, Vieux-Montréal».

Pour tout renseignement concernant les services d'aéroport (arrivées, départs et autres), contactez le Centre d'information des **Aéroports de Montréal (ADM)** *(☎514-394-7377 ou 800-465-1213, www.admtl.com)*.

Accès à la ville par navette

L'**Aérobus**, de la compagnie d'autocars **La Québécoise** *(☎514-216-8591, www.*

Renseignements généraux – Accès et déplacements

autobus.qc.ca), propose son service de navette entre la gare d'autocars (Station Centrale), quelques grands hôtels et l'aéroport Montréal-Trudeau. Vous pouvez aussi obtenir de l'information sur le service de navette de l'Aérobus en contactant les **Aéroports de Montréal (ADM)**. Vous pouvez acheter votre ticket à la billetterie de l'aéroport ou à la **Station Centrale** *(505 boul. De Maisonneuve E., métro Berri-UQAM, ☎514-842-2281)*.

De l'aéroport Montréal-Trudeau au centre-ville: toutes les 20 min, de 7h à 2h. Arrêt à trois grands hôtels (Marriott Château Champlain, Fairmont Le Reine Elizabeth, Sheraton) et arrivée à la Station Centrale. Coût: 13$ aller simple; 22,75$ aller-retour.

Du centre-ville à l'aéroport Montréal-Trudeau: toutes les 20 min, de 4h5 à 23h. Départ de la Station Centrale avec arrêt à trois grands hôtels (Marriott Château Champlain, Fairmont Le Reine Elizabeth, Sheraton). Coût: 13$ aller simple; 22,75$ aller-retour.

Il existe aussi un service de **minibus gratuit** *(réservations: ☎514-843-4938)* entre la Station Centrale et plusieurs autres établissements hôteliers du centre-ville.

Accès à la ville en transports en commun

Au départ de l'aéroport Montréal-Trudeau, vous pouvez aussi utiliser le service de transport en commun de la **Société de transport de Montréal (STM)** *(☎514-288-6287, www.stm.info)* pour vous rendre au centre-ville. Prenez l'autobus 204 vers l'est jusqu'à la gare Dorval. De là, vous pourrez soit prendre le train jusqu'à la Gare centrale de Montréal, ou l'autobus 211 vers l'est jusqu'à la station de métro Lionel-Groulx.

Accès à la ville par taxi

L'aéroport Montréal-Trudeau est desservi par de nombreuses voitures. Le service est offert à partir de 6h le matin jusqu'à l'arrivée du dernier vol. Le tarif forfaitaire se chiffre à 35$ pour les voyages entre l'aéroport et le centre-ville de Montréal.

Tous les taxis desservant l'aéroport Montréal-Trudeau sont tenus d'accepter les principales cartes de crédit.

Location de voitures

La plupart des grandes entreprises de location de voitures sont représentées à l'aéroport Montréal-Trudeau.

Aéroport international Jean-Lesage de Québec

Il existe un seul aéroport dans la région de Québec, soit l'**aéroport international Jean-Lesage** *(☎418-640-2700 ou 418-640-2600 service automatisé 24h sur 24, www.aeroportdequebec.com)*. Malgré sa taille, on y trouve tout de même tous les services utiles aux voyageurs tels que comptoirs de location de voitures, bureau de change *(Corporation d'Échange Canada; ☎418-872-0360)* et boutique hors taxes *(☎418-871-3188)*. L'aéroport est majoritairement desservi par des vols nationaux (du Québec et d'autres provinces du Canada).

Situé à L'Ancienne-Lorette, cet aéroport se trouve à environ 20 km au nord-ouest de Québec. Pour vous rendre au centre-ville, empruntez la route de l'Aéroport en direction sud jusqu'à la jonction avec l'autoroute 40 Est. Prenez ensuite la direction du boulevard Charest Est. Il faut compter une vingtaine de minutes pour effectuer ce trajet. Le prix d'une course en taxi entre l'aéroport et le centre-ville de Québec est d'environ 30$.

■ En voiture

Le bon état général des routes et l'essence moins chère qu'en Europe font de la voiture un moyen idéal pour visiter le Québec en toute liberté. On trouve d'excellentes cartes routières publiées au Québec ainsi que des cartes régionales dans les librairies.

Quelques conseils

Le port de la **ceinture de sécurité** est obligatoire, même pour les passagers arrière.

En hiver, bien que les routes soient généralement très bien dégagées, il faut tout de même considérer le danger que représentent les conditions climatiques. Il n'est pas rare de voir la route transformée en véritable patinoire par le verglas! Le vent peut également être de la partie, provoquant de la «poudrerie» et rendant ainsi la visibilité quasi nulle. Tous ces facteurs auxquels les Québécois sont bien habitués doivent vous faire redoubler de prudence. Lors d'une tempête de neige, la route 132 en Gaspésie est souvent fermée, surtout dans le secteur de la Haute-Gaspésie.

Dans les grandes villes, le déneigement après une tempête vous oblige à déplacer votre voiture lorsque des panneaux l'annonçant sont disposés dans les rues. De plus, un véhicule émettant un signal avertisseur vous rappellera de dégager la voie.

Lorsqu'un **autobus scolaire** (de couleur jaune) est à l'arrêt (feux clignotants allumés), vous devez obligatoirement vous arrêter, quelle que soit la voie dans laquelle vous circulez. Tout manquement à cette règle est considéré comme une faute grave.

Le **virage à droite au feu rouge** est autorisé sur l'ensemble du territoire québécois, **sauf** sur l'île de Montréal et aux intersections où il y a un panneau d'interdiction. Avant de tourner, pensez aux piétons et aux cyclistes. Les panneaux *Arrêt* sont à respecter scrupuleusement.

Les **autoroutes** sont gratuites partout au Québec, et la vitesse y est limitée à 100 km/h. Sur les routes principales, la limitation de vitesse est de 90 km/h, et de 50 km/h dans les zones urbaines.

Le Canada étant un pays producteur de pétrole, l'**essence** y est moins chère qu'en Europe. Dans certains **postes d'essence** (surtout en ville), il se peut qu'après 23h on vous demande de payer d'avance par simple mesure de sécurité.

Location de voitures

Un forfait incluant avion, hôtel et voiture, ou simplement hôtel et voiture, peut être moins cher que la location sur place. Nous vous conseillons de comparer. De nombreuses agences de voyages font affaire avec les compagnies les plus connues (Avis, Budget, National, Hertz et autres) et offrent des promotions avantageuses, souvent accompagnées de primes (par exemple, des rabais sur les prix des spectacles). Sur place, vérifiez si le contrat comprend le kilométrage illimité ou non et si l'assurance proposée vous couvre complètement (accident, dégâts matériels, frais d'hôpitaux, passagers, vols). Certaines cartes de crédit, les cartes Or par exemple, vous assurent automatiquement contre les collisions et le vol du véhicule; avant de louer un véhicule, vérifiez que votre carte vous offre bien ces deux protections.

Rappelez-vous:

Il faut avoir au moins 21 ans et posséder son permis depuis au moins un an pour louer une voiture. Toutefois, si vous avez entre 21 et 25 ans, certaines compagnies imposeront une franchise collision de 500$ et parfois un supplément journalier. À partir de l'âge de 25 ans, ces conditions ne s'appliquent plus.

Une carte de crédit est indispensable pour le dépôt de garantie. La carte de crédit doit être au même nom que le permis de conduire.

Dans la majorité des cas, les voitures louées sont dotées d'une transmission automatique.

Les sièges de sécurité pour enfants sont en supplément dans la location.

Partage de véhicules

Une option pratique, écologique et économique, pour les résidants du Québec qui ne possèdent pas leur propre automobile, est le service de partage de véhicules, offert notamment par l'entreprise **Communauto** *(www.communauto.com)*. Pour

Renseignements généraux – Accès et déplacements

adhérer à Communauto, il faut s'inscrire pour une durée minimale d'un an et payer un droit d'adhésion de 500$ (le montant est entièrement remboursable après un an si vous décidez de quitter le service). Par la suite, les divers tarifs et échelles de prix de l'entreprise permettent de «louer» un véhicule pour vos déplacements de courte ou de longue durée. Plusieurs dizaines de stations de collecte des véhicules sont présentes à Montréal, mais aussi à Québec, Sherbrooke et Gatineau. On vous reçoit sur place sur rendez-vous seulement.

Communauto Montréal
1117 rue Ste-Catherine O., bureau 806
Montréal, QC, H3B 1H9
☎ 514-842-4545 ou 866-496-1116

Communauto Québec
335 rue St-Joseph E., bureau 600
Québec, QC, G1K 3B4
☎ 418-523-1788 ou 866-496-1116

Communauto Sherbrooke
166 rue King O., bureau 102
Sherbrooke, QC, J1H 1P7
☎ 819-563-9191

Communauto Gatineau
115 boul. Sacré-Cœur, bureau 103
Gatineau, QC, J8X 1C5
☎ 819-595-5181

Location d'autocaravanes

Bien qu'assez cher, se déplacer en autocaravane constitue un moyen très agréable de découvrir la grande nature. Tout comme pour l'automobile, acheter un forfait auprès d'un voyagiste peut être plus avantageux.

N'oubliez pas cependant qu'à cause de la demande et de la durée assez courte de la bonne saison il faut absolument réserver très tôt pour avoir un bon choix de véhicules récréatifs. Si vous partez pour l'été, vous devrez réserver au plus tard en janvier ou février.

N'oubliez pas de bien analyser la couverture d'assurance, car ce type de véhicule est très onéreux. Assurez-vous que les ustensiles de cuisine ainsi que la literie sont inclus dans le prix de la location.

Voici une adresse, en plus des nombreuses entreprises que vous trouverez dans l'annuaire des *Pages Jaunes* (rubrique «Véhicules récréatifs»).

Cruise Canada
☎ 450-628-7093
www.cruisecanada.com

Accidents

En cas d'accident grave, incendie ou autre urgence, faites le ☎**911**. Lors d'un accident, n'oubliez jamais de remplir une déclaration d'accident (constat à l'amiable). En cas de désaccord, demandez l'aide de la police. Si vous conduisez un véhicule loué, vous devez avertir au plus vite l'entreprise.

Si votre séjour est de longue durée et que vous avez décidé d'acheter une voiture, il sera alors bien utile de vous affilier au CAA (l'équivalent des «Touring Assistances» en Europe), qui vous dépannera à travers tout le Québec et le Canada. Si vous êtes membre dans votre pays de l'association équivalente (France: Association Française des Automobiles Club; Suisse: Automobile Club de Suisse; Belgique: Royal Automobile Touring Club de Belgique), vous avez droit gratuitement à certains services. Pour plus de renseignements, adressez-vous à votre association ou, à Québec, au CAA *(☎418-624-8222 ou 866-440-8222, www.caaquebec. com)*.

■ En autocar

Après la voiture, il s'agit du meilleur moyen pour se déplacer. La compagnie d'autocars **Orléans Express** *(www. orleansexpress.com)* dessert le Bas-Saint-Laurent et la Gaspésie au départ de Montréal *(Station Centrale, 505 boul. De Maisonneuve E., angle rue Berri, ☎514-842-2281)* et de Québec *(Gare du Palais, 320 rue Abraham-Martin, ☎418-525-3000)*. Pour connaître l'adresse des gares routières régionales, consultez les sections «Accès et déplacements» des chapitres sur les régions du Bas-Saint-Laurent et de la Gaspésie. À titre d'exemple, il vous coûtera environ 90$ pour faire le trajet Montréal–Rimouski en autocar (durée: 7h) et 102$ pour faire le trajet Montréal–Gaspé (durée: 14h).

Sachez qu'il est interdit de fumer à bord des autocars, et que les animaux ne sont pas admis. En général, les enfants de 5 ans et moins sont transportés gratuitement, et les personnes de 60 ans et plus ainsi que les étudiants ont droit à d'importants rabais. Renseignez-vous avant d'acheter votre billet si vous faites partie de l'une ou l'autre de ces catégories. Il est recommandé de se présenter au moins 45 min avant le départ.

■ En train

Le train peut s'avérer fort intéressant pour les déplacements, tout particulièrement pour parcourir de grandes distances, car il procure un excellent niveau de confort. **VIA Rail Canada** *(www.viarail.com)* est la principale société ferroviaire responsable du transport des passagers partout au Canada. Pour plus de renseignements sur les villes desservies et leurs gares, voir les sections «Accès et déplacements» des chapitres sur les régions du Bas-Saint-Laurent et de la Gaspésie.

■ En bateau

De nombreux traversiers vous permettront de franchir le Saint-Laurent ou d'autres cours d'eau. Pour une information détaillée, reportez-vous à la section «Accès et déplacements» de la région que vous désirez visiter. Vous pouvez également consulter le site Internet de la société des traversiers du gouvernement du Québec: *www.traversiers.gouv.qc.ca*.

Le ***CTMA Vacancier*** (voir p 168) propose une croisière hebdomadaire jusqu'aux Îles de la Madeleine au départ de Montréal le vendredi après-midi, avec escales à Québec en soirée et à Chandler le samedi soir. L'arrivée aux Îles se fait le dimanche matin.

■ À vélo

La pratique du vélo est très populaire au Québec. La région des Îles de la Madeleine est agréable à parcourir, mais attention car l'archipel est très venteux. La Gaspésie et ses paysages magnifiques sont un paradis pour les cyclistes de longue randonnée. Pour le Bas-Saint-Laurent, il est intéressant de longer la route 132 en passant par les petits villages. De plus, le parc national du Bic est considéré comme un des sites privilégiés pour la pratique cycliste. Pour plus d'information, consultez les sections «Activités de plein air» des régions couvertes par ce guide. Vous pouvez également vous procurer les guides Ulysse *Cyclotourisme au Québec* et *Le Québec cyclable*.

■ En auto-stop

Il existe deux formules: l'auto-stop «libre», ou l'auto-stop «organisé» par l'intermédiaire de l'association **Allo-Stop** *(www. allostop.com)*. L'auto-stop «libre» est fréquent, en été surtout, et plus facile en dehors des grands centres. N'oubliez pas qu'il est interdit de «faire du pouce» sur les autoroutes.

L'auto-stop «organisé» par l'intermédiaire de l'association Allo-Stop fonctionne très bien en toute saison. Cette association efficace recrute les personnes qui désirent partager les frais d'utilisation de leur véhicule moyennant une petite rétribution (carte de membre obligatoire: passager 6$ par an, chauffeur 7$ par an). Le chauffeur reçoit une partie (environ 60%) des frais payés pour le transport. Les destinations couvrent tout le Québec, mais aussi le reste du Canada et les États-Unis, selon l'occasion.

Quelques exemples de prix:

Montréal - Québec: *16$*
Montréal - Rimouski: *32$*
Québec - Rimouski: *16$*

Attention: les enfants de moins de cinq ans ne peuvent voyager avec cette association à cause d'une réglementation rendant obligatoires les sièges de sécurité pour enfants à ces âges.

Allo-Stop Montréal
4317 rue St-Denis
☎514-985-3032

Allo-Stop Québec
665 rue St-Jean
☎418-522-0056
2336 ch. Ste-Foy
☎418-522-0056

Allo-Stop Rimouski
106 rue St-Germain
☎418-723-5248

Allo-Stop Rivière-du-Loup
175 rue Fraser suite 101
☎418-860-2635

Le service de covoiturage **Amigo Express** (☎877-264-4697, *www.amigoexpress.com*) propose aussi des départs en direction de plusieurs villes du Québec. Consultez leur site Internet pour plus de détails sur les coûts et les départs.

Renseignements utiles, de A à Z

■ Achats

Quoi acheter?

Alcools: plusieurs alcools, entre autres de délicieuses bières qui ont remporté des prix internationaux, sont produits localement.

Alimentation: recherchez les labels **Saveurs du Bas-Saint-Laurent**, **Gaspésie Gourmande** et **Le bon goût frais des Îles** pour identifier les produits locaux des régions couvertes par ce guide.

Artisanat local: peintures, sculptures, ébénisterie, céramique, émaux sur cuivre, vêtements, etc.

Cidre: il est surtout fabriqué en Montérégie mais disponible sur tout le territoire québécois, tout comme plusieurs autres produits à base de pommes (vinaigre, beurre, alcool, etc.)

Disques compacts: généralement vendus moins cher qu'en Europe, on trouve au Québec un très grand choix de disques, notamment plusieurs albums d'artistes québécois.

Fourrure et cuir: les vêtements faits de ces peaux d'animaux sont d'excellente qualité, et leur prix est relativement bas.

Hydromel: il s'agit d'un vin de miel.

Livres: les livres d'auteurs québécois constituent évidemment de très bons achats pour qui s'intéresse à la culture d'ici.

Sirop d'érable: le sirop d'érable se classe en plusieurs catégories. Plus sirupeux ou plus coulant, plus foncé ou plus clair, plus ou moins sucré: ce serait en tout cas un péché que de ne pas au moins y goûter!

■ Aînés

Des rabais très avantageux pour les transports et les spectacles sont souvent offerts aux aînés. N'hésitez pas à les demander ou contactez le **Mouvement des aînés du Québec.**

Fédération de l'Âge d'or du Québec (FADOQ)
4545 av. Pierre-De Coubertin
☎800-828-3344
www.fadoq-quebec.ca

■ Ambassades du Canada à l'étranger

Pour la liste complète des services consulaires à l'étranger, veuillez consulter le site Internet du gouvernement canadien: *www.dfait-maeci.gc.ca*.

Belgique

Ambassade du Canada
av. de Tervueren 2
1040 Bruxelles
métro Mérode
☎ 02 741 06 11
🖹 02 741 06 43
www.dfait-maeci.gc.ca/canada-europa/brussels

France

Ambassade du Canada
35 av. Montaigne
75008 Paris
métro Franklin-Roosevelt
☎ 01 44 43 29 00
🖹 01 44 43 29 99
www.dfait-maeci.gc.ca/canada-europa/france

Suisse

Ambassade du Canada
Kirchenfeldstrasse 88
CH-3005 Berne
☎ 357 32 00
🖹 357 32 10
http://geo.international.gc.ca/canada-europa/
switzerland

■ Animaux

Si vous avez décidé de voyager avec votre animal de compagnie, sachez qu'en règle générale les animaux sont interdits dans les commerces, notamment les magasins d'alimentation, les restaurants et les cafés. Il est toutefois possible d'utiliser le service de transport en commun avec les animaux de petite taille s'ils sont dans une cage ou dans vos bras.

■ Argent et services financiers

Les banques et le change

Les banques sont généralement ouvertes du lundi au vendredi, de 9h à 15h. Le meilleur moyen pour retirer de l'argent consiste à utiliser sa carte bancaire (carte de distributeur automatique). Attention, votre banque vous facturera des frais fixes (par exemple 5$CA), et il vaut

---

Taux de change

1$CA =	0,64€
1$CA =	1$US
1$CA =	1FS
1€ =	1,57$CA
1$US =	1$CA
1FS =	1$CA

N.B. Les taux de change peuvent fluctuer en tout temps.

---

mieux éviter de retirer trop souvent de petites sommes.

Les cartes de crédit

Les cartes de crédit, outre leur utilité pour retirer de l'argent, sont acceptées à peu près partout. Il est primordial de disposer d'une carte de crédit pour effectuer une location de voiture; à défaut, on pourrait vous demander un important dépôt en liquide et peut-être même refuser de vous louer le véhicule. Les cartes les plus facilement acceptées sont, par ordre décroissant, Visa, MasterCard, Diners Club et American Express.

Les chèques de voyage

Les chèques de voyage peuvent être encaissés dans les banques sur simple présentation d'une pièce d'identité (avec frais) et sont acceptés par la plupart des commerçants comme du papier-monnaie.

La monnaie

L'unité monétaire est le **dollar** ($), lui-même divisé en cents. Un dollar = 100 cents.

Il existe des billets de banque de 5, 10, 20, 50 et 100 dollars, de même que des pièces de 1, 5, 10, 25 cents ainsi que de 1 et 2 dollars.

Renseignements généraux - Renseignements utiles, de A à Z

■ Assurances

Annulation

L'assurance annulation est normalement offerte par l'agent de voyages au moment de l'achat du billet d'avion ou du forfait. Elle permet le remboursement du billet ou du forfait dans le cas où le voyage devrait être annulé en raison d'une maladie grave ou d'un décès.

Maladie

L'assurance maladie est sans nul doute la plus importante à se procurer avant de partir en voyage, et il est prudent de bien savoir la choisir, car la police d'assurance doit être la plus complète possible. Au moment de l'achat de la police d'assurance, il faudrait veiller à ce qu'elle couvre bien les frais médicaux de tout ordre comme l'hospitalisation, les services infirmiers et les honoraires des médecins (jusqu'à concurrence d'un montant assez élevé), ainsi qu'une clause de rapatriement, pour le cas où les soins requis ne peuvent être administrés sur place. En outre, il peut arriver que vous ayez à débourser le coût des soins en quittant la clinique; il faut donc vérifier ce que prévoit la police dans ce cas. S'il vous arrivait un accident durant votre séjour, vous devriez toujours garder sur vous la preuve que vous avez contracté une assurance maladie, ce qui vous évitera bien des ennuis.

Vol

La plupart des assurances habitation au Canada protègent une partie des biens contre le vol, même si celui-ci a lieu à l'extérieur de la maison. Si une telle malchance survenait, n'oubliez toutefois pas d'obtenir un rapport de police, car sans lui vous ne pourriez pas réclamer votre dû. Les personnes disposant d'une telle protection n'ont donc pas besoin d'en prendre une supplémentaire, mais, avant de partir, assurez-vous d'en avoir bel et bien une.

■ Attraits touristiques

Les chapitres de ce guide vous entraînent à travers trois des régions touristiques du Québec. Y sont abordés les principaux attraits touristiques, suivis d'une description historique et culturelle. Les attraits sont cotés selon un système d'étoiles pour vous permettre de faire un choix selon le temps dont vous disposez:

★   Intéressant
★★   Vaut le détour
★★★   À ne pas manquer

Le nom de chaque attrait est suivi d'une parenthèse qui vous donne ses coordonnées. Le prix qu'on y retrouve est le prix d'entrée pour un adulte. Informez-vous car plusieurs endroits offrent des rabais aux enfants, aux étudiants, aux aînés et aux familles. Plusieurs de ces attraits sont accessibles seulement pendant la saison touristique, tel qu'indiqué dans cette même parenthèse. Cependant, même hors saison, certains de ces endroits vous accueillent sur demande, surtout si vous êtes en groupe.

■ Bars et discothèques

Dans la plupart des cas, aucuns frais d'entrée (en dehors du vestiaire obligatoire) ne sont demandés. Cependant, attendez-vous à débourser quelques dollars pour avoir accès aux discothèques ainsi qu'à certains bars proposant des spectacles durant les fins de semaine. Bien que la vie nocturne soit très active au Québec, la vente d'alcool cesse au plus tard à 3h du matin. Certains bars peuvent rester ouverts, mais il faudra, à ce moment, se contenter de petites limonades! Aussi, les établissements n'ayant qu'un permis de taverne et brasserie doivent fermer à minuit. Dans les petites villes, les restaurants font souvent aussi office de bars. Si vous désirez vous divertir le soir venu, consultez les sections «Sorties» de chacun des chapitres, mais jetez aussi un coup d'œil aux sections «Restaurants».

■ Climat

L'une des caractéristiques du Québec par rapport à l'Europe est que les saisons y sont très marquées. Les températures peuvent monter au-delà de 30°C en été et descendre en deçà de –25°C en hiver. Si vous visitez le Québec durant chacune des deux saisons «principales» (été et hiver), il pourra vous sembler avoir visité deux pays totalement différents, les saisons influant non seulement sur les paysages, mais aussi sur le mode de vie et le comportement des habitants.

Pour les prévisions météorologiques, composez le ☎514-283-3010 ou le 418-648-7766. Vous pouvez aussi capter la chaîne câblée Météomédia (17) ou visiter son site Internet *(www.meteomedia. com)*. Pour l'état des routes, composez le ☎888-355-0511.

Hiver

Mon pays ce n'est pas un pays, c'est l'hiver...
- Gilles Vigneault

De la mi-novembre à la fin mars, c'est la saison idéale pour les amateurs de ski, de motoneige, de patin, de randonnée en raquettes et autres sports d'hiver. Les températures peuvent monter au-delà de 30°C en été et descendre en deçà de – 25°C en hiver. En général, il faut compter cinq ou six tempêtes de neige par hiver. Le vent refroidit encore davantage les températures et provoque parfois ce que l'on nomme ici la «poudrerie» (neige très fine emportée par le vent). Cependant, l'une des caractéristiques propres à l'hiver québécois est son nombre d'heures d'ensoleillement, plus élevé ici qu'à Paris ou Bruxelles.

Printemps

Il est bref (de la fin mars à la fin mai) et annonce la période de la «sloche» (mélange de neige fondue et de boue). La fonte des neiges laisse apercevoir une herbe jaunie par le gel et la boue, puis le réveil de la nature se fait de manière spectaculaire.

Été

De la fin mai à la fin août s'épanouit une saison qui s'avère à bien des égards surprenante pour les Européens habitués à voir le Québec comme un pays de neige. Les chaleurs peuvent en effet être élevées et souvent accompagnées d'humidité. La végétation prend des allures luxuriantes, et il ne faut pas s'étonner de voir des poivrons rouges ou verts pousser dans un pot sur le bord d'une fenêtre. Dans les villes, les principales artères sont ornées de fleurs, et les terrasses ne désemplissent pas.

Automne

De septembre à novembre, c'est la saison des couleurs. Les arbres dessinent ce qui est probablement la plus belle peinture vivante du continent nord-américain. La nature semble exploser en une multitude de couleurs allant du vert vif au rouge écarlate en passant par le jaune ocre. S'il peut encore y avoir des retours de chaleur, comme l'été des Indiens, les jours refroidissent très vite, et les soirées peuvent déjà être froides.

L'été des Indiens

Cette période relativement courte (quelques jours) pendant l'automne donne l'impression d'un retour en force de l'été. Ce sont en fait des courants chauds venus du golfe du Mexique qui réchauffent les températures déjà fraîches. Cette période de l'année porte le nom d'«été des Indiens», car il s'agissait de la dernière chasse avant l'hiver chez les Autochtones. Les Amérindiens profitaient de ce réchauffement pour faire le plein de nourriture pour la saison froide.

Climat par régions

Les trois régions du Québec qui sont l'objet de ce guide sont toutes situées près du golfe ou du fleuve Saint-Laurent. Ces grandes masses d'eau en tempèrent le climat. Cependant, le vent peut réserver des surprises.

Le climat du **Bas-Saint-Laurent** est de type continental tempéré et sans période sèche. L'écart entre l'hiver et l'été est très grand, comme dans le reste du Québec. Les hivers sont généralement longs et froids, tandis que les étés sont courts et chauds. En janvier et en février, lorsque toutes les étendues d'eau sont gelées, l'estuaire devient une immense plaine de glace. Le fleuve Saint-Laurent tend à équilibrer le climat, ce qui se traduit entre autres par d'importantes précipitations. Du Saint-Laurent souffle aussi un vent du nord-est froid et humide. Notez que l'influence du fleuve se fait moins sentir à l'intérieur, dans les vallées, où les hivers sont plus froids et plus secs, et les étés plus chauds.

La **Gaspésie** présente des températures un peu plus fraîches que celles du sud du Québec, la péninsule étant refroidie par le golfe du Saint-Laurent et plus loin par l'océan Atlantique. Les vents qui soufflent presque tout le temps exigent une tenue vestimentaire appropriée, surtout lorsqu'on s'aventure en mer ou très près de la côte.

Situées au milieu du golfe du Saint-Laurent, les **îles de la Madeleine** bénéficient d'un climat maritime tempéré. Les jours d'été sont généralement ensoleillés, et la température ne dépasse jamais 27°C le jour et 17°C la nuit. L'archipel est en permanence balayé par les vents.

■ Consulats étrangers au Québec

Belgique

Consulat général de Belgique
999 boul. De Maisonneuve O., bureau 850
Montréal, QC, H3A 3L4
☎ 514-849-7394
🖷 514-844-3170
www.diplomatie.be/montrealfr

France

Consulat général de France
1 Place Ville Marie, 26e étage, bureau 2601
Montréal, QC, H3B 4S3
☎ 514-878-4385
🖷 514-878-3981
www.consulfrance-montreal.org

Consulat général de France à Québec
25 rue Saint-Louis
Québec, QC, G1R 3Y8
☎ 418-694-2294
🖷 418-694-1678
www.consulfrance-quebec.org

Suisse

Consulat général de Suisse
1572 av. du Docteur-Penfield
Montréal, QC, H3G 1C4
☎ 514-932-7181, 514-932-7182 ou 514-932-9757
🖷 514-932-9028
www.eda.admin.ch/canada

■ Cultes

Presque tous les cultes sont représentés. Contrairement au Canada anglais, le culte majoritaire est la religion catholique, bien que la majorité des Québécois ne pratiquent plus.

■ Décalage horaire

Au Québec, il est six heures plus tôt qu'en Europe et trois heures plus tard que sur la côte ouest de l'Amérique du Nord. Tout le Québec (sauf les îles de la Madeleine, qui ont une heure de plus) est à la même heure (dite «heure de l'Est»). Depuis 2007, pour s'aligner sur les États-Unis, le gouvernement du Québec prolonge la période de l'heure normale au printemps (le passage à l'heure avancée s'effectue maintenant le deuxième dimanche de mars) et en automne (le passage à l'heure normale est prolongé d'une semaine et se fait le premier dimanche de novembre).

■ Drogues

Absolument interdites (même les drogues dites «douces»). Aussi bien les consommateurs que les distributeurs risquent de très gros ennuis s'ils sont trouvés en possession de drogues.

■ Électricité

Partout au Canada, la tension est de 110 volts. Les fiches d'électricité sont plates, et l'on peut trouver des adaptateurs sur place.

■ Enfants

Dans les transports, en général, les enfants de 5 ans ou moins ne paient pas. Il existe aussi des rabais pour les 12 ans et moins. Pour les activités ou les spectacles, la même règle s'applique parfois. Renseignez-vous avant d'acheter les billets. Dans la plupart des restaurants, des chaises hautes pour les enfants sont disponibles, et certains proposent des menus pour enfants. Quelques grands magasins offrent aussi un service de garderie.

■ Études et travail

Étudier au Québec

Pour étudier au Québec, il faut obtenir un certificat d'acceptation du Québec (C.A.Q.) ainsi qu'un permis d'études fédéral.

Pour cela, il faut **d'abord** être accepté dans une école, un collège ou une université reconnus au Canada à un programme d'au moins six mois, avec un minimum d'heures de cours par semaine. Il faut fournir des preuves de fonds suffisants pour son séjour ainsi que pour les frais de scolarité et le transport. De plus, il faut détenir une assurance maladie-hospitalisation. Il se peut aussi qu'un examen médical soit exigé.

Pour de plus amples renseignements, consultez le site Web de l'**Agence des services frontaliers du Canada**: *www.cbsa-asfc. gc.ca*.

Travail d'étudiant

Si vous avez obtenu un permis de séjour pour étudier au Québec, vous avez le droit de travailler moyennant certaines conditions. Le travail sur le campus, comme assistant de recherche, ou un emploi dans une entreprise, afin d'acquérir une expérience pratique, sont autant de possibilités offertes à l'étudiant.

Par ailleurs, le conjoint de l'étudiant admis à titre de visiteur peut également travailler durant la durée du séjour de l'étudiant. Attention cependant, les lois évoluant rapidement, il est préférable de se renseigner auprès de la Délégation générale du Québec de votre pays.

Travailler au Québec

Travail sous contrat temporaire: vous devez toujours faire les démarches à partir de votre lieu de résidence. C'est l'employeur qui devra faire la demande auprès d'un Centre d'emploi du Canada. Dans le cas où l'offre a été jugée recevable, vous serez convoqué auprès de la Délégation générale du Québec, qui examinera vos compétences. Celle-ci vous fera part des démarches à effectuer.

N'oubliez pas: tant que vous n'avez pas reçu votre visa de travail, il vous est interdit de travailler sur place. Aussi, ce permis de travail ne sera valable que pour l'emploi et l'employeur auprès duquel vous avez postulé et que pour la durée de cet emploi.

Attention: le fait que vous soyez admis au Québec pour travailler ne signifie pas que vous puissiez y rester comme immigrant.

Travail au pair: tout comme pour le travail temporaire, la demande doit être faite par

Renseignements généraux – **Renseignements utiles, de A à Z** l'employeur et n'est valable que pour ce dernier. Cette formule impose que vous demeuriez chez votre employeur.

Travail saisonnier: il est surtout concentré dans le domaine de l'agriculture, de la cueillette des pommes aux stages agricoles. L'obtention préalable d'un visa de travail est nécessaire. Renseignez-vous auprès de l'ambassade ou du consulat de votre lieu de résidence.

Quelques sites Internet

www.bei.umontreal.ca/bei/travail
www.rhdcc.gc.ca
www.cic.gc.ca/francais/vivre/bienvenue/index
www.immigration-quebec.gouv.qc.ca

■ Fêtes et festivals

Grâce à son passé et à sa culture distincte, mais aussi à la diversité de la population qui le compose, le Québec est riche en activités de toutes sortes. On y organise un nombre impressionnant de festivals, d'expositions annuelles, de salons, de carnavals et de rassemblements de toutes sortes. Ceux-ci sont décrits dans la section «Sorties» de chaque chapitre.

■ Folklore

Le folklore peut être un moyen très agréable de mieux connaître la nation québécoise. Regroupés au sein d'une association, plusieurs comités régionaux œuvrent pour la préservation et le développement du folklore. Pour en savoir plus:

Association québécoise des loisirs folkloriques
4545, av. Pierre-De Coubertin
C.P. 1000, Succursale M
Montréal, QC, H1V 3R2
☎ (514) 252-3022
www.quebecfolklore.qc.ca

■ Français québécois

La langue parlée au Québec a bien souvent de quoi surprendre le voyageur étranger. Les Québécois sont toutefois très fiers de cette «langue de France aux accents d'Amérique», qu'ils ont su préserver au prix de longues luttes.

Le voyageur intéressé à en connaître un peu plus peut se référer au guide de conversation *Le Québécois pour mieux voyager*, publié par les Guides de voyage Ulysse.

■ Fumeurs

Il est interdit de fumer dans tous les lieux publics, y compris les bars et les restaurants. Les cigarettes se vendent notamment dans les épiceries et les kiosques à journaux. Il faut être âgé d'au moins 18 ans pour acheter des produits du tabac.

■ Hébergement

Grands hôtels de luxe, hôtels-boutiques au décor créatif, auberges aux murs anciens, gîtes touristiques fleuris, auberges de jeunesse, bref, on trouve au Québec tous les types d'hébergements. Bien qu'il puisse être un peu rudimentaire dans les petites auberges, en général, dans les hôtels, le niveau de confort est élevé, et plusieurs services sont également proposés. Les lieux d'hébergement sont classés ici du plus abordable au plus cher. N'oubliez pas d'ajouter aux prix affichés la taxe fédérale de 5% et la taxe de vente du Québec de 7,5%. Une taxe applicable sur les frais d'hébergement, appelée «Taxe spécifique sur l'hébergement», a été instaurée pour soutenir l'infrastructure touristique des régions du Québec. Selon les régions, elle varie de 2$ par nuitée à 3% du coût par nuitée.

Prix et symboles

Nous avons indiqué, à l'aide de petits symboles, différents services offerts par chaque établissement. Il ne s'agit en aucun cas d'une liste exhaustive de ce que propose l'établissement, mais bien des services que nous considérons les plus importants. Attention, la présence d'un symbole ne signifie pas que toutes les chambres offrent ce service; il vous faudra parfois débourser un supplément

CITQ

La **Corporation de l'industrie touristique du Québec** (CITQ) *(www.citq.qc.ca)* gère le programme obligatoire de classification des établissements d'hébergement touristique du Québec. Chacun des établissements doit ainsi arborer sur sa devanture, près de la porte d'entrée, un panonceau en forme de bouclier indiquant la catégorie à laquelle il appartient et la classification auquel il a droit, représentée, s'il y a lieu, par des soleils pour les gîtes et par des étoiles pour les autres catégories. Voici les différentes catégories d'établissements d'hébergement touristique avec leur échelle de classification:

établissements hôteliers	de 0 à 5 étoiles
résidences de tourisme	de 0 à 4 étoiles
gîtes	de 0 à 5 soleils
centres de vacances	de 0 à 4 étoiles
auberges de jeunesse	de 0 à 3 étoiles
villages d'accueil	de 0 à 4 étoiles
établissements d'enseignement	de 0 à 3 étoiles

Dans les sections «Hébergement» du présent guide, la qualité des établissements mentionnés n'est pas définie selon le programme de classification de la CITQ, mais bien selon l'appréciation des auteurs, au gré des coups de cœur et des belles découvertes.

au prix indiqué pour obtenir par exemple un foyer ou une baignoire à remous. Par contre, si le petit symbole n'est pas apposé à l'établissement, c'est probablement que celui-ci ne peut vous offrir ce service. Il est à noter que, sauf indication contraire, tous les établissements hôteliers inscrits dans ce guide offrent des chambres avec salle de bain privée.

Les prix indiqués sont ceux en vigueur au moment de mettre sous presse; ils s'appliquent à une chambre standard pour deux personnes en haute saison. Ils sont, bien sûr, sujets à changement en tout temps. De plus, souvenez-vous de bien vous informer des forfaits proposés et des rabais offerts aux corporations, membres de diverses associations, etc.

Les tarifs mentionnés dans ce guide s'appliquent, sauf indication contraire, à une

chambre standard pour deux personnes, en haute saison:

$	moins de 60$
$$	de 60$ à 100$
$$$	de 101$ à 150$
$$$$	de 151 à 225$
$$$$$	plus de 225$

Label Ulysse

Le pictogramme du label Ulysse est attribué à nos établissements favoris. Bien que chacun des établissements inscrits dans ce guide s'y retrouve en raison de ses qualités ou particularités, en plus de son rapport qualité/prix, de temps en temps un établissement se distingue parmi d'autres. Ainsi il mérite qu'on lui attribue un label Ulysse. Les labels Ulysse peuvent se retrouver dans n'importe quelle catégorie d'établissements: supérieure, moyenne-élevée, petit budget. Quoi qu'il en soit, dans chacun de ces établissements, vous en aurez pour votre argent. Repérez-les en premier!

Hôtels

Les hôtels sont nombreux, modestes ou luxueux. Dans la majorité des cas, les chambres sont louées avec salle de bain.

Gîtes touristiques

Contrairement aux hôtels, les chambres des gîtes touristiques ne sont pas toujours louées avec salle de bain privée. Bien répartis dans la majeure partie du Québec, les gîtes touristiques (*bed and breakfasts* en anglais) offrent l'avantage, outre le prix, de faire partager une ambiance familiale. Ils vous permettront aussi de vous familiariser avec une architecture régionale, certaines petites maisons de bois étant particulièrement pittoresques et chaleureuses. Attention, la carte de crédit n'est pas acceptée partout. Le prix de la chambre inclut toujours le petit déjeuner. L'appellation québécoise **Gîtes et Auberges du Passant** identifie un gîte touristique membre de la Fédération des Agricotours du Québec; les Gîtes et Auberges du Passant sont tenus de se conformer à des règles et normes qui assurent aux visiteurs une qualité impeccable. La Fédération produit chaque année en collaboration avec les Guides de voyage Ulysse le guide des *Gîtes et Auberges du Passant & Tables et Relais du Terroir au Québec*, qui indique, pour chaque région, les différentes possibilités d'hébergement avec les services offerts, les activités de plein air pouvant être pratiquées à proximité, tous les tarifs, les gîtes où vous pouvez amener votre animal de compagnie, etc. Outre les gîtes, ce guide donne aussi des adresses pour des formules de logement à la ferme ainsi que pour la location de maisons de campagne.

Motels

On retrouve les motels en grand nombre. Ils sont relativement peu chers, mais ils manquent souvent de charme. Cette formule convient plutôt lorsqu'on manque de temps.

Auberges de jeunesse

Vous trouverez l'adresse des auberges de jeunesse dans la section «Hébergement» des villes où elles se trouvent.

Pour de plus amples renseignements, communiquez avec:

Tourisme Jeunesse
☎ 514-252-3117
www.tourismejeunesse.org
www.hihostels.ca

Universités et cégeps

Cette formule demeure assez compliquée à cause des nombreuses restrictions qu'elle implique: elle ne peut s'appliquer qu'en été (de la mi-mai à la mi-août), et il faut réserver plusieurs mois à l'avance et de préférence posséder une carte de crédit afin de payer la première nuitée à titre de réservation. Toutefois, ce type d'hébergement reste moins cher que les formules «classiques», et, si l'on s'y prend à temps, cela peut s'avérer agréable. Il faut compter entre 30$ et 45$ plus les taxes. La literie est comprise dans le prix, et, en général, une cafétéria sur place permet de prendre le petit déjeuner (non inclus).

Relais santé (spas)

Les relais santé (spas) offrent une formule d'hébergement de plus en plus populaire. Des professionnels de la santé vous offrent différents soins en hydrothérapie, massothérapie, esthétique, etc. dans des établissements qui se distinguent par leurs menus, activités et services propres. Pour obtenir de plus amples renseignements ou choisir le spa qui correspondra le mieux à vos objectifs de santé, consultez le guide Ulysse *Les meilleurs spas au Québec*, ou contactez:

Relais Santé
☎ 800-788-7594
www.spasrelaissante.com

Camping

Le camping constitue le type d'hébergement le moins cher. Malheureusement, le climat ne rend possible cette activité que sur une courte période de l'année, soit de juin à août, à moins de disposer de l'équipement approprié contre le froid. Les services offerts sur les terrains de camping peuvent varier considérablement. Certains sont publics et d'autres privés. Les prix mentionnés dans ce guide s'appliquent à un emplacement pour une tente. Ils varieront, il va sans dire, selon les services ajoutés. Notez que les terrains de camping ne sont pas soumis à la taxe spécifique sur l'hébergement (voir p 51).

Par ailleurs, le Conseil du développement du camping au Québec publie en collaboration avec la Fédération québécoise de camping et caravaning (FQCC) le magazine *Camping-Caravaning*. Ce guide annuel liste 300 terrains de camping avec leurs services, et il est disponible gratuitement auprès des Associations touristiques régionales ou de la Fédération québécoise de camping et caravaning. La FQCC publie également, en collaboration avec les Guides de voyage Ulysse, le guide *Camping au Québec*, qui propose une sélection des meilleurs terrains de camping de la province.

Fédération québécoise de camping et caravaning
1560 rue Eiffel, bureau 100
Boucherville, QC, J4B 5Y1
☎ 450-650-3722 ou 877-650-3722
▤ 450-650-3721
www.fqcc.ca
www.campingquebec.com

Réseaux d'accueil

Si vous êtes à la recherche de formules peu orthodoxes en matière d'hébergement, les réseaux **CouchSurfing Project** *(www.couchsurfing.com)* et **Hospitality Club** *(www.hospitalityclub.org)* permettent d'héberger des voyageurs ou de vous faire héberger par des habitants locaux lors de votre passage dans une ville, et ce, tout à fait gratuitement! Il faut, pour cela, se faire un profil Internet très exhaustif, question de sécurité. De plus, un système de commentaires (*feedback*) des utilisateurs permet aussi d'en savoir un peu plus sur les gens chez qui on a l'intention d'aller passer une ou quelques nuits. Enfin, les membres ne sont pas obligés de proposer un toit à celui qui ne leur paraît pas fiable. Une belle manière de rencontrer les gens de la place!

■ Horaires

Banques

Les banques sont ouvertes du lundi au vendredi de 10h à 15h. Plusieurs d'entre elles sont ouvertes les jeudis et les vendredis jusqu'à 18h, voire 20h. Le réseau des banques possède des distributeurs automatiques en fonction jour et nuit.

Bureaux de poste

Les grands bureaux de poste sont ouverts de 9h à 17h *(Postes Canada:* ☎ *800-267-1177, www.postescanada.ca)*. Il existe de nombreux petits bureaux de poste répartis un peu partout au Québec, soit dans les centres commerciaux, soit chez certains «dépanneurs» ou même dans les pharmacies; ces bureaux sont ouverts beaucoup plus tard que les autres.

Magasins

En règle générale, les magasins respectent l'horaire suivant:

lun-mer 9h ou 10h à 18h
jeu-ven 9h ou 10h à 21h
sam 9h ou 10h à 17h
dim 10h ou 12h à 17h

On trouve également un peu partout au Québec des «dépanneurs» (magasins généraux d'alimentation de quartier) qui sont ouverts plus tard et parfois 24 heures sur 24.

Renseignements généraux - Renseignements utiles, de A à Z

▪ Jours fériés

Voici la liste des jours fériés au Québec. À noter: la plupart des services administratifs et des banques sont fermés ces jours-là.

Jour de l'An et le lendemain
1er et 2 janvier

Le vendredi précédant la fête de Pâques

Le lundi suivant la fête de Pâques

Journée nationale des Patriotes
lundi précédant le 25 mai

Fête nationale des Québécois
24 juin

Fête de la Confédération
1er juillet

Fête du Travail
1er lundi de septembre

Action de grâce
2e lundi d'octobre

Jour du Souvenir ou Armistice
11 novembre

Noël et le lendemain
25 et 26 décembre

▪ Musées

Dans la majorité des cas, les musées sont payants. Cependant, l'accès aux collections permanentes de certains musées est gratuit les mercredis soir, de 18h à 21h, et des rabais sont offerts à ceux qui désirent voir les expositions temporaires durant cette même période. De plus, les personnes de 60 ans et plus ainsi que les enfants bénéficient de prix réduits.

▪ Personnes à mobilité réduite

Interlocuteur privilégié de Tourisme Québec en matière d'accessibilité, Kéroul est un organisme québécois à but non lucratif qui informe, représente, développe et fait la promotion du tourisme et de la culture accessibles auprès des personnes à capacité physique restreinte et des administrations publiques et privées. Kéroul, en collaboration avec Ulysse, publie le répertoire *Québec accessible*, qui donne la liste des infrastructures touristiques et culturelles accessibles aux personnes handicapées à travers tout le Québec. Ces lieux sont classés par régions touristiques. Le livre est disponible chez Ulysse et dans toutes les bonnes librairies.

Kéroul
4545 av. Pierre-De Coubertin
C.P. 1000, Succursale M
Montréal, QC, H1V 3R2
☎ 514-252-3104
🖷 514-254-0766
www.keroul.qc.ca

De plus dans la plupart des régions, des associations organisent des activités de loisir ou de sport. Vous pouvez obtenir l'adresse de ces associations en communiquant avec l'Association québécoise de loisir pour personnes handicapées.

**Association québécoise de loisir
pour personnes handicapées**
4545 av. Pierre-De Coubertin
C.P. 1000, Succursale M
Montréal, QC, H1V 3R2
☎ 514-252-3144
🖷 514-252-8360
www.aqlph.qc.ca

▪ Pourboire

Le pourboire s'applique à tous les services rendus à table, c'est-à-dire dans les restaurants ou autres endroits où l'on vous sert à table (la restauration rapide n'entre donc pas dans cette catégorie). Il est aussi de rigueur dans les bars, les boîtes de nuit et les taxis.

Selon la qualité du service rendu, il faut compter environ 15% de pourboire sur le montant avant les taxes. Le pourboire n'est pas, comme en Europe, inclus dans l'addition, et le client doit le calculer lui-même et le remettre au serveur.

■ Renseignements touristiques

Il est utile de savoir que le Québec se divise en 21 régions touristiques. Les Associations touristiques régionales (ATR) s'occupent de diffuser l'information concernant leur région. Pour chacune des régions touristiques, une brochure promotionnelle est publiée. Ces brochures sont disponibles gratuitement auprès de ces associations et offices.

Les Guides de voyage Ulysse publient des guides tels que celui que vous consultez en ce moment, mais qui couvrent soit des régions ou des thèmes de manière plus générale (par exemple, *Le Québec*) ou spécifique (parmi plusieurs autres, *Randonnée pédestre au Québec*, *Le Québec cyclable*, *Le Québec à Moto* ou *Les meilleurs spas au Québec*). Pour la liste complète des guides Ulysse, référez-vous à la section «Tous les guides Ulysse» (voir p 203) ou consultez le site Internet *www.guidesulysse. com*.

En Europe

En France:

Tourisme Québec
tlj 15h à 23h, sauf mercredi à partir de 16h
☎ 0 800 90 77 77 (appels gratuits en France)
www.bonjourquebec.com

La Librairie du Québec
30 rue Gay-Lussac, 75005 Paris
☎ 01 43 54 49 02
▤ 01 43 54 39 15
www.librairieduquebec.fr
On y trouve un grand choix de livres sur le Québec et le Canada, ainsi que toute l'édition du Québec et du Canada francophone, dans tous les domaines.

Abbey Bookshop
La librairie canadienne
29 rue de la Parcheminerie, 75005 Paris
☎ 01 46 33 16 24
▤ 01 46 33 03 33
Livres en anglais et en français sur le Canada ou d'auteurs canadiens.

En Belgique:

Tourisme Québec
tlj 15h à 23h, sauf mercredi à partir de 16h
☎ 0 800 78 532 (appels gratuits en Belgique)
www.bonjourquebec.com

En Amérique du Nord

Au Québec:

La grande majorité des bureaux de renseignements touristiques couverts dans ce guide sont ouverts de la mi-juin à la fête du Travail (premier lundi de septembre), tous les jours, de 8h à 17h. Pour connaître leurs coordonnées, consultez la section «Renseignements utiles» de chacune des régions couvertes par ce guide.

Tourisme Québec
C.P. 979
Montréal, QC, H3C 2W3
☎ 877-266-5687
www.bonjourquebec.com

À Montréal:

Tourisme Montréal
Centre Infotouriste
1001 Square-Dorchester, angle des rues Peel et Ste-Catherine
métro Peel
☎ 514-873-2015

Librairie Ulysse
4176 rue St-Denis
métro Mont-Royal
☎ 514-843-9447
560 av. du Président-Kennedy
métro McGill
☎ 514-843-7222

À Québec:

Office du tourisme de Québec
399 rue St-Joseph E.
☎ 418-641-6654 ou 877-783-1608
▤ 418-641-6578
www.regiondequebec.com

Centre Infotouriste de Québec
12 rue Ste-Anne
☎ 877-266-5687

Renseignements généraux - Renseignements utiles, de A à Z

Sur Internet

Vous pourrez aussi trouver de multiples renseignements sur Internet. Voici quelques sites intéressants:

www.quebecvacances.com
http://voyagez.branchez-vous.com
www2.canoe.com/voyages
www.montrealplus.ca
www.quebecplus.ca
www.toile.com
www.outtravel.ca (portail du tourisme gai au Québec)

■ Restaurants

Tout comme en Belgique, les Québécois appellent le petit déjeuner le déjeuner, le déjeuner le dîner et le dîner le souper (ce guide suit cependant la nomenclature internationale: «petit déjeuner», «déjeuner», «dîner»). Dans bien des cas, les restaurants offrent un «spécial du jour», c'est-à-dire un menu complet à prix avantageux. Pour le repas du midi, ils proposent bien souvent un choix d'entrées et de plats, un dessert et un café. Le soir, la table d'hôte (même formule mais plus chère) est également intéressante.

Prix et symboles

Les prix mentionnés dans ce guide s'appliquent à un dîner pour une personne **excluant** le service (voir «Pourboire», p 48), les boissons et les taxes.

$	moins de 15$
$$	de 15$ à 25$
$$$	de 26$ à 50$
$$$$	plus de 50$

C'est généralement selon les prix des tables d'hôte du soir que nous avons classé les restaurants, mais souvenez-vous que les déjeuners sont souvent beaucoup moins coûteux.

Pour connaître la signification du label Ulysse ☺, voir p 45.

Apportez votre vin

Il se trouve au Québec des restaurants où l'on peut apporter sa bouteille de vin. Cette particularité étonnante pour les Européens vient du fait que, pour pouvoir vendre du vin, il faut posséder un permis de vente d'alcool assez coûteux. Certains restaurants voulant offrir à leur clientèle des formules économiques possèdent dès lors un autre permis qui permet aux clients d'apporter leur bouteille de vin. Dans la majorité des cas, un panonceau vous signalera cette possibilité. Dans ce guide, nous avons identifié les établissements qui permettent à leurs clients d'apporter leur vin avec le symbole suivant: ♉.

La cuisine québécoise

Bien que les plats servis dans les restaurants s'apparentent beaucoup aux mets que l'on retrouve en France ou aux États-Unis, quelques-uns sont typiquement québécois et doivent être goûtés.

De plus, la nouvelle cuisine québécoise est en croissance constante. Partout au Québec, des chefs talentueux développent de nouvelles créations, des plats, des produits, etc. N'hésitez pas à goûter cette savoureuse cuisine régionale. Vous aurez également la possibilité d'essayer des spécialités régionales souvent étonnantes, par exemple l'orignal, le lièvre, le saumon de l'Atlantique, la morue, le «loup de mer» et le homard.

■ Santé

Pour les personnes en provenance d'Europe et des États-Unis, aucun vaccin n'est nécessaire. D'autre part, il est vivement recommandé aux étrangers, de contracter une assurance maladie-accident. Il existe différentes formules, et nous vous conseillons de les comparer. Emportez vos médicaments, surtout ceux qui exigent une ordonnance. Sauf indication contraire, l'eau est potable partout au Québec.

Urgences

Partout au Québec, vous pouvez obtenir de l'aide en composant le ☎911.

■ Sécurité

Comparé aux États-Unis, le Québec est loin d'être une société violente. En prenant les précautions courantes, il n'y a pas lieu d'être inquiet outre mesure pour sa sécurité.

La majorité des municipalités du Québec sont dotées du service ☎911, qui vous permet, en cas d'urgence, de composer seulement ces trois chiffres pour appeler la police, les pompiers ou les ambulanciers.

Il est toujours possible de faire le **0** pour joindre un téléphoniste qui vous indiquera quel numéro composer pour obtenir de l'aide.

■ Taxes

Contrairement à l'Europe, les prix affichés le sont **hors taxes** dans la majorité des cas. Il y a deux taxes: la TPS (taxe fédérale sur les produits et services) de 5% et la TVQ (taxe de vente du Québec) de 7,5% sur les biens et sur les services. Il faut donc ajouter environ 13% de taxes sur les prix affichés pour la majorité des produits ainsi qu'au restaurant. Notez qu'il existe aussi une taxe spécifique à l'hébergement de 2$ ou jusqu'à concurrence de 3% par nuitée, applicable dans tous les lieux d'hébergement, selon la région touristique.

■ Télécommunications

Dans ce guide, les indicatifs régionaux sont incrits pour chaque numéro de téléphone. Vous n'aurez toutefois pas besoin de composer cet indicatif s'il s'agit d'un appel local, sauf dans la région métropolitaine de Montréal, où il faut toujours composer les 10 chiffres, soit l'indicatif régional, suivi des sept chiffres du numéro de téléphone. Pour les appels interurbains, faites le **1**, suivi de l'indi-

catif de la région où vous appelez, puis le numéro de votre correspondant. Les numéros de téléphone précédés de **800**, **866**, **877** ou **888** vous permettent de communiquer avec votre correspondant sans encourir de frais si vous appelez du Canada et souvent même des États-Unis. Si vous désirez joindre un téléphoniste, faites le **0**.

Beaucoup moins chers à utiliser qu'en Europe, les appareils téléphoniques se trouvent à peu près partout. Pour les appels locaux, la communication coûte 0,50$ pour une durée illimitée. Pour les interurbains, munissez-vous de pièces de 25 cents, ou bien procurez-vous une carte d'appels interurbains d'une valeur de 5$, 10$ ou 20$ en vente chez les marchands de journaux, dans les dépanneurs et dans les distributeurs automatiques (de diverses compagnies de téléphone) installés dans les lieux publics.

Pour appeler en **Belgique**, faites le **011-32** puis l'indicatif régional (Anvers **3**, Bruxelles **2**, Gand **91**, Liège **41**) et le numéro de votre correspondant.

Pour appeler en **France**, faites le **011-33** puis le numéro à 10 chiffres de votre correspondant en omettant le premier zéro.

Pour appeler en **Suisse**, faites le **011-41** puis l'indicatif régional (Berne **31**, Genève **22**, Lausanne **21**, Zurich **1**) et le numéro de votre correspondant.

■ Vins, bières et alcools

Au Québec, il faut être âgé d'au moins 18 ans pour acheter et consommer de l'alcool. La vente des boissons alcoolisées est régie par une société d'État: la Société des alcools du Québec (SAQ). Si vous désirez acheter un vin, une bière importée ou un alcool, c'est dans une succursale de la SAQ qu'il faut vous rendre (de bonnes bières importées ou canadiennes et des vins corrects se vendent aussi dans les épiceries). Certaines succursales, appelées «Sélection», proposent une sélection plus variée et spécialisée de vins et spiritueux. On trouve des succursales de la SAQ dans tous les quartiers, mais leurs heures d'ouverture sont assez restreintes, sauf peut-être en ce qui concerne les succursales dites «Express», ouvertes plus tard mais offrant un choix plus limité. En règle générale, elles sont ouvertes aux mêmes heures que les commerces.

Bières

Deux grandes brasseries au Québec se partagent la plus grande part du marché: Labatt et Molson. Chacune d'elles produit différents types de bières, surtout des blondes, avec divers degrés d'alcool. Dans les bars, restaurants et discothèques, la bière pression (appelée parfois *draft*) est moins chère qu'en bouteille.

À côté de ces brasseries se trouvent des microbrasseries qui, à bien des égards, s'avèrent très intéressantes. La variété et le goût de leurs bières font qu'elles connaissent un énorme succès auprès du public québécois. Nommons, à titre d'exemples car il en existe plusieurs, McAuslan (Griffon, St-Ambroise), le Cheval Blanc (Coup de Grisou, Sainte-Paix), les Brasseurs du Nord (Boréale), GMT (Belle Gueule) et La Barberie.

Les régions couvertes par ce guide comptent des microbrasseries intéressantes, notamment la Microbrasserie Breughel (à Saint-Germain, dans le Bas-Saint-Laurent), la Microbrasserie Pit Caribou (à L'Anse-à-Beaufils, en Gaspésie) et la Microbrasserie À l'Abri de la Tempête (à L'Étang-du-Nord, aux Îles de la Madeleine).

Plein air

D u fait de l'étendue de son territoire et de ses paysages d'une grande beauté, le Québec est un endroit idéal pour pratiquer toutes sortes de loisirs de plein air. Nous passons ici en revue une série d'activités sportives auxquelles vous pouvez vous adonner dans les régions du Bas-Saint-Laurent, de la Gaspésie et des Îles de la Madeleine.

Cette liste est bien sûr incomplète en raison du grand choix d'activités possibles. Pour chaque sport, vous trouverez quelques remarques d'ordre général qui ont pour but de faciliter l'organisation des activités. Pour plus de détails, consultez la section «Activités de plein air» de chaque chapitre. Par souci de clarté, nous avons classé ces loisirs en deux catégories, soit loisirs d'été et loisirs d'hiver.

■ Le Regroupement Loisir Québec

Cet organisme privé sans but lucratif regroupe plus de 100 organismes nationaux (fédérations, mouvements, associations) s'occupant de loisirs ou de sports. Son but est de leur assurer un soutien administratif et technique. La plupart de ces organismes ont leur bureau au Stade olympique de Montréal.

Regroupement Loisir Québec
4545 av. Pierre-De Coubertin
C.P. 1000, Succursale M
Montréal, QC, H1V 3R2
☎ 514-252-3126 ou 800-932-3735
www.loisirquebec.qc.ca

Parcs nationaux et réserves fauniques

Il existe des parcs fédéraux, administrés par le gouvernement canadien, et des parcs québécois, à la charge du gouvernement du Québec. La majorité de ces parcs offrent des services et installations tels que bureau de renseignements, plans du parc, programmes d'interprétation de la nature, guides accompagnateurs et établissements d'hébergement (refuges, auberges, camping) ou de restauration.

Ces services et installations n'étant pas systématiquement disponibles dans tous les parcs (ils varient aussi selon les saisons), il est préférable de se renseigner auprès des responsables des parcs avant de partir. Il est possible de réserver les emplacements de camping, les refuges et les chalets (parcs québécois).

Notez cependant que les politiques de réservations pour les emplacements de camping des parcs fédéraux varient d'un endroit à l'autre. Il est ainsi conseillé de se renseigner auprès des parcs directement ou à Parcs Canada (voir ci-dessous).

Dans plusieurs parcs, des circuits sillonnant le territoire et s'étendant sur des dizaines de kilomètres sont aménagés, permettant aux amateurs de s'adonner à des activités comme la randonnée pédestre, le ski de fond ou la motoneige pendant des jours. Les lacs et rivières, quant à eux, se prêtent bien au canot, au kayak, à la pêche et à la baignade. Le long de ces circuits, des emplacements de camping rustique ou des refuges ont été aménagés. Les emplacements de camping rustique se révèlent très rudimentaires; il est alors essentiel d'être adéquatement équipé. Comme ces circuits s'enfoncent dans des forêts, loin de toute habitation, il est fortement conseillé de respecter le balisage des sentiers. Des cartes très utiles indiquant les circuits ainsi que les emplacements de camping rustique et les refuges sont disponibles pour la plupart des parcs.

Prix d'entrée dans les parcs nationaux

Un prix d'entrée est exigé dans tous les parcs nationaux et les réserves fauniques gérés par la Sépaq (Société des établissements de plein air du Québec). Ce prix, le même pour tous les parcs, a été fixé à 3,50$ par adulte et vous donne accès au parc pour toute la journée. Un laissez-passer annuel est aussi disponible, soit pour le réseau au complet au coût de 30$, soit pour un seul parc que vous pourrez visiter à votre guise au coût de 16,50$. Dans les parcs gérés par Parcs Canada au Québec, le prix d'entrée est de 6,80$.

Tout au long du guide, vous trouverez la description des parcs et réserves fauniques des régions du Bas-Saint-Laurent, de la Gaspésie et des Îles de la Madeleine, ainsi que les principales activités de plein air que l'on peut y pratiquer.

■ Les parcs fédéraux et les lieux historiques canadiens

Le magnifique parc national Forillon, en Gaspésie, est géré par Parcs Canada. Cette agence fédérale administre aussi des aires de détente, en général des lieux historiques nationaux, comme le Lieu historique national de la Bataille-de-la-Ristigouche, en Gaspésie, et le Lieu historique national du Phare-de-Pointe-au-Père, dans le Bas-Saint-Laurent.

On peut obtenir plus de renseignements sur ces sites en contactant:

Parcs Canada
Bureau national
25 rue Eddy
Gatineau, QC, K1A 0M5
☎514-335-4813 ou 888-773-8888
www.pc.gc.ca

■ Les parcs québécois

La Société des établissements de plein air du Québec (Sépaq) gère 22 parcs québécois (le nouveau parc national des Pingualuit, soit le 23e parc national québécois, est quant à lui géré par les Inuits), leurs installations et leurs services, tous axés sur le plein air et la découverte. La Sépaq a pour mandat de développer les sites dans une perspective de tourisme durable, en assurant la conservation et la préservation des ressources naturelles.

On retrouve quatre parcs nationaux québécois dans les régions du Bas Saint-Laurent, de la Gaspésie et des Îles-de-la-Madeleine: le parc national du Bic, le parc national de la Gaspésie, le parc national de l'Île-Bonaventure-et-du-Rocher-Percé et le parc national de Miguasha.

Pour de plus amples renseignements sur les parcs et les activités qui y sont offertes, veuillez communiquer avec:

Sépaq
Place de la Cité, Tour Cominar
2640 boul. Laurier, bureau 250
Québec, QC, G1V 5C2
☎418-890-6527 ou 800-665-6527
www.sepaq.com

■ Les réserves fauniques

Gérées par la Société des établissements de plein air du Québec, la Sépaq (voir ci-dessus), les réserves fauniques couvrent généralement des territoires plus vastes que les parcs. La pêche et la chasse, organisées et contrôlées, y sont permises. Ces territoires de nature sauvage où la pêche et la chasse sont à l'honneur comportent de beaux pavillons d'hébergement et chalets. Sur le territoire couvert par ce guide, cinq réserves fauniques sont présentées: la réserve faunique de Rimouski, la réserve faunique de Matane, où se trouve l'**Auberge de montagne des Chic-Chocs** (voir p 157), la réserve faunique des Chic-Chocs, la réserve faunique de Port-Daniel et la réserve faunique Dunière, exploitée par la Corporation de gestion des rivières Matapédia et Patapédia.

Plein air – Parcs nationaux et réserves fauniques

■ Les centres touristiques

La Sépaq (voir ci-dessus) administre aussi neuf centres touristiques. On peut entre autres y faire de magnifiques séjours, déguster des repas gastronomiques et visiter des sites historiques, le tout dans un environnement incomparable, sans oublier la pratique de toutes sortes d'activités de plein air. Les campeurs y trouveront de beaux emplacements aménagés pour leurs tentes. On trouve dans ce guide la description d'un centre touristique: l'**Auberge Fort-Prével** (voir p 150).

■ Les jardins du Québec

Le Québec possède de merveilleux jardins où il fait bon se promener tout en découvrant des aménagements paysagers aux beautés sans pareilles. De même que les bâtiments historiques, les œuvres d'art et les traditions ancestrales, les jardins sont également reconnus comme faisant partie intégrante du patrimoine québécois. Parmi les plus beaux jardins du Québec se trouvent les Jardins de Métis, aux portes de la Gaspésie.

C'est en 1989 que l'on décida de regrouper les 22 grands jardins du Québec sous l'Association des jardins du Québec afin de promouvoir l'horticulture ornementale et de les faire connaître à tous les amoureux de la nature.

Association des jardins du Québec
82 Grande Allée O.
Québec, QC, G1R 2G6
☎ 418-692-0886
www.jardinsduquebec.com

Les loisirs d'été

Lorsque la température est clémente, il est possible de pratiquer les activités de plein air dont nous donnons la liste ci-dessous. Il ne faut pas oublier que les nuits sont fraîches. En été, des chemises ou chandails à manches longues seront fort utiles si vous ne désirez pas «vous offrir en repas» aux «maringouins» (moustiques) ou aux mouches noires. Au mois de juin, durant lequel ceux-ci sont particulièrement voraces, des insectifuges puissants sont indispensables pour les promenades en forêt.

■ Baignade

Les plages de sable blanc fin, de galets ou de roches sont nombreuses, particulièrement aux Îles de la Madeleine et sur les abords de la baie des Chaleurs, en Gaspésie. Vous n'aurez aucune difficulté à en trouver une à votre goût!

■ Canot

Le territoire québécois, pourvu d'une multitude de lacs et rivières, comblera les amateurs de canot. Bon nombre de parcs et de réserves fauniques sont le point de départ d'excursions de canot d'une ou de plusieurs journées. Dans ce dernier cas, des emplacements de camping rustique sont mis à la disposition des canoteurs. Au bureau d'information des parcs, on peut généralement obtenir une carte des circuits canotables et louer des embarcations.

Pour plus d'information, vous pouvez également vous adresser à la **Fédération québécoise du canot et du kayak** *(www.canot-kayak.qc.ca)*, qui publie plusieurs cartes et guides pratiques sur les parcours canotables du Québec.

■ Chasse et pêche

Pour de l'information générale sur la pratique de la chasse et de la pêche au Québec, communiquez avec:

Ministère des Ressources naturelles et de la Faune
www.mrnfp.gouv.qc.ca

Sépaq
www.sepaq.com

Chasse

Pour pouvoir chasser sur le territoire québécois, un résident doit se procurer un permis de chasse du Québec, disponible chez les dépositaires autorisés: magasins

Le Sentier maritime du Saint-Laurent

Développé par Tourisme Québec et la Fédération québécoise du canot et du kayak, le Sentier maritime du Saint-Laurent est une étroite bande de navigation en bordure du fleuve réservée aux petites embarcations à faible tirant d'eau, comme les kayaks de mer, les canots, les dériveurs et autres petits voiliers. La Route bleue du sud de l'estuaire (Bas-Saint-Laurent) et la Route bleue de la Gaspésie sont les deux composantes du Sentier maritime qui traversent les régions couvertes par ce guide. Tout au long du parcours, des haltes sont proposées chez des commerçants riverains partenaires du Sentier maritime, qui offrent le gîte, le couvert ou un emplacement pour une tente.

Pour plus d'information:

Sentier maritime du Saint-Laurent
www.sentiermaritime.ca

Route bleue du sud de l'estuaire
www.rbse.ca

Route bleue de la Gaspésie
www.routebleuegaspesie.ca

Fédération québécoise du canot et du kayak
www.canot-kayak.qc.ca

---

de sport, quincailleries, dépanneurs, ou dans certaines pourvoiries, ZEC et réserves fauniques gérés par la Sépaq. Et, pour obtenir un permis de chasse avec arme à feu, arbalète et arc, il faut être titulaire du certificat du chasseur approprié à l'engin utilisé.

De plus, un permis de chasse fédéral, délivré par le Service canadien de la faune et vendu dans les bureaux de poste, peut être requis, par exemple pour la chasse aux oiseaux migrateurs, laquelle requiert également le permis de chasse provincial.

Pêche

Pour pouvoir pêcher sur le territoire québécois, résidents et non-résidents doivent se procurer un permis de pêche du Québec sportive, en vente chez les dépositaires autorisée: magasins de sport, quincailleries, dépanneurs, ou dans certaines pourvoiries, ZEC et réserves fauni-ques. Le permis de pêche sportive autorise en général la pêche de la plupart des espèces de poissons d'intérêt sportif au Québec, sauf le saumon atlantique, pour lequel il existe un permis de pêche au saumon, disponible auprès des ZEC des réserves fauniques de pêche au saumon et certains dépositaires et pourvoiries.

Un seul permis de pêche permet à plusieurs membres d'une même famille de pêcher; si le titulaire du permis ne les accompagne pas, ceux-ci doivent être en possession du permis et respecter la quantité autorisée par ce permis. Il en est de même pour le permis de pêche au saumon, sauf que, dans ce cas, seul l'enfant du titulaire peut s'en servir.

■ Équitation

Plusieurs centres équestres proposent des cours ou des promenades. Quelques-uns d'entre eux organisent même des excur-

Plein air - Les loisirs d'été

sions de plus d'une journée. Selon les centres, on peut retrouver deux styles équestres: le style classique (selle anglaise) et le style western. Tous deux étant bien différents, il est utile de vérifier lequel est offert par le centre que vous avez choisi au moment de la réservation. Certains parcs québécois disposent de sentiers de randonnée équestre.

L'association **Québec à cheval** *(www.cheval. qc.ca)* a pour objectif de faire connaître la randonnée équestre. Des stages de formation sont également proposés. Pour de l'information, adressez-vous à cette association.

■ Escalade

Les amateurs pourront s'adonner à l'escalade hiver comme été. Ainsi, on retrouve quelques parois de glace destinées aux grimpeurs de tous les niveaux. Pour cette activité, on doit se munir d'un équipement adéquat (qui est parfois loué sur place) et, bien sûr, connaître les techniques de base. Certains centres proposent des cours d'initiation.

Pour tout renseignement concernant l'escalade de glace, l'initiation à l'escalade, les activités ou les stages, adressez-vous à la **Fédération québécoise de la montagne et de l'escalade** *(http://fqmeqc.sigphosting.com)*.

■ Golf

Dans tous les coins du Québec, des terrains de golf ont été aménagés. Ils sont en activité du mois de mai au mois d'octobre. Le site Internet *www.accesgolf.com* propose un répertoire de ces terrains.

■ Kayak

Le kayak n'est pas un sport nouveau, mais sa popularité va croissant au Québec. De plus en plus de gens découvrent cette activité merveilleuse qui permet de sillonner un cours d'eau dans une embarcation très stable, sécuritaire et confortable à un rythme qui leur convient pour apprécier la nature environnante. Il s'agit d'une des plus belles activités à pratiquer

dans les régions couvertes par ce guide. Faire du kayak de mer sur les eaux du fleuve et du golfe du Saint-Laurent est tout simplement sublime. On peut y voir, selon les endroits, des baleines, des phoques, une flore marine exceptionnelle et vivre des sensations fortes hors de l'ordinaire.

En effet, une fois installé dans un kayak, on a l'impression d'être littéralement assis sur l'eau et de faire partie de la nature. Une expérience aussi dépaysante que fascinante! Il existe trois types de kayaks dont le galbe varie: le kayak de lac, le kayak de rivière et le kayak de mer. Ce dernier, qui peut loger une ou deux personnes selon le modèle, est le plus populaire car plus manœuvrable. Plusieurs entreprises offrent la location de kayaks et organisent des expéditions guidées sur les cours d'eau du Québec. Les Guides de voyage Ulysse publient le guide pratique *Kayak de mer au Québec*. Vous y trouverez toute l'information sur les sites de mise à l'eau, la location d'équipement et les excursions proposées par les pourvoyeurs, ainsi que des suggestions de lieux d'hébergement faits sur mesure pour les kayakistes.

■ Observation des baleines et des phoques

L'estuaire et le golfe du Saint-Laurent recèlent une vie aquatique riche et variée. S'y retrouvent d'innombrables mammifères marins dont plusieurs espèces de baleines (béluga, rorqual commun et rorqual bleu) et de phoques (phoque gris, phoque commun).

Assurez-vous toutefois de vous embarquer avec une entreprise reconnue et responsable qui respecte les règles imposées afin de protéger les mammifères marins: par exemple, de ne pas poursuivre les baleines ou trop s'en approcher.

■ Observation des oiseaux

Outre les parcs fédéraux et québécois, plusieurs sites particulièrement intéressants sont accessibles pour observer les oiseaux. À cette fin, nous vous recommandons deux guides:

Les meilleurs sites d'observation des oiseaux au Québec, publié par les Presses de l'Université du Québec;

Le guide des oiseaux de l'Est de l'Amérique du Nord, paru aux Éditions Marcel Broquet.

Pour plus d'information, adressez-vous au **Regroupement QuébecOiseaux** *(www. quebecoiseaux.org)*.

■ Planche à voile et cerf-volant de traction

La planche à voile et le cerf-volant de traction sont notamment pratiqués aux îles de la Madeleine, véritable «pays du vent». Si la planche à voile est aujourd'hui bien connue, le cerf-volant de traction l'est sans doute moins. Cet ensemble de sports hybrides consiste à utiliser la force du vent pour se déplacer à l'aide d'un immense cerf-volant. Il peut être pratiqué sur l'eau à bord d'une planche de surf (surf cerf-volant ou *kitesurf*), sur la plage à bord d'un petit buggy (*kite buggy*), et même sur la neige à l'aide d'une planche à neige ou de skis alpins. Les adeptes de ce sport semblent être de véritables acrobates et parviennent à réaliser des prouesses à couper le souffle. Mais le maniement n'est pas si simple, car les vents puissants peuvent causer des ennuis majeurs. Une bonne préparation et un encadrement adéquat sont de mise avant de s'envoler.

■ Plongée sous-marine

La plupart des régions disposent de bons sites de plongée sous-marine, et le Québec compte pas moins de 200 centres de plongée, écoles ou clubs. Pour en connaître davantage sur la plongée sous-marine au Québec, adressez-vous à la **Fédération québécoise des activités subaquatiques** *(www.fqas.qc.ca)*.

■ Randonnée pédestre

Activité à la portée de tous, la randonnée pédestre se pratique autant en montagne que sur le bord de l'eau. Plusieurs parcs proposent des sentiers de longueurs et degrés de difficulté divers. Certains offrent même, comme le parc national de la Gaspésie, des sentiers de longue randonnée. S'enfonçant dans les étendues sauvages, les parcours peuvent s'étendre sur des dizaines de kilomètres.

Sur de tels sentiers, il faut, bien sûr, respecter le balisage et partir bien équipé. Il existe des cartes indiquant les sentiers ainsi que les emplacements de camping rustique et les refuges.

Le guide Ulysse *Randonnée pédestre au Québec* est disponible en librairie. Il propose différents circuits classés aussi bien d'après leur niveau de difficulté que d'après leur longueur. La **Fédération québécoise de la marche** *(www.fqmarche.qc.ca)*, qui a pour but de développer la pratique de la randonnée pédestre, de la raquette et de la marche en milieu urbain, peut aussi fournir divers renseignements.

■ Vélo

Le vélo constitue un moyen des plus agréables pour découvrir les régions du Québec. Les Guides de voyage Ulysse publient les guides *Le Québec cyclable* et *Cyclotourisme au Québec*, qui vous aideront à organiser de belles excursions sur les routes du Québec.

Des sentiers de vélo de montagne ont été aménagés dans plusieurs parcs, et le parc national du Bic est particulièrement intéressant à cet égard. On peut obtenir des renseignements à cet égard au bureau d'accueil des parcs.

De nombreuses boutiques de vélos offrent un service de location. Nous vous proposons les coordonnées de quelques boutiques qui offrent ce service dans la section «Activités de plein air» des différents chapitres de ce guide. Il est conseillé de se munir d'une bonne assurance. Certains

Plein air - Les loisirs d'été

Respectez la nature!

«Protéger, conserver et mettre en valeur», telle est la règle d'action dans les parcs nationaux du Québec. Ainsi pour permettre aux visiteurs de mieux comprendre l'importance du patrimoine naturel, des activités d'interprétation y sont offertes, et l'on y encourage une pratique respectueuse des activités de plein air.

Quelques recommandations

- Respectez les tracés des sentiers: vous protégerez ainsi la végétation qui les borde et éviterez qu'ils ne s'élargissent.

- Ne vous lavez ni dans les lacs ni dans les ruisseaux.

- Dans les terrains de camping, ne jetez les eaux usées qu'aux endroits réservés à cet effet.

- Ne laissez pas de déchets derrière vous.

- Ne cueillez pas les plantes et les autres végétaux.

- Laissez à la nature ce qui lui appartient; les autres marcheurs pourront ainsi également en profiter.

Prenez note que les chiens sont interdits dans le réseau de Parcs Québec, mais que Parcs Canada accepte les chiens tenus en laisse.

établissements incluent une assurance-vol dans le prix de location.

■ Voile

La **Fédération de voile du Québec** *(www.voile. qc.ca)* regroupe clubs, écoles et associations qui s'intéressent à la navigation. Elle met sur pied des programmes de formation et possède une importante documentation. Notez que le port de la ceinture de sauvetage est obligatoire au Québec. La baie des Chaleurs est un bel endroit où pratiquer ce sport.

■ Vol libre (deltaplane et parapente)

Le vol en deltaplane se pratique au Québec depuis le début des années 1970. Certaines montagnes de la Haute-Gaspésie, comme le mont Saint-Pierre, se prêtent très bien à cette activité. Le parapente est une activité sportive beaucoup plus récente au Québec. Rappelons qu'elle consiste à se laisser porter par un parachute directionnel gonflé par les vents.

Réputés assez hasardeux, ces sports ne peuvent être pratiqués sans au préalable avoir suivi un cours offert par un moniteur accrédité. Pour de l'information, adressez-vous à l'**Association québécoise de vol libre** *(www.aqvl.qc.ca)*.

■ Parcours d'aventure en forêt

Les parcours d'aventure en forêt, qui existent depuis plusieurs années en France, notamment, poussent comme des champignons au Québec depuis quelque temps et sont de plus en plus populaires auprès des jeunes comme des adultes.

À ce jour, au Québec, on dénombre plusieurs parcs spécialisés dans ce genre d'aventure en forêt. Les différents parcours qu'ils offrent se font au moyen de ponts suspendus, ponts-défis, ponts de singe, poutres, filets, cordes, passerelles de bois, tyroliennes, cordes à Tarzan et filets, qui représentent autant de défis à affronter. Ces parcours nous entraînent dans les airs, à travers divers jeux ludiques et sportifs, offrant souvent des vues saisissantes à partir de la cime des arbres. **Arbre en Arbre** *(www.arbreenarbre.com)* et **Arbraska** *(www.arbraska.com)* sont les deux principaux exploitants que l'on retrouve dans plusieurs régions du Québec.

Les loisirs d'hiver

En hiver, alors que le Québec se pare pendant plusieurs mois d'un manteau blanc, la plupart des parcs comptant des sentiers de randonnée pédestre s'adaptent aux nouvelles conditions climatiques pour accueillir les skieurs de fond, motoneigistes et autres adeptes de la raquette. Les amateurs de sports d'hiver peuvent également compter sur des stations de ski modernes et de magnifiques patinoires extérieures. Bref, il est toujours possible d'être actif au Québec en hiver!

■ Motoneige

Voilà une activité très populaire au Québec; après tout, n'oublions pas que c'est le Québécois Joseph-Armand Bombardier qui inventa la motoneige, donnant ainsi naissance à ce qui allait devenir un des plus importants groupes industriels du Québec, aujourd'hui impliqué dans la fabrication d'avions et de matériel ferroviaire.

Un réseau de 33 500 km de sentiers de motoneige balisés, entretenus et signalisés sillonne le territoire québécois, dont bon nombre de ces sentiers se trouvent en Gaspésie et dans le Bas-Saint-Laurent. Les circuits mènent les intrépides au cœur

de vastes régions sauvages. Le long de ces sentiers, on trouve tous les services nécessaires aux motoneigistes (ateliers de réparation, relais chauffés, pompes à essence et services de restauration). Il est possible de louer, dans certains centres, les motoneiges et l'équipement requis pour entreprendre de telles expéditions.

Pour emprunter les sentiers de motoneige, il faut être en possession du certificat d'immatriculation du véhicule et avoir une carte de membre à la **Fédération des clubs de motoneigistes du Québec** *(www. fcmq.qc.ca)*.

■ Planche à neige

La planche à neige (ou surf des neiges) est apparue au Québec au début des années 1990. Bien que marginal à l'origine, ce sport ne cessa de prendre de l'ampleur, si bien qu'aujourd'hui les stations de ski de l'Amérique du Nord dénombrent souvent plus de planchistes que de skieurs.

Contrairement à ce que plusieurs croient, le surf des neiges ne s'adresse pas uniquement aux jeunes; il n'y a pas d'âge pour goûter les plaisirs d'un slalom. Aux débutants qui désirent tenter l'expérience, il est conseillé de prendre quelques leçons avant de s'engager sur les pistes, plusieurs stations offrant ce service. La majorité d'entre elles font aussi la location d'équipement.

■ Raquette

Ce sont les Amérindiens qui ont inventé les raquettes, qui jadis leur servaient essentiellement à se déplacer sur la neige sans s'enfoncer. Au Québec, on pratique généralement la raquette, un loisir de plus en plus populaire, dans les centres de ski de fond et dans les parcs et réserves. Les Guides de voyage Ulysse publient le guide *Raquette et ski de fond au Québec* (voir ci-dessous).

■ Ski alpin

On dénombre plusieurs stations de ski alpin dans l'est du Québec. Certaines d'entre elles disposent de pistes éclairées qui sont ouvertes en soirée. Près des stations de ski, on trouve souvent des hôtels offrant des forfaits économiques incluant la chambre, les repas et les billets de ski; renseignez-vous au moment de réserver votre chambre.

Les billets de ski alpin sont coûteux; aussi, afin de s'adapter à tous les types de skieurs, les stations de ski mettent-elles en vente des billets pour la demi-journée, la journée et la soirée. Plusieurs d'entre elles proposent même des billets à l'heure ou selon un système de points. Pour plus d'information sur les stations de ski alpin au Québec, procurez-vous le guide Ulysse *Ski alpin au Québec*.

■ Ski de fond

Les centres de ski de fond et les parcs offrant des sentiers de ski de fond sont nombreux. Plusieurs disposent de sentiers de longue randonnée, le long desquels on a placé des refuges afin d'accueillir les skieurs, comme les merveilleux sentiers du parc national de la Gaspésie.

Certains centres de ski de fond offrent aux personnes empruntant un sentier de longue randonnée la possibilité d'aller porter en motoneige la nourriture au refuge. Les Guides de voyage Ulysse publient le guide *Raquette et ski de fond au Québec*. Ce guide vous donne la longueur des sentiers, leur niveau de difficulté et leurs particularités.

■ Traîneau à chiens

Autrefois utilisé comme moyen de déplacement par les Inuits du Grand Nord, le traîneau à chiens est devenu une activité sportive très prisée. Des compétitions sont d'ailleurs organisées en maints pays nordiques. Chacun peut cependant s'initier aux plaisirs des randonnées en traîneau, car, depuis quelques années, des entreprises de plein air, entre autres, ont commencé à proposer aux visiteurs de tout âge des promenades qui peuvent durer de quelques heures à plusieurs jours.

Dans ce dernier cas, l'entreprise veille à offrir l'équipement adéquat et les refuges. En moyenne, il est possible d'envisager de parcourir de 30 à 60 km par jour; aussi faut-il être en bonne condition physique pour entreprendre ces longues excursions.

Bas-Saint-Laurent

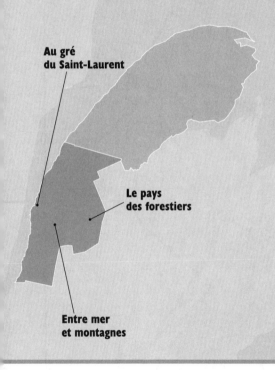

**Au gré
du Saint-Laurent**

**Le pays
des forestiers**

**Entre mer
et montagnes**

BAS-SAINT-LAURENT

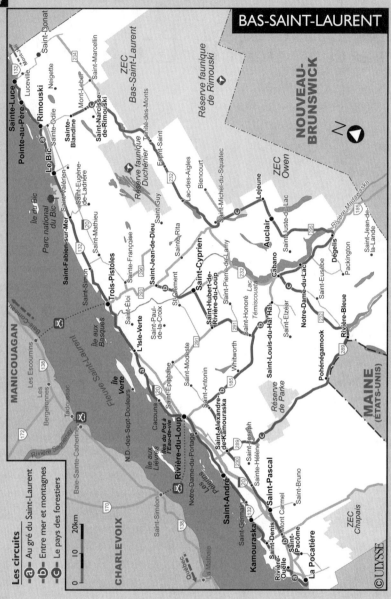

Les circuits

- **a** — Au gré du Saint-Laurent
- **b** — Entre mer et montagnes
- **c** — Le pays des forestiers

0   10   20km

© ULYSSE

Très pittoresque, le Bas-Saint-Laurent s'étire le long du fleuve, depuis la petite ville de La Pocatière jusqu'à Sainte-Luce, et pénètre dans les terres sur une centaine de kilomètres. Comme le littoral s'étire sur près de 320 km dans cette région, la population locale vit au rythme de l'eau. On y retrouve par ailleurs les plus importantes marées au Québec, qui remodèlent constamment le paysage.

S'étendant sur plus de 22 000 km², la région du «Bas-du-Fleuve», comme on l'appelle parfois, est bordée par le Nouveau-Brunswick et l'État américain du Maine au sud, par la région de Chaudière-Appalaches à l'ouest et par la Gaspésie à l'est. En plus de sa zone riveraine, aux terres très propices à l'agriculture, le Bas-Saint-Laurent comprend également une grande région agroforestière, aux paysages légèrement vallonnés et riches de nombreux lacs et cours d'eau. Ce petit territoire, qui couvre seulement 1,7% de la superficie du Québec, compte environ 200 000 habitants.

Le grand nombre de parcs et de réserves qu'on y trouve en fait un lieu de prédilection pour les amateurs d'écotourisme, de kayak de mer, de vélo ou de ski de randonnée. De plus, la plupart des lacs sont facilement accessibles et très peu pollués.

Le peuplement permanent des terres du Bas-Saint-Laurent débuta dès les origines de la Nouvelle-France, puis se fit par étapes selon la succession des différents modes de mise en valeur du territoire. La traite des fourrures y attira les premiers colons qui fondèrent, avant la fin du XVIIᵉ siècle, les postes de Rivière-du-Loup, du Bic, de Cabano et de Notre-Dame-du-Lac.

Les riches terres bordant le fleuve Saint-Laurent furent défrichées puis cultivées dès le siècle suivant. Le paysage de ces plaines reste d'ailleurs structuré selon le mode de division du sol hérité de l'époque seigneuriale. Les terres de l'intérieur furent colonisées un peu plus tard, vers 1850, alors que l'exploitation des richesses forestières se faisait de pair avec la culture du sol.

Il y eut finalement une dernière vague de peuplement au cours de la crise économique des années 1930, alors que la campagne devenait le refuge des ouvriers sans travail des villes. Ces différentes étapes de colonisation du Bas-Saint-Laurent se reflètent d'ailleurs dans son riche patrimoine architectural. Au XIXᵉ siècle, le Bas-Saint-Laurent devient aussi l'un des principaux lieux de villégiature des riches familles montréalaises, qui s'y font construire de belles résidences secondaires.

Un premier circuit, intitulé **Circuit A: Au gré du Saint-Laurent** ★ ★, longe le fleuve de La Pocatière à Sainte-Luce, en offrant de très belles vues sur les vastes étendues d'eau du Saint-Laurent ainsi que sur les montagnes de Charlevoix. Un deuxième circuit, **Circuit B: Entre mer et montagnes** ★, propose une petite promenade dans les terres entre Saint-Pacôme et Trois-Pistoles. Le **Circuit C: Le pays des forestiers** ★ parcourt le sud de la région, dénommé **Témiscouata** et parsemé de lacs et de villages où l'industrie forestière domine.

Bas-Saint-Laurent - Introduction

Accès et déplacements

■ En avion

Circuit A: Au gré du Saint-Laurent

Air Canada Jazz et Pascan Aviation proposent tous deux des vols réguliers vers l'aéroport de Mont-Joli (voir p 106) au départ de Montréal et de Québec.

Air Canada Jazz
☎ 888-247-2262
www.aircanadajazz.com

Pascan Aviation
☎ 888-313-8777
www.pascan.com

■ En voiture

Circuit A: Au gré du Saint-Laurent

Pour accéder à la région, quittez l'autoroute 20 à La Pocatière et prenez la route 132 Est qui longe le fleuve. Vous n'aurez qu'à suivre cette route tout au long du circuit.

Circuit B: Entre mer et montagnes

Ce circuit débute à Saint-Pacôme sur la route 230, que vous suivrez jusqu'à Saint-Pascal et Saint-Antonin. Empruntez ensuite la route 185 en direction sud jusqu'à Saint-Louis du Ha! Ha!. En revenant sur vos pas, un peu avant cette petite municipalité, vous croiserez la route 291, que vous suivrez jusqu'au village de Saint-Hubert. De là, vous devrez emprunter un petit rang qui vous conduira jusqu'à Saint-Cyprien. Vous pourrez ensuite prendre la route 293, qui vous mènera jusqu'à Trois-Pistoles, en bordure du fleuve.

Circuit C: Le pays des forestiers

Ce circuit débute à Saint-Alexandre, où vous emprunterez la route 289 en direction sud. Continuez sur cette route jusqu'à Rivière-Bleue, où vous bifurquerez sur la route 232 pour vous rendre à Cabano. De là, prenez la route 185 en direction sud jusqu'à Dégelis, où vous pourrez traverser le magnifique lac Témiscouata sur le petit pont de la route 295, que vous suivrez ensuite jusqu'à Squatec. Bifurquez à gauche sur la route 232, que vous emprunterez jusqu'à Rimouski, sur les berges du fleuve Saint-Laurent.

Location de voitures

Discount
161 rue Fraser
Rivière-du-Loup
☎ 418-863-6821 ou 888-820-7378
www.discountcar.com

Hertz
210 av. Léonidas
Rimouski
☎ 418-722-6634 ou 800-263-0678
www.hertz.ca

■ En autocar (gares routières)

Circuit A: Au gré du Saint-Laurent

Rivière-du-Loup
Station-service Pétro-Canada
83 boul. Cartier
☎ 418-862-4884

Rimouski
Terminus Orléans Express
90 av. Léonidas
☎ 418-723-4923

■ En train (gares ferroviaires)

Circuit A: Au gré du Saint-Laurent

La Pocatière
95 av. de la Gare
☎ 418-856-2424 ou 888-842-7245

Rivière-du-Loup
615 rue Lafontaine
☎ 418-867-1525 ou 888-842-7245

Trois-Pistoles
231 rue de la Gare
☎ 418-851-2881 ou 888-842-7245

Rimouski
57 de l'Évêché E.
☎418-722-4737 ou 888-842-7245

■ En traversier

Circuit A: Au gré du Saint-Laurent

Rivière-du-Loup à Saint-Siméon
adultes 14,50$, vélos 5,40$,
voitures 36,60$
toute l'année
durée: 1h
☎418-862-5094 (de Rivière-du-Loup ou de Saint-Siméon)
☎514-989-4425 (de Montréal)
www.travrdlstsim.com
Le traversier relie Rivière-du-Loup à Saint-Siméon, dans la région de Charlevoix.

Rimouski à Forestville
adultes 24$, voitures 38$
avr à oct
durée: 1h
☎418-725-2725 ou 800-973-2725
www.traversier.com
Le traversier relie Rimouski à Forestville, sur la Côte-Nord. Compte tenu de la largeur du fleuve à cet endroit, il s'agit du traversier le plus rapide sur le Saint-Laurent.

L'Isle-Verte à Notre-Dame-des-Sept-Douleurs
adultes 6$, vélos 7$, voitures 41$
mai à nov
durée: 30 min
☎418-898-2843
www.inter-rives.qc.ca
Le traversier *La Richardière* quitte la municipalité de L'Isle-Verte, sur la rive du Saint-Laurent, pour se rendre à Notre-Dame-des-Sept-Douleurs, sur l'île Verte. Si vous n'avez pas de voiture, vous pouvez monter à bord d'un bateau-taxi, comme le *Jacques Fraser I* (6-8; ☎*418-898-2199).*

Pour ceux qui désirent quitter le Bas-Saint-Laurent pour explorer la Côte-Nord, vaste région éloignée qui n'est pas couverte dans ce guide, il est possible de prendre le *N/M Nordik Express* du **Relais Nordik**, qui vous emmène jusqu'à Sept-Îles et même au-delà. Pour plus d'information sur la région de la Côte-Nord, consultez le guide Ulysse *Le Québec.*

Relais Nordik
avr à mi-jan
☎418-723-8787 ou 800-463-0680
www.relaisnordik.com
Le *N/M Nordik Express* quitte Rimouski en direction de Sept-Îles et de la Basse-Côte-Nord et se rend jusqu'à Blanc-Sablon. Il s'agit principalement d'un navire de transport pour approvisionner les villages de la Côte-Nord qui ne sont pas reliés par la route. Il peut tout de même accueillir 270 passagers, dont 72 en cabines privées.

■ En transport en commun

Circuit A: Au gré du Saint-Laurent

Taxibus – Rimouski
3,10$/déplacement
☎418-723-5555
www.ville.rimouski.qc.ca/citoyens/circulation/taxibus.asp
Taxibus Rimouski propose le service de navette entre les différents secteurs de la ville et l'aéroport. Réservations requises au moins 1h à l'avance.

■ En covoiturage

Circuit A: Au gré du Saint-Laurent

Allo-Stop Rivière-du-Loup
175 rue Fraser, bureau 101
☎418-860-2635

Allo-Stop Rimouski
106 rue St-Germain E.
☎418-723-5248
Au départ de Montréal ou de Québec, **Allo-Stop** *(www.allostop.com)* propose le service de covoiturage en direction du Bas-Saint-Laurent et d'autres régions du Québec. À titre d'exemple, on vous demandera 32$ pour effectuer le trajet Montréal–Rimouski et 16$ pour faire le trajet Québec–Rimouski.

La coopérative de covoiturage **Amigo Express** *(☎877-264-4697, www.amigoexpress. com)* propose aussi des départs en direction de plusieurs villes du Québec.

Bas-Saint-Laurent - Accès et déplacements

Consultez leur site Internet pour plus de détails sur les coûts et les départs.

■ En taxi

Circuit A: Au gré du Saint-Laurent

Taxi Capitol 3000
29 rue St-Joseph
Rivière-du-Loup
☎418-862-6333

Taxi Beaulieu
42 côte St-Jacques
Rivière-du-Loup
☎418-862-3111

Taxis 800 de Rimouski
55 rue de l'Évêché E.
Rimouski
☎418-723-3344

Renseignements utiles

■ Médias

Accessible également sur le Web, *Le Mouton NOIR (www.moutonnoir.com)*, journal d'opinion et d'information, est publié huit fois par année à Rimouski. Il est distribué gratuitement dans l'Est du Québec et vendu ailleurs au Québec.

Les hebdos du Bas-Saint-Laurent: *Info-Dimanche, L'Avantage, Le Rimouskois, Progrès-Écho, L'Information, Le Saint-Laurent – Portage, Le Placoteux.*

Les mensuels du Bas-Saint-Laurent: *Businest* et *Vision Terre et Forêt*, et le magazine *Vitalité Économique*.

La radio communautaire de Rimouski: CKMN-FM 96,5.

■ Renseignements touristiques

Bureau régional

Tourisme Bas-Saint-Laurent
148 rue Fraser
Rivière-du-Loup, QC, G5R 1C8
☎418-867-1272 ou 800-563-5268
🗎418-867-3245
www.tourismebas-st-laurent.com

Circuit A: Au gré du Saint-Laurent

Bureau d'information touristique de La Pocatière
10 rue du Quai
☎418-856-5040 ou 888-856-5040
www.kamouraska.com

Tourisme Rivière-du-Loup
189 rue Hôtel-de-Ville
☎418-862-1981 ou 888-825-1981
www.tourismeriviereduloup.ca

Corporation de Développement Touristique Bic/Saint-Fabien
33 route 132 O.
Saint-Fabien
☎418-869-3333
www.parcdubic.com

Tourisme Rimouski
50 rue St-Germain O.
☎418-723-2322 ou 800-746-6875
www.tourisme-rimouski.org

Circuit B: Entre mer et montagnes

Bureau d'information touristique Saint-Pascal
536 av. de la Gare
☎418-492-7753, poste 1
www.villesaintpascal.qc.ca

Circuit C: Le pays des forestiers

Tourisme Témiscouata
3-A rue Hôtel-de-Ville
Notre-Dame-du-Lac
☎418-899-9253, poste 101 ou 877-253-8364
www.tourismetemiscouata.qc.ca

■ Santé

Circuit A: Au gré du Saint-Laurent

Centre Notre-Dame-de-Fatima
1201 6ᵉ Avenue
La Pocatière
☎ 418-856-7000

Centre hospitalier régional du Grand-Portage
75 rue St-Henri
Rivière-du-Loup
☎ 418-868-1010
www.csssriviereduloup.qc.ca

Hôpital régional de Rimouski
150 av. Rouleau
Rimouski
☎ 418-723-7851
www.chrr.qc.ca

Circuit C: Le pays des forestiers

Hôpital de Notre-Dame-du-Lac
58 rue de l'Église
Notre-Dame-du-Lac
☎ 418-899-6751

Attraits touristiques

Circuit A:
Au gré du Saint-Laurent
★ ★

 Trois jours

▲ p 90   ● p 97   ➔ p 100   ▯ p 101

Ce premier circuit proposé longe le fleuve depuis La Pocatière jusqu'à Sainte-Luce, aux portes de la Gaspésie. On traverse successivement le Pays de Kamouraska, qui a acquis sa notoriété grâce au célèbre roman *Kamouraska* d'Anne Hébert, et les villes de Rivière-du-Loup, de Trois-Pistoles et de Rimouski, la plus grande agglomération de l'est du Québec.

Tout au long du circuit, vous apercevrez de magnifiques paysages et surtout des couchers de soleil à couper le souffle, qui seraient d'ailleurs parmi les plus impressionnants au monde. Le fleuve Saint-Laurent occupe ici une place immense, et la vue des montagnes de Charlevoix, de l'autre côté de la rive, ajoute à l'unicité de cette région peu peuplée mais ô combien charmante.

La Pocatière

L'ancienne seigneurie de La Pocatière fut concédée en 1672 à Marie-Anne Juchereau, veuve d'un officier du régiment de Carignan-Salières. L'ouverture d'un collège classique en 1827, puis de la première école d'agriculture au Canada en 1859, devait faire de son bourg une ville d'études supérieures, vocation qu'elle conserve encore de nos jours.

On y trouve également l'une des usines québécoises de la multinationale Bombardier, spécialisée dans le matériel de transport en commun et l'avionnerie.

Tournez à gauche dans la 4ᵉ Avenue, qui mène à la cathédrale et à l'ancien séminaire, imposant édifice Beaux-Arts de 1922 devenu le Cégep de La Pocatière.

Siège d'un évêché, La Pocatière possède une cathédrale moderne, la **cathédrale Sainte-Anne** *(103 4ᵉ Avenue)*, achevée en 1969.

Le **Musée François-Pilote** ★ *(4,50$; ♿; lun-sam 9h à 12h et 13h à 17h, dim 13h à 17h; oct à mai fermé sam; 100 4ᵉ Avenue, ☎ 418-856-3145)* porte le nom du fondateur de l'École d'agriculture de La Pocatière. On y présente, dans l'ancien couvent des sœurs de la Sainte-Famille, différentes collections thématiques qui racontent la vie rurale au Québec au tournant du XXᵉ siècle (bureau de médecin, instruments aratoires, intérieur bourgeois, histoire des sucres, etc.).

Sur l'avenue Painchaud, au centre de la ville, se trouvent quelques boutiques et cafés agréables.

Empruntez l'avenue Painchaud pour rejoindre la route 132 Est en direction de Rivière-Ouelle.

Rivière-Ouelle

Ce charmant village, situé de part et d'autre de la rivière qui lui a donné son nom, fut fondé dès 1672 par le seigneur François de La Bouteillerie. En 1690, un détachement de l'amiral britannique William Phipps tenta un débarquement à Rivière-Ouelle, qui fut aussitôt repoussé par l'abbé Pierre de Francheville, à la tête d'une quarantaine de colons.

Construite en 1931, l'**école Delisle** *(1,50$; fin juin à début sept tlj 10h à 16h; 214 route 132, ☎418-856-1389)* rappelle l'époque des écoles de rang.

L'**église Notre-Dame-de-Liesse** et le **presbytère** ★ *(début juil à mi-août; 100 rue de l'Église, ☎418-856-2603).* L'église fut reconstruite en 1877 sur les fondations de celle érigée en 1792. L'intérieur recèle quelques trésors dont le maître-autel importé de France (1716) et sept tableaux de Louis Dulongpré. Le presbytère voisin a été subdivisé en huit logements en 1978.

La **maison Jean-Charles-Chapais** *(on ne visite pas; 204 route 132).* Cette jolie maison de 1821 comporte une toiture à larmiers cintrés, typiques du Pays de Kamouraska. Il semble que cet élément architectural ait été emprunté à la construction navale des goélettes. Fort répandu dans la région au cours de la première moitié du XIXe siècle, le toit «Kamouraska» arrondi rappelle la carène des navires. Jean-Charles Chapais (1811-1885), l'un des pères de la Confédération canadienne, y a habité avant d'emménager dans une demeure plus luxueuse à Saint-Denis (voir ci-dessous).

On retrouvait autrefois deux manoirs seigneuriaux à Rivière-Ouelle. Le manoir D'Airvault, situé en bordure de la rivière, a malencontreusement été démoli vers 1910. Seul le **manoir Casgrain** *(on ne visite pas; 13 rue Casgrain),* construit en 1834, subsiste. Plus modeste que le premier, il présente l'aspect d'une longue maison de

bois aux ouvertures symétriques dont la haute toiture recouvre une galerie. Il est visible sur la gauche entre les maisons.

Suivez la route 132 Est en direction de Saint-Denis.

Saint-Denis

Au cœur du Pays de Kamouraska, Saint-Denis est un bourg typique, dominé par son église. En face de celle-ci se dresse le monument à l'abbé Édouard Quertier (1796-1872), fondateur de la «Croix noire de la Tempérance», qui fit campagne contre l'alcoolisme. À chaque personne qui s'engageait à ne plus boire d'alcool, il remettait solennellement une croix noire...

La **maison des Chapais** ★ *(4$ maison, 6$ maison et jardins; début juin à mi-oct tlj 9h à 17h; 2 route 132 E., ☎418-498-2353, www.maisonchapais.com).* Jean-Charles Chapais a fait agrandir cette maison ancienne en 1866 afin de lui donner une prestance équivalente à sa prestigieuse carrière politique. Son fils, Sir Thomas Chapais (1858-1946), ministre dans le gouvernement Duplessis, y est né et y a vécu la majeure partie de son existence. L'intérieur de la maison a conservé son apparence d'origine. On peut notamment voir les jardins et les splendides meubles de la famille Chapais, et il y a aussi une visite guidée d'une durée de 45 min.

Kamouraska ★★

Le 31 janvier 1839, le jeune seigneur de Kamouraska, Achille Taché, est assassiné par un «ami», le docteur Holmes de Sorel. L'épouse du seigneur, Joséphine-Éléonore d'Estimauville, avait comploté avec son amant médecin afin de supprimer un mari devenu gênant, pour ensuite s'enfuir vers de lointaines contrées. Ce fait divers a inspiré Anne Hébert pour son roman *Kamouraska,* porté à l'écran par Claude Jutra.

Le village où s'est déroulé le drame qui devait le rendre célèbre fut pendant longtemps le poste le plus avancé de la Côte-du-Sud. Son nom d'origine algonquine, qui signifie «il y a des joncs au bord de l'eau», est depuis toujours associé au pittoresque de la campagne québécoise. À l'arrivée, une plaine côtière sert de préambule au spectacle étonnant de l'agglomération, répartie sur une série de monticules rocailleux, témoins de la force des formations géologiques dans la région.

La **maison Langlais** *(on ne visite pas; 376 rang du Cap)*, construite en 1751, fut réparée à la suite de la Conquête, ce qui en fait l'un des plus anciens bâtiments encore debout dans le Bas-Saint-Laurent. Isolée dans un champ, sur la droite, cette grande demeure a servi au tournage des scènes extérieures du film de Jutra.

L'**ancien palais de justice** *(4$; juin à sept tlj 9h à 12h et 13h à 17h; 111 av. Morel, ☎418-492-9458, www.kamouraska.org)* a été construit en 1888 à l'emplacement du premier palais de justice de l'est du Québec. Son architecture d'inspiration médiévale se démarque de l'habituelle tournure néoclassique de ce genre d'édifice en Amérique du Nord. Il sert aujourd'hui de centre d'art et d'histoire et présente des expositions temporaires. En été, des visites guidées permettent de se familiariser avec l'histoire du bâtiment. L'archipel de Kamouraska, composé de cinq îles, est visible dans le lointain depuis le parvis du Palais.

Descendez la rue faisant face au Palais, puis promenez-vous sur l'étroite avenue Leblanc jusqu'au quai pour bien saisir les charmes de Kamouraska.

Le **Musée de Kamouraska** *(5$; début juin à début oct tlj 9h à 17h; début oct à mi-déc mar-ven 9h à 17h, sam-dim 13h à 16h; 69 av. Morel, ☎418-492-9783, www.museekamouraska. com)*, centre d'ethnologie, d'histoire et de traditions populaires, est installé dans ce qui était autrefois le couvent de Kamouraska. Ses collections sont du même ordre que celles du Musée François-Pilote de La Pocatière, quoique moins élaborées. On peut y voir des objets glanés dans la région, dont un beau retable de François-Noël Levasseur (1734) qui ornait l'ancienne église de Kamouraska. À noter que l'**église** actuelle,

derrière laquelle est situé le musée, fut construite en 1914.

La **maison Amable-Dionne** *(on ne visite pas; à l'est de l'église)*. Le marchand Amable Dionne a fait l'acquisition de plusieurs seigneuries de la Côte-du-Sud dans la première moitié du XIXe siècle. Son manoir de La Pocatière est aujourd'hui disparu, mais sa maison de Kamouraska est encore en place. Il s'agit d'un long bâtiment, érigé en 1802 à l'est de l'église, auquel on a ajouté un décor néoclassique vers 1850.

Une route conduit de Kamouraska à Saint-Pascal, permettant ainsi, par ce détour, de voir l'intérieur des terres.

Au numéro 154 du chemin Paradis se trouve le **moulin Paradis**, construit en 1804 au bord de la rivière aux Perles, mais considérablement remanié vers 1880. Il a fonctionné jusqu'en 1977 avant d'être loué pour de multiples tournages.

La famille Taché acquiert la seigneurie de Kamouraska en 1790. Peu de temps après, elle fait construire le **Domaine seigneurial Taché**, qui sera le théâtre du drame décrit plus haut. La maison est aujourd'hui un gîte touristique.

Le **Site d'interprétation de l'anguille ★** *(4$; début juin à mi-oct tlj 9h à 18h; 205 av. Morel, ☎418-492-3935, http://anguillekam.iquebec. com)* propose des visites guidées et des excursions de pêche. La visite, avec la dégustation d'anguille fumée, dure en moyenne 30 min. La pêche à l'anguille représente une activité économique importante dans la MRC de Kamouraska. On y pêche 78% des anguilles du Bas-Saint-Laurent. En fait, l'industrie de la pêche de la région dépend à 97% de ce poisson à forme allongée et ondoyante. La saison de pêche s'étend de septembre à la fin d'octobre.

Le **berceau de Kamouraska** *(route 132 E., 3 km à l'est du village)*. Une petite chapelle marque l'emplacement du premier village de Kamouraska, fondé en 1674 par le sieur Morel de La Durantaye. En 1790, un violent séisme anéantit le village, que l'on décide alors de déplacer en des lieux moins vulnérables, donnant ainsi naissance à l'agglomération actuelle.

En poursuivant sur la route 132, vous atteindrez la petite localité de Saint-Germain, d'où vous pourrez vous rendre jusqu'à Saint-André en empruntant le rang Mississipi, bordée de magnifiques paysages. Pour vous y rendre plus rapidement, vous pouvez également continuer tout simplement par la route 132.

Saint-André ★

Des collines abruptes qui plongent directement dans le fleuve Saint-Laurent voisinent ici avec les champs plats, composant un paysage agréable, complété en automne par les clôtures de piquets enfoncés dans les fonds marins, à proximité du rivage, et habillés de filets et de cages pour la pêche à l'anguille. Au large, les îles Pèlerins laissent voir leurs flancs dénudés, abritant des milliers d'oiseaux (cormorans, guillemots noirs) ainsi qu'une colonie de petits pingouins. Les chanceux pourront même apercevoir un béluga ou un faucon pèlerin.

L'**église Saint-André** ★ ★ *(fin juin à début sept tlj 9h à 11h30 et 13h à 17h; 128 rue Principale, ☎418-493-2152)*, érigée de 1805 à 1811, est l'une des plus anciennes églises de la région. Son plan à la récollette, caractérisé à la fois par l'absence de chapelles latérales et par un rétrécissement de la nef au niveau du chœur, complété par un chevet plat, se distingue de l'habituel plan en croix latine des églises du Québec. Le profil gracieux de l'édifice, couronné d'un clocher élancé, en fait un élégant exemple d'architecture québécoise traditionnelle.

La **Maison de la prune** *(entrée libre; début août à mi-oct tlj 9h à 17h30, visites guidées dim à 10h30 sur réservation; 129 route 132, ☎418-493-2616)* vous invite à visiter un verger et un centre de documentation, ainsi qu'un ancien magasin général où vous pourrez acheter de savoureux produits du verger tels que gelées, confitures et prunes en sirop.

La **Halte écologique des battures du Kamouraska** *(3$ randonnée pédestre; 8$ visite guidée; début mai à fin juin tlj 10h à 18h, fin juin à début sept tlj 8h à 21h, début sept à fin oct tlj 10h à 18h; 273 route 132 O., ☎418-493-2604, www.sebka.ca)* explique l'importance des battures filtrant l'eau du fleuve, servant ainsi d'habitat à de nombreuses espèces d'oiseaux ainsi qu'à plusieurs invertébrés. Vous pouvez parcourir le site, y pique-niquer ou tout simplement observer les marais salés de même que la faune et la flore locales. Le centre dispose de belvédères offrant une vue imprenable sur le fleuve. Location de kayaks de mer et de chalets. Emplacements de camping. Les **falaises d'escalade de Saint-André** (voir p 82), tout près, sont aussi gérées par la SEBKA.

On quitte maintenant le Pays de Kamouraska pour aborder l'ancienne seigneurie de la Rivière-du-Loup. Le premier village traversé est **Notre-Dame-du-Portage**.

Dans la municipalité voisine, **Saint-Patrice**, on aperçoit à travers les arbres de belles résidences d'été, érigées à une époque où l'on recherchait davantage le vent frais du Saint-Laurent que la chaleur accablante des plages de la Côte Est américaine. Parmi ces maisons figure **Les Roches**, résidence d'été de Sir John A. Macdonald, premier ministre du Canada de la Confédération de 1867 jusqu'en 1873 puis de 1878 à 1891. Une plaque, apposée à proximité de la maison, rappelle aux passants le nom de son prestigieux occupant. La maison est aujourd'hui un gîte touristique.

Rivière-du-Loup (18 900 hab.)

On la dirait voguant sur une mer déchaînée, tant sa topographie de collines disposées à intervalles réguliers, de part et d'autre de l'embouchure de la rivière du Loup, fait valser ses habitants de bas en haut et de haut en bas.

Rivière-du-Loup est devenue l'une des principales agglomérations du Bas-Saint-Laurent grâce à une situation géographique particulière, faisant de la ville un carrefour de communications d'abord maritime, entre le fleuve Saint-Laurent et l'océan Atlantique via le lac Témiscouata

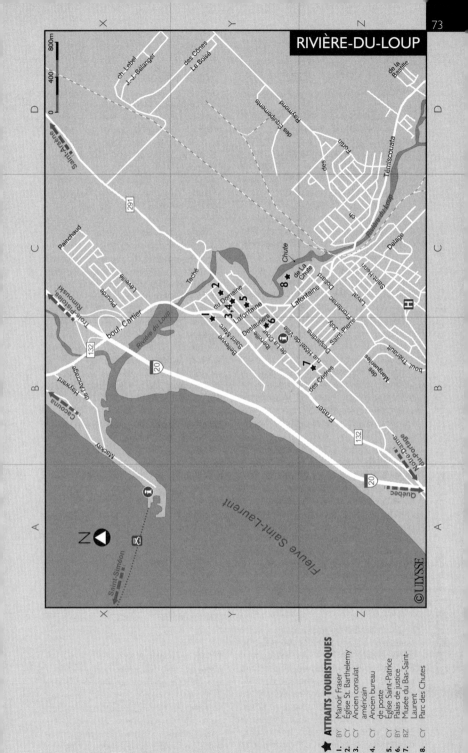

RIVIÈRE-DU-LOUP

Fleuve Saint-Laurent

Rivière du Loup

Chute de La Chute

ATTRAITS TOURISTIQUES

1.	BY	Manoir Fraser
2.	CY	Église St. Barthélemy
3.	CY	Ancien consulat américain
4.	CY	Ancien bureau de poste
5.	CY	Église Saint-Patrice
6.	BY	Palais de justice
7.	BZ	Musée du Bas-Saint-Laurent
8.	CY	Parc des Chutes

et le fleuve Saint-Jean (Nouveau-Brunswick), puis ferroviaire, alors que la ville devient, pendant quelque temps, le terminal de l'Est du chemin de fer canadien.

De nos jours, Rivière-du-Loup est le point de départ de la route qui conduit au Nouveau-Brunswick de même que le point d'ancrage du traversier qui se rend à Saint-Siméon, dans la région de Charlevoix, sur la rive nord du fleuve Saint-Laurent.

Malgré toutes ses qualités, la région se peuplera lentement sous le Régime français. En 1765, près d'un siècle après sa fondation, le poste de traite de Rivière-du-Loup ne compte que 68 habitants. Il faut attendre l'ouverture de la scierie d'Henry Caldwell, en 1799, et l'acquisition de la seigneurie par Alexander Fraser, en 1802, pour que naisse véritablement la ville.

Afin d'apprécier pleinement la visite de Rivière-du-Loup, il est préférable de garer sa voiture dans la rue Fraser pour effectuer le trajet à pied. En plus du circuit proposé ici, le bureau de tourisme local a installé une série de panneaux d'interprétation qui permettent aux visiteurs de découvrir l'histoire de la ville et de ses édifices.

Le **manoir Fraser** ★ *(5$; fin juin à mi-oct tlj 10h à 17h; 32 rue Fraser,* ☎ *418-867-3906, www.manoirfraser.com),* érigé en 1830 pour Timothy Donohue, est devenu la résidence seigneuriale de la famille Fraser à partir de 1835. Restauré avec l'aide de la population locale, le manoir offre aujourd'hui, en plus de visites commentées, une projection vidéo sur l'histoire du lieu, une boutique, un salon de thé et de beaux jardins.

Tournez à droite dans la rue du Domaine.

L'**église St. Barthelemy** *(on ne visite pas; rue du Domaine).* À l'époque où cette église fut érigée (1841), Rivière-du-Loup s'appelait Fraserville et comptait une importante population d'origine écossaise dont faisait partie son seigneur, Alexander Fraser. Le temple presbytérien, digne représentant de l'église officielle d'Écosse, est un édifice sobre en bois, aux traits vaguement néogothiques. Il est de nos jours

le fantôme d'une communauté presque totalement disparue.

Tournez à droite dans la rue Iberville.

L'**ancien consulat américain** *(1 rue Iberville).* Cette demeure bourgeoise, aujourd'hui propriété des clercs de Saint-Viateur, a servi de consulat américain au début du XXᵉ siècle, à l'époque où Rivière-du-Loup entretenait de nombreux liens commerciaux avec l'État du Maine. L'**ancien bureau de poste**, bel édifice en pierres datant de 1888, se trouve à proximité.

Tournez à gauche dans la rue Lafontaine.

L'**église Saint-Patrice** ★ *(121 rue Lafontaine)* fut reconstruite en 1883 sur le site de l'église de 1855. L'intérieur recèle quelques trésors qui méritent une visite, dont un chemin de croix de Charles Huot, des verrières de la compagnie Castle (1901) et des statues de Louis Jobin. La rue de la Cour, en face de l'église, mène au **palais de justice** *(33 rue de la Cour),* érigé en 1882. Plusieurs juges et avocats se sont fait construire de belles maisons le long des rues ombragées du voisinage.

Retournez à la rue Fraser en empruntant la rue Deslauriers, située dans l'axe du Palais.

Le **Musée du Bas-Saint-Laurent** ★ *(5$; début juin à mi-oct tlj 10h à 18h, hors saison tlj 13h à 17h ainsi que lun et mer 18h à 21h; 300 rue St-Pierre,* ☎ *418-862-7547, www.mbsl.qc.ca)* présente des expositions d'art contemporain (œuvres de Riopelle, Lemieux, Tousignant, Gauvreau, etc.) très intéressantes, de même que des collections d'objets usuels, semblables à celles des musées de La Pocatière et de Kamouraska. Le bâtiment qui abrite le musée est lui-même une réalisation d'architecture moderne «brutaliste» en béton.

Le **parc des Chutes** ★ *(toute l'année tlj; accès par la passerelle Frontenac en empruntant la rue de la Chute)* dispose d'un belvédère juché sur la falaise, qui offre une vue superbe sur la ville, le fleuve et les îles, ainsi que de passerelles au-dessus des spectaculaires chutes qui alimentaient autrefois Rivière-du-Loup en électricité.

L'île aux Lièvres et les îles du Pot à l'Eau-de-vie ★ ★ ★

Situés dans le fleuve Saint-Laurent en face de Rivière-du-Loup, l'île aux Lièvres et l'archipel des îles du Pot à l'Eau-de-Vie profitent sans doute de l'une des plus belles initiatives touristiques du Bas-Saint-Laurent. Il y a quelques années, la société **Duvetnor** *(les tarifs varient selon le type d'hébergement ou l'activité choisie; 200 rue Hayward, Rivière-du-Loup,* ☎*418-867-1660, www.duvetnor.com)*, une organisation sans but lucratif gérée par un groupe de biologistes, a décidé d'acheter certaines îles pour les protéger et permettre au public, sous certaines conditions, d'en jouir tranquillement. Pour profiter de ces paysages et de ces écosystèmes magnifiques, plusieurs formules sont proposées au vacancier ou au passionné d'ornithologie et de biologie. On peut choisir une simple sortie en mer avec un guide qui nous explique avec passion l'écologie marine du fleuve Saint-Laurent, faire la tournée des phares de la région ou opter pour un séjour de découverte de quatre à six jours (voir p 81). On peut aussi décider de se rendre simplement sur l'île aux Lièvres pour y faire une randonnée d'un ou deux jours (voir p 83). Plusieurs types d'hébergement sont proposés (voir p 92), et un petit café implanté sur l'île aux Lièvres, le Café de la Grande Ourse, fait aussi partie des installations. Il est important de mentionner qu'en prenant part aux activités de Duvetnor, on contribue à la conservation de plusieurs îles dont le fragile écosystème est régulièrement menacé. Une magnifique organisation!

Cacouna ★

Le toponyme Cacouna, d'origine malécite, signifie «le pays du porc-épic». Les villas réparties sur toute la longueur du village rappellent l'âge d'or de la villégiature victorienne au Québec, alors que Cacouna était l'une des destinations estivales favorites de l'élite montréalaise. Dès 1840, on s'y presse pour profiter du paysage et des bains de mer, dont les bienfaits ont, dit-on, des vertus curatives. Même si les grands hôtels du XIXᵉ siècle ont disparu, Cacouna n'en conserve pas moins sa vocation récréotouristique.

Construite pour l'armateur Sir Hugh Montague Allan et sa famille, la **villa Montrose** ★ *(on ne visite pas; 700 rue Principale)* est aujourd'hui une maison de prière. Son architecture néocoloniale américaine traduit l'influence des stations balnéaires de la Nouvelle-Angleterre sur leurs contreparties canadiennes.

Autre célèbre villa de Cacouna, le **Pine Cottage** *(on ne visite pas; 520 rue Principale)*, mieux connu sous le nom de «Château Vert», a été érigé en 1867 pour la famille Molson, brasseurs, banquiers et entrepreneurs de Montréal. Il s'agit d'un bel exemple d'architecture résidentielle néogothique, comme il en subsiste peu au Québec.

L'**église Saint-Georges** et son **presbytère** ★ *(455 route de l'Église,* ☎*418-862-4338)*. Le presbytère est érigé en 1838 dans le style des maisons rurales traditionnelles de la région de Montréal, soit avec des murs coupe-feu décoratifs et une toiture à pente relativement douce et sans courbures. L'église Saint-Georges suit quelques années plus tard (1845). Elle représente l'aboutissement d'une longue tradition architecturale québécoise qui disparaîtra à l'arrivée, dans les paroisses rurales, des styles historicisants. Il faut en visiter le riche intérieur, qui contient des œuvres intéressantes, notamment les autels dorés, les vitraux et les toiles des peintres romains Porta (au-dessus du maître-autel) et Pasqualoni (chapelle de droite).

Site ornithologique du marais du Gros-Cacouna, voir p 82.

L'Isle-Verte ★

Ce village a conservé plusieurs témoins de son passé glorieux, alors qu'il était un centre de services important pour le Bas-Saint-Laurent. Le calme des environs reflète, quant à lui, un mode de vie ancestral, rythmé par les marées.

La **réserve nationale de faune de la Baie-de-L'Isle-Verte** ★ *(mi-juin à mi-sept; visite guidée d'environ 2h, réservations requises; 371 route 132,* ☎*418-898-2757, www.qc.ec.gc.ca)*

possède de grandes étendues herbeuses formant un site privilégié pour la reproduction du canard noir ainsi que des marais où pullulent les invertébrés. Des sentiers aménagés permettent de profiter de ces lieux exceptionnels.

En face du village apparaît l'île Verte, baptisée ainsi par Jacques Cartier, qui, en apercevant son tapis de verdure au milieu de l'eau, s'exclama: *Quelle île verte!* Seule île du Bas-Saint-Laurent habitée toute l'année, elle est plus facilement accessible que les autres îles des environs (voir p 67).

L'**île Verte** ★ ★ *(15$ pour l'accès au phare, à l'école et au Musée du squelette, ne comprend pas le transport sur l'île; fin juin à mi-sept tlj 9h à 12h et 13h à 17h, hors saison sur réservation; route du Phare,* ☎*418-898-2730, www. ileverte.net).* La quarantaine d'habitants que compte cette île, pourtant longue de 12 km, vivent pour la plupart dans la petite municipalité de Notre-Dame-des-Sept-Douleurs. L'isolement et les vents qui la balaient constamment ont eu raison de plus d'un colon. Cependant, l'île fut abordée très tôt, d'abord par les pêcheurs basques (l'île aux Basques se trouve à proximité), puis par les missionnaires français, qui fraternisèrent avec les Malécites, lesquels s'y rendaient chaque année pour commercer et pêcher.

Vers 1920, l'île a connu un boom économique grâce à la récolte du «foin de mer», sorte de mousse marine que l'on faisait sécher pour ensuite s'en servir comme matériel de rembourrage de matelas et de sièges de voitures.

La faune et la flore de l'île attirent de nos jours les visiteurs de partout, qui peuvent alors observer le salage de l'esturgeon et du hareng dans de petits fumoirs, goûter l'agneau des prés salés, observer les bélugas blancs et les baleines bleues, et photographier les sauvagines, les canards noirs ou les hérons. Le **phare** (1809), situé sur la pointe est de l'île, est le plus ancien du fleuve Saint-Laurent. De 1827 à 1964, sa garde fut assurée pendant 137 ans par quatre générations de la famille Lindsay. De son sommet, on ressent une impression d'espace infini.

Reprenez la route 132 Est en direction de Trois-Pistoles.

Trois-Pistoles

On raconte qu'un marin français, de passage dans la région au XVIIe siècle, échappa son gobelet d'argent, d'une valeur de trois pistoles (la monnaie de l'époque), dans la rivière toute proche, donnant du coup un nom très pittoresque à celle-ci et, plus tard, à cette petite ville industrielle du Bas-Saint-Laurent dominée par une église colossale.

La taille et l'opulence de l'**église Notre-Dame-des-Neiges** ★ ★ *(fin juin à début sept tlj; 30 rue Notre-Dame E.,* ☎*418-851-4949),* coiffée de trois clochers recouverts de tôle argentée, sont plutôt impressionnantes pour une église paroissiale.

La **Maison du notaire** *(5$, galerie et boutique entrée libre; mi-juin à début sept tlj 9h30 à 17h30, mi-mai à mi-juin et début sept à mi-oct tlj 10h à 17h, jan à mi-mai lun-ven 10h à 17h; 168 rue Notre-Dame E.,* ☎*418-851-1656, www.maisondunotaire.ca),* de type Kamouraska avec ses larmiers cintrés et sa façade symétrique, fait office de musée et de centre d'art et d'artisanat. Une visite guidée de la maison vous fait revivre les lieux tels qu'ils étaient au tournant du XIXe siècle.

Le **Musée Saint-Laurent** *(4$; fin juin à mi-sept tlj 9h à 18h; 552 rue Notre-Dame O.,* ☎*418-851-2353)* expose une collection de voitures anciennes, d'instrument aratoires ainsi que d'autres antiquités.

Au **Parc de l'aventure basque en Amérique** *(6$; juil à début sept tlj 10h à 20h, juin et mi-sept à mi-oct tlj 12h à 16h; 66 rue du Parc,* ☎*418-851-1556 ou 877-851-1556, www. paba.qc.ca),* on fait l'interprétation de la pêche à la baleine que pratiquaient les Basques venus dans la région au XVIe siècle. On y propose aussi un parcours interprétatif sur les pêcheurs basques en kayak, offert par une coopérative locale.

Des excursions à l'**île aux Basques** ★ ★ *(consultez le site Internet pour de l'information sur les tarifs et les activités courantes; sur*

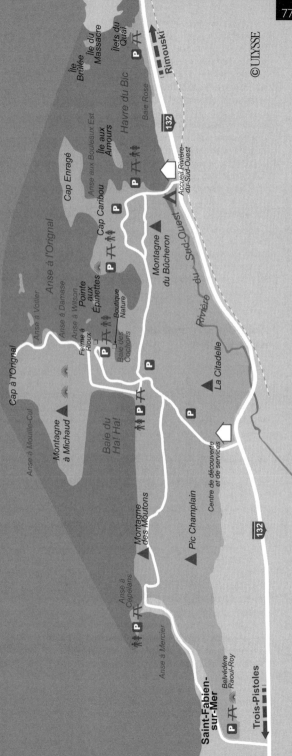

Parc national du Bic

© ULYSSE

Fleuve Saint-Laurent

Île Brûlée
Île du Massacre
Îlets du Quai
Rimouski
Havre du Bic
Baie Rose
132
Cap Enragé
Anse aux Boileaux Est
Île aux Amours
Accueil Rivière-du-Sud-Ouest
Cap Caribou
Anse à l'Orignal
Montagne du Bûcheron
Anse à Voilier
Anse à Damase
Pointe aux Épinettes
Boutique Nature
Rivière du Sud-Ouest
Anse à Wilson
Baie des Cochons
Cap à l'Orignal
Ferme à Rioux
La Citadelle
Anse à Mouille-Cul
Montagne à Michaud
Baie du Ha! Ha!
Centre de découverte et de services
Montagne des Moutons
Pic Champlain
132
Anse à Capelans
Anse à Mercier
Belvédère Raoul-Roy
Saint-Fabien-sur-Mer
Trois-Pistoles

2km

0

N

réservation seulement; marina de Trois-Pistoles, ☎418-851-1202, www.provancher.qc.ca) sont proposées par la Société Provancher, qui assure la sauvegarde de cette réserve ornithologique. Les amateurs de faune ailée y trouveront leur compte, tout comme les fervents d'archéologie, puisqu'on a découvert les installations des pêcheurs basques qui venaient ici chaque année pour la chasse à la baleine bien avant que Jacques Cartier n'y mette les pieds. Des vestiges des fours, destinés à faire fondre la graisse de baleine, sont d'ailleurs visibles sur la grève. On peut y pratiquer la randonnée pédestre sur 2 km de sentiers.

Suivez la route 132 Est. Après avoir traversé Saint-Simon, prenez à gauche la route de Saint-Fabien-sur-Mer si vous désirez vous rapprocher de l'eau, ou à droite celle de Saint-Fabien si vous voulez voir le village à vocation agricole.

Saint-Fabien-sur-Mer et Le Bic ★★

Le paysage devient tout à coup plus tourmenté et plus rude, donnant au visiteur un avant-goût de la Gaspésie, plus à l'est. À Saint-Fabien-sur-Mer, les cottages forment une bande étroite coincée entre la plage et une falaise haute de 200 m.

Au village de Saint-Fabien, situé à l'intérieur des terres, on peut voir une grange octogonale érigée vers 1888: la grange Adolphe-Gagnon, classée monument historique en 2006. Ce type de bâtiment de ferme importé des États-Unis, relativement peu pratique quoique original, n'a connu qu'une diffusion limitée au Québec.

Pour vous rendre au très beau parc national du Bic, reprenez la route 132 Est puis tournez à gauche dans le chemin de l'Orignal.

Le **parc national du Bic ★★** *(3,50$; fermé aux voitures en hiver; Le Bic, ☎418-736-5035 ou 800-665-6527, www.sepaq.com ou www. parcdubic.com).* Lieu d'une spectaculaire rencontre entre les Appalaches et l'estuaire du Saint-Laurent, le territoire du parc national du Bic s'étire entre les localités de Saint-Fabien-sur-Mer et du Bic, au

nord de la route 132. Un peu plus de la moitié (18,8 km²) se trouve sur la terre ferme alors que l'autre partie (14,4 km²) baigne en milieu marin, recouverte d'eau en tout temps ou lors de la marée haute.

Particulièrement découpée, la côte qui fait 30 km cache bien des secrets dans ses baies et ses anses échancrées, depuis l'anse à Capelan à l'ouest jusqu'au havre du Bic à l'est. Le relief accidenté du territoire frappe au premier coup d'œil, avec ses crêtes rocheuses parallèles au fleuve. Plusieurs sommets font partie des Appalaches, cette chaîne de montagnes qui s'étend sur 3 000 km entre l'île de Terre-Neuve et l'Alabama. Des îles s'égrènent le long du littoral, mais elles sont vraiment petites. Située à l'est, la plus grande, l'île aux Amours, fait à peine 0,1 km².

Son nom viendrait du mot français «bec» et de la variante «biec» qui voudrait dire «pointe» ou «pic». Ces pointes et ces pics sont le théâtre de couchers de soleil extraordinaires, parmi les plus beaux au monde. Pourtant, ce parc national demeure encore à découvrir pour beaucoup d'amants de la nature du Québec et d'ailleurs.

Ce parc côtier se prête bien à la randonnée pédestre (26 km de sentiers), au ski de fond de même qu'au vélo et dispose d'un centre d'interprétation *(juin à mi-oct tlj 9h à 17h).*

Vous longerez ensuite le village du Bic (Le Bic) avant d'arriver à Rimouski, principale agglomération urbaine du Bas-Saint-Laurent.

Rimouski ★ (43 000 hab.)

Le développement de la seigneurie de Rimouski (mot d'origine micmaque qui signifie «le pays de l'orignal») fut laborieusement entrepris par le marchand René Lepage, originaire d'Auxerre en France, dès la fin du XVIIᵉ siècle, constituant de la sorte le point le plus avancé de la colonisation dans le golfe du Saint-Laurent sous le Régime français.

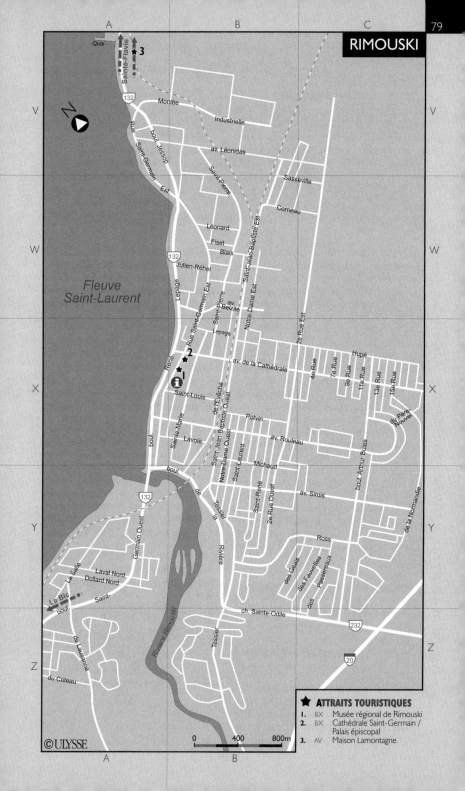

RIMOUSKI

N

Fleuve Saint-Laurent

Quai

Sainte-Flavie

132

Montée

Rue Saint-Germain Est

boul Jessop

Industrielle

av. Léonidas

Saint-Pierre

Sasseville

Corneau

Saint-Jean-Baptiste Est

Léonard

Fiset

Blais

132

Julien-Réhel

Lepage

Notre-Dame Est

Saint-Pierre

av. Belzile

2e Rue Est

Lepage

René-

av. de la Cathédrale

Hupé

4e Rue

7e Rue

9e Rue

11e Rue

13e Rue

15e Rue

2

Saint-Louis

de l'Évêché

Potvin

du Père Nouvel

Sainte-Marie

Lavoie

Saint-Jean-Baptiste Ouest

Notre-Dame Ouest

av. Rouleau

boul. Arthur-Buies

boul.

Saint-Laurent

Michaud

Saint-René

av. Sirois

de la Normandie

132

Germain Ouest

boul

de

la

Tessier

Rivière

2e Rue Ouest

Ross

La Salle

Laval Nord

Dollard Nord

des Geais

des Fauvettes

des Passereaux

Le Bic

boul.

Saint-

de Lausanne

Tessier

ch. Sainte-Odile

232

du Coteau

Rivière Rimouski

20

©ULYSSE

0 400 800m

⭐ **ATTRAITS TOURISTIQUES**

1. BX Musée régional de Rimouski
2. BX Cathédrale Saint-Germain / Palais épiscopal
3. AV Maison Lamontagne

Le naufrage de l'*Empress of Ireland*

Dans la nuit du 23 mai 1914, plus d'un millier de personnes périrent au milieu du fleuve Saint-Laurent, face à Pointe-au-Père, dans le naufrage du paquebot *Empress of Ireland* de la Canadien Pacifique, qui assurait la liaison entre la ville de Québec et l'Angleterre. La tragédie fut causée par les brumes épaisses qui recouvrent parfois le fleuve et qui provoquèrent la collision fatale entre le paquebot et un charbonnier. Sur la vieille route en bord de mer dans le village, on retrouve le **monument à l'*Empress of Ireland***, qui marque le lieu de sépulture de quelques-unes des nombreuses victimes.

En 1919, la ville devient un important centre de transformation du bois grâce à l'ouverture d'une usine de la compagnie Price. Aujourd'hui, Rimouski est considérée comme le centre administratif de l'Est du Québec et se targue d'être à la fine pointe de la culture et des arts.

Le **Musée régional de Rimouski** ★ *(4$; juin à sept mer-ven 9h30 à 20h, sam-mar 9h30 à 18h; reste de l'année mer-dim 12h à 17h, jeu jusqu'à 21h; 35 rue St-Germain O., ☎418-724-2272, www.museerimouski.qc.ca)*, musée d'art contemporain et d'ethnologie, est installé dans l'ancienne église Saint-Germain, construite entre 1823 et 1827. Par son volume simple et son clocheton disposé au centre de la toiture, elle rappelle l'architecture de plusieurs des églises du Régime français. La **cathédrale Saint-Germain**, qui abrite un orgue Casavant, et l'immense **palais épiscopal** de 1901 sont visibles à proximité. Enfin, dans un parc voisin, se dresse le monument au seigneur Lepage.

Suivez la route 132 Est, qui prend ici différents noms, d'abord celui de «rue Saint-Germain Ouest», puis de «boulevard René-Lepage» et enfin de «boulevard du Rivage».

La **maison Lamontagne** ★ *(4$; fin juin à début sept tlj 9h à 18h; 707 boul. du Rivage, Rimouski-Est, ☎418-722-4038, www. maisonlamontagne.com)* est l'une des seules constructions du Régime français à l'est de Kamouraska et un rare exemple d'architecture en colombage pierroté au Canada. Sa partie gauche, où alternent poteaux et hourdis faits de cailloux et d'argile, daterait de 1745, alors que la portion de droite serait un ajout du début du XIXᵉ siècle. S'y trouve un centre d'interprétation de l'architecture domestique du Québec.

Dirigez-vous ensuite vers le village de Pointe-au-Père. Tournez à gauche dans la rue Père-Nouvel puis à droite dans la rue du Phare.

Pointe-au-Père

Le **Site historique maritime de la Pointe-au-Père** comprend le **Musée de la Mer** et le **Lieu historique national du Phare-de-Pointe-au-Père** ★★ *(10,50$; début juin à fin août 9h à 18h; début sept à mi-oct 9h à 17h; hors saison sur réservation; 1034 rue du Phare O., ☎418-724-6214, www.museedelamer.qc.ca)*. Le Musée de la Mer présente une belle collection d'objets trouvés dans l'épave de l'*Empress of Ireland* et raconte la tragédie de manière détaillée. Une projection holographique y est aussi proposée, recréant ainsi la tragédie du naufrage. Le phare, situé à proximité, peut être visité. Un sous-marin canadien, l'*Onondaga*, est exposé sur le site. Il permet de présenter la vie à bord dans ce type de navire très particulier, mais aussi d'en connaître plus sur les différentes technologies, tant au niveau de la propulsion que des instruments de navigation et de la sécurité.

Sainte-Luce

Petite station balnéaire, Sainte-Luce possède les plus belles plages du Bas-Saint-Laurent. Les **promenades de l'Anse-aux-Coques** vous permettent de déambuler en contemplant le fleuve. En été, on y organise un amusant concours de châteaux de sable au bord de l'eau. Quelques auberges accueillent les visiteurs pendant la saison estivale.

L'**église Sainte-Luce** ★ *(20 route du Fleuve, route 132 E.)*, érigée en 1840, a été dotée en 1914 d'une nouvelle façade, à l'éclectisme surchargé. L'intérieur, par contre, présente un décor intéressant, réalisé entre 1845 et 1850. On remarquera les belles verrières ajoutées en 1917, ainsi que le tableau du retable, intitulé *Sainte Luce priant pour la guérison de sa mère*, peint en 1842 par Antoine Plamondon.

*Le Bas-Saint-Laurent fait ensuite place à la Gaspésie, dont le village de **Sainte-Flavie** (voir p 110) constitue la porte d'entrée.*

⛵ Activités de plein air

■ Croisières et observation des baleines

Diverses croisières et excursions sont organisées par la société **Duvetnor** *(début juin à mi-sept tlj; Marina de Rivière-du-Loup, 200 rue Hayward, Rivière-du-Loup, réservations ☎418-867-1660, www.duvetnor.com).* Vous pourrez visiter les îles du Bas-Saint-Laurent et voir des guillemots à miroir, des eiders à duvet et de petits pingouins. Les départs se font à la marina de Rivière-du-Loup. Les excursions durent de 1h30 à 8h selon la destination choisie et peuvent même s'étendre sur six jours pour les plus passionnés, en formule «séjour de découverte». Vous pouvez passer la nuit en plein milieu du fleuve Saint-Laurent au Phare du Pot à l'Eau-de-Vie ou ailleurs sur l'île aux Lièvres (voir p 92).

Les **Croisières AML** *(60$; mi-juin à mi-oct 9h à 13h, jusqu'à 15h30 en haute saison; sortie 507 de l'autoroute 20, Marina de Rivière-du-Loup, 200 rue Hayward, Rivière-du-Loup, réservations ☎800-563-4643, www.croisieresaml.* *com)* vous emmènent voir les bélugas à bord du *Cavalier des Mers*. Vous découvrirez le béluga, le petit rorqual et peut-être même la baleine bleue. N'oubliez pas d'apporter des vêtements chauds. La croisière dure environ 3h30.

Aquatour *(35$ pour la croisière d'interprétation; mi-mai à mi-oct, tlj selon les marées; route 132, St-Fabien-sur-Mer, ☎418-732-1898, www.aquatour.ca)* vous fait découvrir le panorama grandiose de la région de Saint-Fabien et du parc national du Bic, en canot pneumatique ou en kayak. Les guides-interprètes sauront vous intéresser aux mammifères et aux oiseaux marins. Le capitaine, pour sa part, vous parlera des épaves, des sites géographiques et de leurs légendes.

Kamouraska Zodiac Aventure *(35-60; quai de Kamouraska, ☎418-863-3132 ou 418-492-6246, www.zodiacaventure.com)* propose des croisières en canot pneumatique sur le fleuve au départ de Kamouraska, vers Charlevoix ou les îles de Kamouraska, pour un coup d'œil différent sur le paysage fluvial local.

Une excursion intéressante proposée par Tourisme Rimouski au départ de la marina de Rimouski a pour destination l'**île Saint-Barnabé** *(14$; mi-juin à début sept quatre départs par jour; marina de Rimouski, route 132 E., ☎418-723-2322 ou 800-746-6875).* Cette île est située en face de Rimouski, et quelque 15 km de sentiers pédestres la sillonnent. Vous courrez la chance d'y apercevoir plus de 70 espèces d'oiseaux, notamment le grand héron, ainsi que des phoques et des orignaux. Des aires de pique-nique et des emplacements de camping rustique y sont également disponibles. Pour voir Rimouski d'un point de vue exceptionnel!

■ Équitation

Le **Ranch Carol Roy** *(20$; 131 1er Rang O., St-Fabien, ☎418-869-3484, www.ranchcr. qc.ca)* propose de courtes ou longues randonnées dans la région, dont une qui suit sur les berges du fleuve. Agréable!

■ Escalade

À Saint-André, il existe un magnifique site d'escalade. Les **falaises d'escalade de Saint-André** *(pour information, contactez la SEBKA,* ☎*418-493-9884, www.sebka.ca)*, en plus d'être sécuritaires grâce à une roche particulièrement dure, offrent 100 voies de tous niveaux à ceux qui relèvent le défi. En prime, la vue extraordinaire sur les environs. Surveillez les panneaux indicateurs qui vous y conduiront.

■ Kayak

La **Route bleue du sud de l'estuaire** *(*☎*418-867-8882, poste 202, www.rbse.ca)* est un sentier maritime conçu pour les embarcations à faible tirant d'eau, particulièrement le kayak de mer. Le sentier maritime est organisé de telle sorte que, tout au long du parcours, des haltes pour se reposer, des emplacements de camping, des services d'hébergement et de restauration sont proposés aux kayakistes par les commerçants détenant une entente avec les responsables du sentier maritime. Le sentier longe le littoral sud du fleuve Saint-Laurent et se prolonge plus loin, pour ceux qui se sentent suffisamment en forme pour se rendre jusqu'en Gaspésie (voir p 143).

Rivi-Air Aventure *(mi-mai à mi-oct tlj, 3 départs: 8h, 13h et 17h30, marina du Bic, route 132;* ☎*418-736-5252 ou 800-665-6527, www.rivi-air.qc.ca)* organise des excursions en kayak de mer en solo ou en tandem dans l'archipel du Bic. Vous apprendrez ainsi à découvrir les oiseaux et les mammifères marins qui peuplent le magnifique **parc national du Bic** (voir p 78). Des excursions sont aussi offertes autour de l'île Verte et sur la rivière Rimouski.

La **Société écologique des battures du Kamouraska (SEBKA)** *(St-André; pour information ou réservation:* ☎*418-493-9984, www. sebka.ca)* propose des sorties en kayak de mer dans l'archipel du Kamouraska, avec guides-interprètes. Les départs se font au quai de Kamouraska.

■ Observation des oiseaux

Le **Site ornithologique du marais de Gros-Cacouna** est idéal pour l'observation de la faune ailée (environ 130 espèces). Partie intégrante du port de Cacouna, il est né d'une tentative de concilier les activités portuaires et la richesse de l'environnement du marais. Pour participer à l'une des visites guidées d'une durée de 2h, informez-vous auprès de la **Société de conservation de la Baie-de-L'Isle-Verte** *(*☎*418-898-2757)*. Le site compte aussi un sentier de randonnée pédestre de 3 km, de niveau intermédiaire.

L'île Verte et ses marais constituent un site idéal pour l'ornithologie. La faune et la flore, d'une richesse remarquable, vous réservent d'agréables surprises. La **réserve nationale de faune de la Baie-de-L'Isle-Verte** (voir p 75), sillonnée de sentiers de randonnée, se prête particulièrement bien à l'observation de la nature.

Le **parc national du Bic** (voir p 78) est lui aussi fréquenté par plusieurs espèces d'oiseaux marins et forestiers. Une randonnée dans ses sentiers vous permettra sûrement de bien les observer.

■ Parcours d'aventure en forêt

La **Forêt de Maître Corbeau** *(30$; à partir de Ste-Luce, prenez la route 298 en direction sud, tournez à droite dans le chemin des Écorchis un peu passé le petit village de St-Donat et suivez les indications; 300 ch. des Écorchis, Saint-Gabriel-de-Rimouski,* ☎*418-739-4000, www.domainevalga.com)* propose un très beau parcours d'aventure en forêt, avec plusieurs longues tyroliennes.

■ Randonnée pédestre

Le **sentier des Aboiteaux** court le long de la rive du fleuve sur 15 km au départ de Saint-André, sur un remblai de terre servant à protéger les cultures des grandes marées. Une très belle promenade. Information à l'**Auberge des Aboiteaux** (voir p 90).

La **Société écologique des battures du Kamouraska (SEBKA)** *(St-André; pour information ou réservation,* ☎*418-493-9984,* *www.sebka.ca*) dispose d'une douzaine de kilomètres de sentiers pédestres avec de très belles vues sur le fleuve.

La société **Duvetnor** *(42$ pour la traversée aller-retour; début juin à mi-sept tlj; Marina de Rivière-du-Loup, 200 rue Hayward, Rivière-du-Loup,* ☎ *418-867-1660, www.duvetnor.com)* propose plusieurs sentiers permettant de côtoyer la faune et la flore particulières de l'île aux Lièvres. Cette île fait 13 km de long, et l'excursion dure entre 5h et 9h, selon la journée choisie. Vous pouvez aussi passer la nuit sur l'île, selon divers forfaits (voir p 92).

■ *Raquette et ski de fond*

Le **parc du Mont-Comi** *(7$; R.R. 2, St-Donat, 31 km au sud-est du centre-ville de Rimouski,* ☎ *418-739-4858, www.mont-comi.qc.ca)* compte 20 km de sentiers de ski de fond.

Le **parc national du Bic** (voir p 78) offre 27 km de sentiers pour la raquette (10 sentiers, dont 4 faciles, 5 difficiles et 1 très difficile) et 20 km de sentiers pour le ski de fond (7 sentiers, dont 4 faciles et 3 difficiles). Deux relais chauffés permettent de se reposer avant de reprendre l'excursion.

■ *Ski alpin*

La meilleure adresse pour le ski alpin dans la région, le **parc du Mont-Comi** *(29$; R.R. 2, St-Donat, 31 km au sud-est du centre-ville de Rimouski,* ☎ *418-739-4858, www. mont-comi.qc.ca)* propose 26 pentes et un dénivelé de 300 m. Par temps clair, on peut voir une dizaine de clochers des villages des alentours depuis le sommet de la montagne.

■ *Vélo*

Le **parc national du Bic** *(route 132, Le Bic,* ☎ *418-736-5035 ou 800-665-6527, www. sepaq.com)* est sans contredit le plus bel endroit de la région pour faire du vélo. Vous y trouverez 15 km de sentiers aménagés. Malheureusement, il n'est pas possible de gravir le pic Champlain à vélo. Vous pouvez cependant vous y rendre à pied afin d'y contempler le coucher du soleil.

Le **parc Beauséjour** *(boul. de la Rivière, route 132, Rimouski,* ☎ *418-724-3167)* compte de nombreuses voies cyclables. Les **sentiers du Littoral et de la rivière Rimouski** *(à moins de 2 km du centre-ville,* ☎ *418-723-0480)* regroupent 7 km de sentiers superbes (vélo de montagne) en bordure de la rivière Rimouski et à travers un marais.

Location de vélos

Intersport
625 1re Rue
La Pocatière
☎418-856-5193
À La Pocatière, Intersport est une grande boutique où vous trouverez tous les accessoires dont vous avez besoin pour votre vélo. De plus, le commerce se double d'un grand atelier de réparation. Le service d'Intersport est professionnel et courtois. Le magasin est situé à deux pas de la route 132 et de l'autoroute 20.

Vélo Plein air
324 av. de la Cathédrale
Rimouski
☎418-723-0001 ou 888-712-0001
www.velopleinair.qc.ca
Vélo Plein air est un bon établissement pour louer ou faire réparer votre vélo. La location d'un vélo coûte 12$ par jour *(dépôt de 200$ requis)* et celle d'une remorque pour enfant, 15$ par jour *(dépôt de 50$ requis)*.

- - - - - - - - - - - - - - - - - - - -

Circuit B:
Entre mer et montagnes
★

⏱ *Un jour*

▲ *p 96* 🍽 *p 100* 🛏 *p 100*

Ce circuit propose une excursion dans les terres le long du littoral, à travers les petits villages qui bordent la route 230, et

Bas-Saint-Laurent – Attraits touristiques – Entre mer et montagnes

Saint-Pacôme et le polar

La petite municipalité de Saint-Pacôme est le siège de la **Société du roman policier de Saint-Pacôme** *(www.st-pacome.ca/polar)*, une organisation vouée à la promotion du «polar», le genre littéraire le plus lu internationalement. Chaque année, lors d'un gala, le Prix Saint-Pacôme, doté d'une bourse de 3 000$, est remis à l'auteur du meilleur roman policier québécois publié dans l'année. La société décerne aussi chaque année le Prix de la rivière Ouelle à des auteurs juniors et seniors de nouvelles policières.

plonge ensuite plus profondément pour aller à la rencontre de cet arrière-pays tranquille et boisé, où l'on côtoie patrimoine et accueil chaleureux.

Non loin de La Pocatière, dans les terres, se trouve la petite ville de Saint-Pacôme, sur la route 230, où débute le circuit.

Saint-Pacôme

Ce charmant petit village abrite quelques jolies auberges, ainsi qu'un sentier de randonnée offrant un très beau coup d'œil sur le fleuve, et propose plusieurs activités de plein air. Parmi celles-ci, l'amusant parcours d'aventure en forêt **D'Arbre en Arbre** (voir p 85) vaut certainement le détour. En hiver, la **Station de plein air de Saint-Pacôme** propose ski alpin, planche à neige et glissade (voir p 85).

Saint-Pascal ★

La petite ville de Saint-Pascal a connu la prospérité au XIXᵉ siècle grâce à la force des courants de la rivière aux Perles, qui a incité des entrepreneurs à construire des moulins à farine, à scie et à carder sur ses berges. On peut y voir quelques résidences bourgeoises de même qu'une église construite en 1845, dont le décor intérieur comprend un beau baldaquin à colonnes torsadées, enjolivé de guirlandes à motifs floraux.

Saint-Alexandre-de-Kamouraska

Avant de plonger dans les terres, on traverse Saint-Alexandre-de-Kamouraska, village intérieur du Pays de Kamouraska, où se trouve une jolie église construite en 1851. Son beau maître-autel est une réplique de celui de la basilique-cathédrale Notre-Dame de Québec.

Pour vous rendre de Saint-Alexandre-de-Kamouraska à Saint-Antonin, vous pouvez emprunter le rang Saint-Clovis, sur le même axe que la route 230, pour tourner ensuite à droite dans le chemin du Lac et finalement à gauche dans la rue Principale. Ce petit chemin est très charmant et pittoresque. Non loin du village de Saint-Antonin vers l'est, empruntez la route 185 Sud (autoroute 85) vers Saint-Louis-du-Ha! Ha!.

Saint-Louis-du-Ha! Ha!

Nom d'origine amérindienne, Ha! Ha! signifie «quelque chose d'inattendu». Ce terme est tout à fait à propos, lorsque, du sommet du mont Aster, on découvre soudainement le lac Témiscouata dans le lointain.

La **Station scientifique Aster** *(8$; fin juin à début sept tlj 12h à 24h; 59 ch. Bellevue,* ☎ *418-854-2172, www.asterbsl.ca)* organise des soirées d'observation au télescope et présente des expositions scientifiques qui traitent de sismologie, d'énergies douces, de météorologie et de géologie.

Revenez sur vos pas en reprenant la route 185 en direction nord pendant quelques kilomètres jusqu'à l'embranchement avec la route 291 à droite, que vous suivrez jusqu'à Saint-Hubert.

Saint-Hubert-de-Rivière-du-Loup

La municipalité de Saint-Hubert-de-Rivière-du-Loup est à cheval sur trois comtés, ce qui en fait une bonne plaque tournante afin d'explorer la région intérieure et le Témiscouata. On y trouve un beau **presbytère** datant de 1879 *(entrée libre; lun-ven 9h à 12h et 13h30 à 17h; 1 ch. Taché O.,* ☎*418-497-3530)* qu'il est possible de visiter. Le bâtiment a été déclaré monument historique en 1982.

Prenez le chemin Taché en direction ouest jusqu'à Saint-Cyprien.

Saint-Cyprien

Village économiquement très dynamique, Saint-Cyprien est surtout axé sur l'agriculture, l'acériculture et la forêt. Au printemps, on y entaille par ailleurs quelque 100 000 érables afin de produire cet heureux sirop au goût irremplaçable. L'**Érablière Richard** *(114 ch. Taché O.,* ☎*418-963-2269)* propose des produits d'érable totalement biologiques, sans aucun additif ni sucre ajouté.

Suivez la route 293 en direction nord jusqu'à Saint-Jean-de-Dieu.

Saint-Jean-de-Dieu

Deux rivières serpentent à travers cette tranquille petite municipalité, la Boisbouscache et la Trois-Pistoles, au grand bonheur des amateurs de pêche. Le village est aussi connu, sous Saint-Clément (situé à quelques kilomètres à l'ouest), pour faire partie de l'association **Village d'accueil du Bas-Saint-Laurent** (voir p 96), qui propose un hébergement touristique chez l'habitant.

Finalement, c'est à Saint-Jean-de-Dieu qu'on organise le festival **La Grande Virée** à la fin de juin (voir p 101).

Continuez sur la route 293 jusqu'à Trois-Pistoles, où vous rejoindrez le fleuve Saint-Laurent et où prend fin ce petit circuit.

🦅 Activités de plein air

■ Golf

Le **Club de golf du Témis** *(35$; 90 route 185, St-Louis-du-Ha! Ha!,* ☎*418-854-0539, www.golfdutemis.com)* propose un beau parcours de 18 trous en plein cœur de la forêt luxuriante du Bas-Saint-Laurent.

Le **Club de golf de Saint-Pacôme** *(32$; 40 rue William, St-Pacôme,* ☎*418-852-2395)* propose aussi un parcours de 18 trous, mais cette fois, la vue sur le fleuve et sur les montagnes de Charlevoix lui donne un cachet exceptionnel.

■ Parcours d'aventure en forêt

À la Station de plein air de Saint-Pacôme, **D'Arbre en Arbre** *(25$; mi-mai à mi-oct tlj; 35 rue Caron, St-Pacôme,* ☎*418-852-2430, www.stationpleinair.com)* propose différents parcours d'obstacles à la cime des arbres. Certaines plateformes offrent une belle vue sur tout le Pays de Kamouraska et sur le fleuve Saint-Laurent.

■ Randonnée pédestre

Le **Sentier Sénescoupé** *(1 rue St-Pierre, St-Clément,* ☎*418-963-7283, www.infobasques.com/senescoupe)* propose un tracé de 17 km qui suit les rivières Trois-Pistoles et Sénescoupé. Le sentier est relativement facile à parcourir et permet d'admirer une belle forêt de pins blancs, essence maintenant rare au Québec.

■ Ski alpin

La **Station de plein air de Saint-Pacôme** *(18-22; 35 rue Caron, St-Pacôme,* ☎*418-852-2430, www.stationpleinair.com)* propose 11 pistes dont 7 sont éclairées pour le ski de soirée. La montagne offre un dénivelé de seulement 150 m, mais permet de bénéficier d'une vue époustouflante sur la région de Kamouraska et le fleuve.

Circuit C:
Le pays des forestiers
★

 Deux jours

▲ *p 96* 🍴 *p 100*

L'industrie forestière règne en maître dans cet arrière-pays du Bas-Saint-Laurent situé au nord de la frontière américaine (État du Maine), étonnamment proche du fleuve aux environs de Rivière-du-Loup. Cette région de collines boisées et de lacs est prisée des amateurs de plein air qui apprécient particulièrement les milieux sauvages éloignés des grands centres.

Le circuit proposé débute et se termine à proximité du fleuve Saint-Laurent. Si l'on poursuit son chemin sur la route Transcanadienne au-delà de Dégelis, ce circuit peut également être interprété dans sa partie est comme une étape sur la route du Nouveau-Brunswick et des autres provinces de l'Est canadien (voir guide Ulysse *Provinces atlantiques du Canada*).

À partir de Saint-Alexandre-de-Kamouraska (voir p 84), prenez la route 289 en direction sud.

De Saint-Alexandre-de-Kamouraska à Pohénégamook

Le **Havre de Parke** *(6$ ou selon le type d'activité; toute l'année, dès 9h; route 289, Saint-Alexandre-de-Kamouraska,* ☎*418-495-2333 ou 888-495-2333)* offre 11,4 km de sentiers de randonnée pédestre aussi praticables en skis de fond, en raquettes ou en traîneau à chiens durant l'hiver. On y trouve également un belvédère pour observer la faune. Visites commentées disponibles sur réservation.

Pohénégamook

Cette municipalité est née de la fusion de trois villages pourtant assez éloignés les uns des autres: Sully, Estcourt et Saint-Éleuthère. Les deux premiers ont été fondés au bord de la rivière Pohénégamook, qui délimite la frontière entre le Maine et le Québec, alors que le troisième est situé à proximité du lac du même nom, reconnu pour sa belle plage et ses activités de plein air. À Estcourt, une borne marque l'emplacement de la ligne frontalière qui traverse le village en diagonale, faisant de certains de ses habitants des citoyens américains. Quelques maisons se retrouvent même à cheval sur la frontière. On est alors aux États-Unis lorsqu'on regarde la télé dans le salon, et on rentre au Québec pour le dîner dans la salle à manger. Il va sans dire que le tout se fait dans l'harmonie la plus complète et que, hormis la présence de la borne et de quelques drapeaux, il est difficile de croire que l'on a véritablement changé de pays en traversant la rue.

La **plage municipale de Pohénégamook** *(*☎*418-859-2222)* est l'une des plus belles plages d'eau douce au Québec. Un kilomètre de sable fin vous y accueille. Animation et restauration sur place.

L'**Atelier Amboise** *(4$; fin juin à début sept mar-dim 10h à 16h; 619 rang St-Ignace-Nadeau,* ☎*418-859-3337, www.atelieramboise.com)* est un petit économusée de l'ébénisterie où l'on peut rencontrer l'artisan-créateur dans son atelier afin de découvrir les différentes manières de travailler le bois, de l'arbre à l'œuvre finie. On peut apprendre ici à reconnaître les essences de bois, les outils et les méthodes de transformation en ébénisterie. Une heureuse petite visite!

Poursuivez par la route 289 sud jusqu'à Rivière-Bleue.

Rivière-Bleue

Autre agglomération née de l'exploitation forestière, Rivière-Bleue est surtout connue pour avoir été l'un des principaux points de passage à l'époque de la Prohibition aux États-Unis (1920-1933). Les *bootleggers*, ces contrebandiers d'alcool qui prenaient des risques énormes pour acheminer les bouteilles de gin, de whisky et de rhum vers les bars et cabarets clandestins de New York et de Chicago, en avaient fait en quelque sorte leur siège social.

Empruntez la route 232 Est jusqu'à Cabano.

Cabano ★

Ville forestière par excellence, Cabano est le siège de la cartonnerie Papiers Cascades des frères Lemaire. Seule une partie de l'agglomération du XIXᵉ siècle, appelée «Fraser Village», subsiste, le reste ayant été détruit par un terrible incendie survenu en 1950. La ville occupe cependant un très beau site en bordure du lac Témiscouata, entouré de collines et de rivières.

Fort Ingall ★ ★ *(6$; fin juin à début sept tlj 9h à 17h30; 81 ch. Caldwell, ☎418-854-2375, www.fortingall.ca).* Nous sommes ici à quelques dizaines de kilomètres seulement des États-Unis. En 1839, à la suite d'un différend sur le tracé de la frontière canado-américaine, le gouvernement britannique fait construire une série de fortins dans les environs du lac Témiscouata afin de défendre les territoires de l'Amérique du Nord britannique et de protéger la précieuse ressource qu'est le bois de coupe. En effet, les Américains profitent de l'isolement de la région à l'époque pour constamment reporter plus au nord la limite entre les deux pays, d'abord pour s'approprier davantage de forêts mais aussi afin de créer une ouverture éventuelle sur le fleuve Saint-Laurent.

Le fort Ingall, qui porte le nom du lieutenant qui le commandait autrefois, faisait partie du système de dissuasion mis en place par les Britanniques. Il n'a jamais connu la guerre et sera abandonné graduellement à la suite du règlement pacifique du conflit par le traité d'Ashburton en 1842, pour ensuite sombrer dans l'oubli. Ce n'est qu'en 1973 que l'on entreprend de reconstituer 6 des 11 bâtiments à partir des vestiges archéologiques. Les structures de bois, construites en pièce sur pièce, comprennent une caserne et un blockhaus de même que le logement des officiers. L'ensemble, ouvert au public, est entouré d'une palissade de bois et de terre. Une instructive exposition sur l'histoire du fort et de la région est présentée dans un bâtiment, alors que le reste du site est utilisé comme centre culturel par les habitants de la région.

Longez le lac Témiscouata par la route 185 Sud jusqu'à Dégelis. Vous traverserez le charmant petit village de Notre-Dame-du-Lac.

Notre-Dame-du-Lac

Cette petite municipalité est située au bord du magnifique lac Témiscouata. On y trouve plusieurs aménagements touristiques, dont quelques terrains de camping, une marina et une halte vélo de la piste cyclable du parc linéaire interprovincial Petit Témis, en plus de deux belles auberges (voir p 96).

Le **Musée du Témiscouata** *(4$; fin juin à fin août mar-dim 10h à 16h; 3 rue de l'Hôtel-de-Ville, ☎418-899-0072)* permet de découvrir l'histoire du Témiscouata à travers des photos et des objets anciens.

Dégelis

La vallée de la rivière Madawaska a été au centre des disputes frontalières du milieu du XIXᵉ siècle. Des villages autrefois québécois ou acadiens se retrouvent aujourd'hui du côté américain, formant un îlot francophone dans la partie nord de l'État du Maine. Dégelis, principale porte d'entrée du Québec dans la région, est une petite ville dominée par les scieries. «Dégelis» (en vieux français) et «Madawaska» (en langue micmaque) signifient «ne gèle pas». En effet, les forts courants qui prédominent à l'embouchure de la rivière Madawaska l'empêchent de geler pendant l'hiver.

Bifurquez à gauche sur la route 295.

Auclair

La municipalité d'Auclair et ses environs comptent une quarantaine de producteurs acéricoles, ce qui en fait l'une des plus importantes régions productrices du Québec. D'ailleurs, le **Domaine Acer** ★ *(3$; mars à oct tlj 9h à 17h, oct à déc lun-sam 9h à 17h; 145 route du Vieux-Moulin, ☎418-899-2825, www.economusees.com)* est un économusée qui traite de l'acériculture (la production du sirop d'érable et de ses produits dérivés). On y interprète le procédé de la transformation de l'eau d'érable en de multiples produits, allant du simple sirop au vin mousseux. On traverse la salle de l'évaporateur, les caves de vieillissement et une salle permettant de voir les différents outils utilisés pour ce procédé. Sur place se trouve aussi une belle boutique où vous pouvez vous procurer les fruits du labeur local: plusieurs grades de sirop (de clair à dense), quatre sortes d'apéritifs (que l'on nomme ici «acéritifs») alcoolisés et une foule de sucreries irrésistibles. Il faut goûter le Mousse des bois, un mousseux au goût original et rafraîchissant, et le Charles-Aimé Robert, un succulent alcool de type porto!

L'herboristerie artisanale *Viv'Herbes (6$; juil et août tlj 10h à 17h; 35 rang 2, ☎418-855-2731)* consiste en un jardin d'herbes et de fleurs médicinales et aromatiques, qu'il est possible de visiter pour en savoir un peu plus sur l'art et la science des plantes médicinales et leur transformation. Vous y découvrirez les secrets des plantes, leurs couleurs, leurs parfums et parfois même leurs goûts. Les jardins sont par ailleurs très beaux. Une boutique sur place permet de repartir avec quelques remèdes maison contre le mal de tête, le rhume et autres afflictions légères ou moins légères.

Lejeune

Cette petite localité est surtout reconnue pour ses vergers. D'ailleurs, **Le Jeune Verger** *(114 route 295 N., ☎418-855-2722)* permet de cueillir tranquillement sur votre arbre tous les fruits que vous voulez, une fois la saison venue. Le lieu propose aussi des légumes frais en été et quelques produits maison.

Juste après le petit village de Squatec, empruntez la route 232 en direction est. Vous passerez par les localités de Lac-des-Aigles, d'Esprit-Saint et de La Trinité des-Monts, avant d'atteindre Saint-Narcisse-de-Rimouski et Sainte-Blandine.

Saint-Narcisse-de-Rimouski ★

Le village de Saint-Narcisse est la porte d'entrée de deux belles réserves fauniques, la réserve faunique Duchénier et la réserve faunique de Rimouski, ainsi que d'un magnifique site naturel au nom plus qu'évocateur, le Canyon des Portes de l'Enfer.

D'une superficie de 273 km², la **réserve faunique Duchénier** ★ *(1500 ch. Duchénier, ☎418-735-5222, www.reserve-duchenier.com)* comporte l'une des plus importantes populations animales du Québec. Donc, avis aux chasseurs et aux pêcheurs! La réserve dispose de 29 chalets et d'aires de camping sauvage, ainsi que de beaux sentiers de randonnée et d'observation de la faune et de la flore. C'est également un territoire où vit l'un des plus importants troupeaux de cerfs de Virginie dans l'est du Québec. Étrangement, cette réserve ne fait pas partie du réseau des parcs et réserves du Québec, mais est gérée de manière indépendante par une organisation sans but lucratif.

La **réserve faunique de Rimouski** ★ *(112 route de la Réserve, ☎418-735-2226, en saison 418-735-5672, www.sepaq.com)* est un gigantesque territoire de presque 750 km². Il est possible d'y pratiquer la chasse et la pêche, ainsi que le camping et la randonnée.

Le **Canyon des Portes de l'Enfer** ★★ *(7,50$; fin juin à début sept tlj 8h30 à 18h30; mi-mai à fin juin et début sept à mi-oct tlj 9h à 17h; 1280 ch. Duchénier,* ☎*418-735-6063, www.canyonportesenfer.qc.ca)* vous permet de découvrir un panorama étonnant! On débute l'exploration du site avec la chute du Grand Sault, haute de 18 m. Le site comporte plus de 14 km de sentiers pédestres permettant de cheminer tranquillement jusqu'en haut d'une falaise qui atteint près de 90 m. Un escalier permet ensuite de descendre la paroi jusqu'au niveau de la rivière Rimouski, mais attention, il faut remonter ensuite! Une passerelle haute de 63 m, la plus haute du Québec, fait aussi partie de la randonnée. Un magnifique site naturel et surtout peu connu. Un service de restauration est ouvert tout l'été, et le camping sauvage est aussi proposé sur place.

Sainte-Blandine

C'est à Sainte-Blandine que se trouve la station familiale de sports d'hiver de **Val Neigette** (voir plus loin).

En poursuivant sur la route 232, vous arriverez à Rimouski, où l'on retrouve le fleuve Saint-Laurent et où prend fin ce circuit.

🪶 Activités de plein air

■ Chasse et pêche

Les **réserves fauniques de Duchénier et de Rimouski** (voir p 88) proposent toutes deux de beaux séjours en forêt dans des environnements proposant une riche faune aquatique et terrestre. Plusieurs formules d'hébergement y sont proposées.

■ Ski de fond

L'un des meilleurs endroits pour faire du ski de fond est **Pohénégamook Santé Plein Air** *(1723 ch. Guérette,* ☎*418-859-2405, Pohénégamook, www.pohenegamook.com)*. On y trouve 43,5 km de sentiers balisés traversant un «ravage» (lieu de rassemblement hivernal) où errent quelque 750 cerfs de Virginie (chevreuils).

■ Ski alpin

La station familiale de sports d'hiver de **Val Neigette** *(25$; 25 rue du Givre, à 6 km au sud de Rimouski, Ste-Blandine,* ☎*418-735-2800, www.rimouskiweb.com/valneigette)* propose 22 pentes composant avec un dénivelé de 180 m. On y a une belle vue du haut de la montagne.

■ Traîneau à chiens

Gallayan Aventure *(199 rue Principale, St-Gabriel-de-Rimouski,* ☎*418-798-4642, www.gallayann.com)* organise des excursions d'une demi-journée à quatre jours à travers la forêt de la réserve faunique de Rimouski.

■ Vélo

Le Québec et le Nouveau-Brunswick ont uni leurs efforts pour offrir aux amateurs une longue piste cyclable qui sillonne la campagne entre ces deux provinces, de Rivière-du-Loup à Edmundston. Le **parc linéaire interprovincial Petit Témis** *(*☎*418-868-1869 ou 800-563-5268, Edmunston:* ☎*506-739-1992, www.petit-temis.com)* compte 134 km de sentiers relativement plats, où la dénivellation ne dépasse jamais 4%, donc accessibles à toute la famille. Le long du parcours se trouvent des stationnements et divers services.

Hébergement

Circuit A: Au gré du Saint-Laurent

La Pocatière

Auberge au Diablo-Vert
$$ pdj
₩ @
72 route 132 O.
☎418-856-4117
www.quebecweb.com/diablovert
Cette belle auberge aménagé dans une maison plus que centenaire dispose d'une vue imprenable de sa belle et grande terrasse. Ses quatre chambres sont sympathiques et très chaleureuses, et les propriétaires se font un devoir de préserver le cachet d'époque de leur établissement. L'accueil est très amical.

Kamouraska

Auberge des Îles
$$ pdj
bp/bc ₩ @
198 av. Morel (route 132)
☎418-492-7561
www.aubergedesiles.ca
Cette belle auberge propose cinq chambres charmantes à prix très abordables. La vue depuis certaines des unités est tout simplement à couper le souffle.

Gîte chez Jean et Nicole
$$ pdj
bp/bc
81 av. Morel (route 132)
☎418-492-2921
www3.sympatico.ca/titesouris/gite.html

Dans cette maison centenaire entretenue avec un soin amoureux, Jean et Nicole ont ouvert un gîte de quatre chambres pour le plaisir de rencontrer les gens. Petits déjeuners mémorables... Tout près du village et surtout de la mer. Plage.

La Grand Voile
$$$ pdj
≡ Y ▦ @ ₩
168 av. Morel (route 132)
☎418-492-2539
www.lagrandvoile.ca
L'auberge La Grande Voile est installée dans une magnifique maison dont le style rappelle un presbytère. Ses cinq chambres sont splendidement décorées et ont chacune une salle de bain privée ainsi qu'un grand balcon avec une vue sur le fleuve à couper le souffle. L'établissement propose aussi un petit centre de remise en forme tout neuf, une véranda ensoleillée et des petits déjeuners créatifs et très copieux. Une magnifique adresse!

Saint-André

Camping de la SEBKA
$
début mai à fin sept
273 route 132 O.
☎418-493-2604
www.sebka.ca
Le camping de la Halte écologique des battures de Kamouraska propose 65 emplacements de camping semi-sauvage ainsi que trois refuges bien équipés, près du fleuve et dans la forêt. Un magnifique site!

Auberge des Aboiteaux
$$ pdj
₩
280 route 132
☎418-493-2495
www.aubergedesaboiteaux.com
Située en pleine campagne directement en face du fleuve, l'Auberge des Aboiteaux, joliment décorée, dispose de belles chambres spacieuses avec salle de bain privée et douche en céramique. Les petits déjeuners sont généreux et inventifs. Une table d'hôte est proposée aux hôtes le soir. Les propriétaires sont très sympathiques.

La Solaillerie
$$$ pdj
₩ @ ▲
112 rue Principale
☎418-493-2914
▤418-493-2243
www.aubergelasolaillerie.com
Grande maison de la fin du XIXᵉ siècle, l'auberge La Solaillerie présente une magnifique façade blanche qui est cintrée, à l'étage, d'une large galerie. À l'intérieur, un riche décor évoquant l'époque d'origine de la demeure confère à l'auberge une ambiance chaleureuse. Les cinq chambres sont douillettes et confortables, décorées avec goût dans le respect de la tradition des vieilles auberges où l'on entend les planchers craquer! La construction d'un pavillon a ajouté à l'auberge six chambres modernes, plus intimes et chaleureusement décorées. Sa table réserve de belles surprises aux fins gourmets (voir p 97).

Notre-Dame-du-Portage

Auberge du Portage
$$$ pdj
≡ ◎ ≋ Ⴤ ♨ @

671 route du Fleuve
☎ 418-862-3601
www.aubergeduportage.qc.ca

La splendide Auberge du Portage, située au cœur de Notre-Dame-du-Portage, a littéralement les pieds dans l'eau et propose plusieurs unités de grand confort disséminées autour du pavillon principal blanc, d'aspect victorien. L'établissement possède plein de charme, toutes les commodités imaginables, un centre de remise en forme et une belle piscine extérieure donnant sur le fleuve. Les couchers de soleil, surnommés «ponts d'or» dans la région, y sont par ailleurs majestueux.

Rivière-du-Loup

Plusieurs motels très corrects bordent la route 132 à Rivière-du-Loup.

Auberge de Jeunesse Internationale
$ pdj
46 boul. de l'Hôtel-de-Ville
☎ 418-862-7566
▤ 418-862-1843
www.hihostels.ca

L'Auberge de Jeunesse Internationale de Rivière-du-Loup se présente comme le lieu d'hébergement le moins coûteux en ville. Les dortoirs sont simples mais propres. L'auberge niche dans une vieille maison centenaire.

ULYSSE

Auberge St-Patrice
$$-$$$ pdj
≡ ◎ ♨ ● ▵ ❄ @

165 rue Fraser
☎ 418-867-2881 ou 877-867-2881
www.aubergest-patrice.com

L'Auberge St-Patrice propose 16 unités confortables qui ont un cachet particulier. Deux suites sont disponibles, avec cuisine tout équipée ou baignoire à remous. Un très

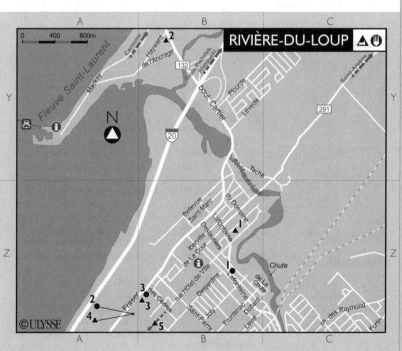

▲ HÉBERGEMENT

1.	BZ	Auberge de Jeunesse Internationale
2.	BY	Auberge de la Pointe
3.	BZ	Auberge St-Patrice
4.	AZ	Hôtel Lévesque
5.	BZ	Hôtel Universel

● RESTAURANTS

1.	BZ	L'Estaminet
2.	AZ	La Terrasse
3.	BZ	Le Saint-Patrice / Le Novello / La Romance

Bas-Saint-Laurent - Hébergement - Au gré du Saint-Laurent

bon choix dans une ville où dominent surtout les motels de bord de route.

Auberge de la Pointe
$$-$$$
✿Ⓞ◛☏✕🕯︎〰︎@
fermé nov à avr
10 boul. Cartier
☎418-862-3514 ou 800-463-1222
www.aubergedelapointe.com

En bordure du fleuve Saint-Laurent, l'Auberge de la Pointe se dresse sur un site exceptionnel et propose, outre des chambres confortables, des soins d'hydrothérapie, d'algothérapie ainsi que de massothérapie. Depuis les belvédères, vous pourrez admirer de superbes couchers de soleil. On y trouve même un théâtre d'été.

Hôtel Lévesque
$$$
≡Ⓞ◛❀✕🕯︎〰︎@
171 rue Fraser
☎418-862-6927 ou 800-463-1236
🖷418-867-5827
www.hotellevesque.com

L'Hôtel Lévesque tire pleinement parti de son environnement: il s'entoure d'un jardin paysager superbement aménagé. Les chambres sont spacieuses et confortables, certaines ayant vue sur le fleuve Saint-Laurent.

Hôtel Universel
$$$$
≡✿Ⓞ◛❀✕🕯︎〰︎@
311 boul. de l'Hôtel-de-Ville
☎418-862-9520 ou 800-265-0072
🖷418-862-2205
www.hoteluniverselrdl.com

L'hôtel Universel dispose de 119 chambres décorées de façon simple mais agréable.

Cacouna

Auberge du Porc-Épic
$$$ pdj
@
600 rue Principale (route 132)
☎418-868-1373 ou 888-909-1373
www.porc-epic.com

L'Auberge du Porc-Épic, une grande maison pittoresque ayant appartenu à un riche marchand anglophone de Montréal, compte quatre chambres dont une sous les combles, romantique à souhait. Les aubergistes se font un devoir de ne jamais servir le même déjeuner deux fois aux mêmes convives, que ce soit sur deux jours ou… deux ans! Une belle vue sur le fleuve est offerte de l'immense véranda qui fait le tour de la maison. Accès au fleuve.

L'île aux Lièvres et les îles du Pot à l'Eau-de-Vie

Société Duvetnor
Marina de Rivière-du-Loup
200 rue Hayward
Rivière-du-Loup
☎418-867-1660 ou 877-867-1660
🖷418-867-3639
www.duvetnor.com

Sur l'île aux Lièvres et les îles du Pot à l'Eau-de-Vie, la Société Duvetnor, organisme sans but lucratif voué à la protection des écosystèmes locaux, gère les trois établissements décrits ci-dessous.

Camping de l'île aux Lièvres
$$/pers. avec traversée

Les quatre aires de camping sauvage de l'île aux Lièvres proposent des emplacements remarquables par leur vue et leur

situation. Le camping Les Bélugas, sur la pointe du Bout d'en Haut, représente le défi le plus intense, puisqu'il se trouve à 3h de marche du débarcadère. Les quatre terrains disposent d'une toilette sèche, d'une source d'eau brute (non potable) et d'un abri en cas de conditions climatiques extrêmes. Les douches et l'eau potable sont disponibles au camping de la Plage, situé à côté du débarcadère.

Phare du Pot à l'Eau-de-Vie
$$$$$/pers. pc et traversée
bc 🕯︎

Sur une petite île au milieu du fleuve Saint-Laurent, le Phare du Pot à l'Eau-de-Vie expose à tous vents sa façade blanche et son toit rouge. L'archipel du Pot à l'Eau-de-Vie fourmille d'oiseaux marins que vous pouvez admirer à loisir lors d'un séjour au phare. Le phare, plus que centenaire, a été restauré avec soin. On y trouve trois chambres douillettes dont le décor conserve l'atmosphère historique de l'endroit. Les repas sont délicieux. Si vous avez envie d'un séjour isolé et empreint de sérénité, voilà l'endroit tout indiqué.

Auberge du Lièvre
$$$$$/pers. pc et traversée
🕯︎

Cette petite auberge est située sur l'île aux Lièvres. Elle compte six chambres. Chaque bloc de trois chambres a aussi un petit salon. La table est simple mais très bonne. L'endroit étant isolé, vous pourrez passer tout votre temps à aller à la rencontre des oiseaux marins, des lièvres, des petits rorquals et des bélugas. Détente assurée, coupée de tout. Autour de l'auberge se trouvent quatre maisonnettes tout équipées qu'il est aussi possible de louer pour des séjours plus ou moins longs.

Île Verte

Les maisons du Phare
$$ pdj
bc
28B ch. du Phare
☎ 418-898-2730
▤ 418-898-4002
www.ileverte.net
Sur la très jolie île Verte, le gîte Les maisons du Phare donne l'occasion de séjourner dans une des deux anciennes maisons des gardiens du phare. Accès à la plage.

Trois-Pistoles

Camping Plage Trois-Pistoles
$
🚍 ≋
fin mai à fin sept
130 route 132 E.
☎ 418-851-2403
▤ 418-851-4890
www.info-basques.com/camping
Le Camping Plage Trois-Pistoles est à 5 min en voiture de Trois-Pistoles. Ce site unique, directement au bord du fleuve, offre un des plus beaux panoramas de la région. Il est également possible d'y faire des randonnées sur la plage et dans les bois environnants. Au mois d'août, des «pêches» à anguilles sont tendues à proximité de la rive, conférant un caractère

pittoresque aux environs. Laverie.

Motel Trois-Pistoles
$$
≡ 🚍 ♨ @
64 route 132 O.
☎ 418-851-4258 ou 866-616-4258
www.moteltroispistoles.com
Le Motel Trois-Pistoles compte environ 30 chambres confortables, dont certaines offrent une belle vue sur le fleuve Saint-Laurent. D'ici, les couchers de soleil sont tout à fait splendides.

Saint-Simon

Auberge le Bocage des 2 gamins
$$ pdj
♨ @
124 route 132 E.
☎ 418-857-2828 ou 866-770-2828
www.aubergelebocagedes2gamins.com
L'Auberge le Bocage des 2 gamins est aménagée dans une belle maison dont la construction débuta en 1675 et qui fut par la suite démontée puis transportée à son emplacement actuel, d'où l'on a un coup d'œil épatant sur le fleuve. C'est aussi un très bon endroit d'où contempler les magnifiques couchers de soleil de la région. Les cinq chambres ont été nommées selon une thématique nautique (la Matelot, la Capitaine, la Pirate...) et décorées avec des objets d'époque. Le petit déjeuner est succulent, et la table chaleureuse et raffinée.

Auberge Saint-Simon
$$
♨ △ @
début juin à mi-oct
18 rue Principale, route 132
☎ 418-738-2971
▤ 418-736-4902
www.aubergestsimon.com
La charmante Auberge Saint-Simon est une maison d'époque (1830) au toit mansardé renfermant neuf chambres aménagées avec goût et desquelles émane un cachet d'antan fort agréable.

Le Bic

Camping du Bic
$
parc national du Bic
3382 route 132 O.
☎ 418-736-5035 ou 800-665-6527
www.sepaq.com
Le Camping du Bic propose 196 emplacements dans le magnifique parc national du Bic, mettant ainsi à votre disposition ses beautés et ses activités. Malheureusement, de la plupart des emplacements, la route, même si elle n'est pas visible, reste audible.

Auberge du Mange Grenouille
$$-$$$ pdj
♨ @
148 rue Ste-Cécile
☎ 418-736-5656
▤ 418-736-5657
www.aubergedumangegrenouille.qc.ca
D'un romantisme fou, l'Auberge du Mange Grenouille, beaucoup plus grande qu'elle ne le paraît au premier abord, comporte plusieurs unités décorées selon des thématiques différentes.

Sensuellement débridées, elles proposent pour la plupart un très grand lit, une salle de bain complète et, surtout, une décoration et un aménagement follement originaux et exotiques. Les chambres côté jardin sont hautement recommandées: un de leurs murs consiste en une verrière donnant sur un petit jardin et, plus loin, sur le fleuve. Bain à remous, connexion Internet sans fil et toutes les petites attentions qu'on peut imaginer. Les propriétaires sont très sympathiques, le salon est chaleureux à souhait, et l'ambiance rappelle un vieux théâtre des années 1920… Une des plus belles adresses de la région, sinon du Québec! Incontournable!

Aqua Jardin du Bic
$$$/pers. en forfait spa seulement
≡ ◎ Y @ ≋ ⬤
2261 route 132
☎418-736-4854
www.aquamaree.com

Belle maison offrant une vue impressionnante sur le fleuve, l'Aqua Jardin du Bic propose des soins corporels à l'extérieur sous une gloriette et dispose d'un bain à remous conçu pour les traitements d'hydromassage. Les chambres et la suite sont charmantes. Un petit appartement luxueux, avec cuisine privée et petit salon, peut accueillir quatre personnes.

Rimouski

Résidences du cégep de Rimouski
$ pdj
bc ⬤ @
320 rue St-Louis
☎418-723-4636 ou 800-463-0617
▤418-722-9250
www.cegep-rimouski.qc.ca/residenc

Les Résidences du cégep de Rimouski sont ouvertes toute l'année aux visiteurs qui désirent se loger à bon prix pour un court séjour.

Camping Le Bocage
$
124 route 132 O.
☎418-739-3125

Vous trouverez au Camping Le Bocage 24 emplacements agréables pour véhicules récréatifs

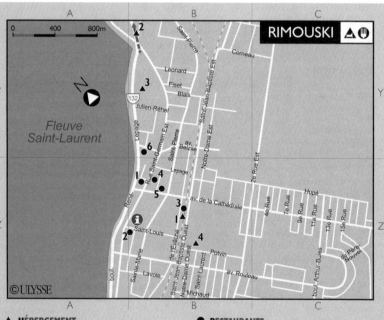

RIMOUSKI

Fleuve Saint-Laurent

©ULYSSE

Auberge de l'Évêché
$$ pdj
@

37 rue de l'Évêché O.
☎ 418-722-4011
www.centralcaferimouski.com
L'Auberge de l'Évêché propose huit chambres toutes neuves au centre-ville. Chacune dispose d'une salle de bain privée, d'un divan-lit et d'une table de travail. Petit déjeuner sommaire mais correct. L'auberge se trouve à proximité du **Central Café** (voir p 99).

Hôtel Rimouski
$$-$$$
≡ ◎ ⛵ ≋ ❄ ♨ @ ⛰

225 boul. René-Lepage E.
☎ 418-725-5000 ou 800-463-0755
🖨 418-725-5725
www.hotelrimouski.com
L'Hôtel Rimouski est d'un chic assez particulier; son grand escalier et sa longue piscine dans le hall en charmeront plus d'un. Les moins de 18 ans partageant la chambre de leurs parents peuvent y séjourner gratuitement.

Pointe-au-Père

Auberge La Marée Douce
$$$ pdj
♨ @

1329 boul. Ste-Anne
☎ 418-722-0822
🖨 418-723-4512
www.aubergelamareedouce.com
L'Auberge La Marée Douce se dresse en bordure du fleuve à Pointe-au-Père, près du Site historique maritime de la Pointe-au-Père. Aménagée dans une immense maison victorienne datant de 1860, elle renferme des chambres confortables, toutes décorées de façon différente. Elle compte aussi quelques chambres dans un pavillon moderne et offre l'accès à une plage.

Sainte-Luce

Gîte Le Moulin Banal du Ruisseau à la Loutre
$$ pdj
@

156 route du Fleuve O.
☎ 418-739-3076
www.cedep.ca
Ancien moulin construit en pierres de taille, ce gîte offre un séjour dans un environnement antique et maritime. En effet, il a presque les pieds dans l'eau du fleuve, en plus d'avoir un petit ruisseau coulant à ses côtés. Les trois chambres proposées ont été meublées et décorées par les artisans de la région. Les propriétaires sont très accueillants et offrent par ailleurs des cours d'insertion à la vie professionnelle pour les jeunes en difficulté. Un séjour au charme d'antan assuré.

Maison des Gallant
$$ pdj
bc @

40 route du Fleuve O.
☎ 418-739-3512
La Maison des Gallant, un gîte touristique accueillant et chaleureux, propose cinq chambres ayant différentes configurations. Les propriétaires sont très gentils et seront empressés de répondre à vos besoins. Le terrain du gîte est magnifique et se rend jusqu'au fleuve. On a droit, par ailleurs, à une vue sublime depuis la terrasse juchée sur le toit.

Auberge Sainte-Luce
$$
⛵ ♨

46 route du Fleuve O.
☎ 418-739-4955
🖨 418-739-4923
www.auberge-ste-luce.com
L'Auberge Sainte-Luce est installée dans une maison centenaire abritant des chambres simples mais confortables. Elle offre un belvédère et une plage à sa clientèle. Des chalets sont aussi disponibles.

Saint-Gabriel-de-Rimouski

Domaine Valga
$$$ pc
≡ ♨ @

300 ch. des Écorchis
☎ 418-739-4000
www.domainevalga.com
Quelques chalets sont disponibles autour du lac appartenant au Domaine Valga, lui-même situé sur le flanc nord du mont Comi. Sinon, un séjour dans l'auberge en rondins est tout aussi agréable. Plusieurs activités sont organisées sur place, en plus d'un magnifique parcours d'aventure en forêt, la **Forêt de Maître Corbeau** (voir p 82). Pour vous rendre au domaine à partir de Sainte-Luce, prenez la route 298 en direction sud, tournez à droite dans le chemin des Écorchis un peu passé le petit village de Saint-Donat et suivez les indications.

Bas-Saint-Laurent - Hébergement - Au gré du Saint-Laurent

Circuit B: Entre mer et montagnes

Saint-Pascal

La Maison Chapleau
$$ pdj
bc @
595 rue Taché
☎418-492-1368
www.gitemaisonchapleau.com
Magnifique demeure centenaire située au cœur du village, La Maison Chapleau propose quatre chambres sympathiques et douillettes. Les salles de bain sont partagées. Un salon complet est mis à la disposition des hôtes, et le lieu respire le charme et l'authenticité.

Saint-Antonin

Camping chez Jean
$
🚐 ≈ 🍴
434 rue Principale, sortie 499 de l'autoroute 20
☎418-862-3081
Le Camping chez Jean dispose de 119 emplacements, d'une piscine, d'une laverie et d'un casse-croûte.

Saint-Louis-du-Ha! Ha!

Gîte au Beau-Séjour
$$ pdj
bc 🍴 @
145 rang Beauséjour
☎418-854-0559
www.gitebeausejour.com
Aménagé dans une maison des années 1920, le Gîte au Beau-Séjour propose quatre chambres très confortables. Tout de même, le lieu est très cha-

leureux et vous assure un séjour radieux, grâce entre autres à son petit déjeuner copieux concocté à partir de produits maison. Derrière le gîte, le panorama est tout simplement à couper le souffle.

Saint-Clément/Saint-Jean-de-Dieu

Village d'accueil du Bas-Saint-Laurent
$$ pdj
$$$$ pc
23 rue Principale O., St-Clément
☎418-963-3291
www.villagesdaccueil.com/stlaurent.html
Le principe des villages d'accueil est simple: vous êtes hébergé chez l'habitant! Dans ces deux villages, 23 familles proposent au moins une chambre dans leur maison, ce qui vous permet ainsi de rencontrer les gens de la place et de nouer de nouvelles amitiés. Un concept d'hospitalité vieux comme la terre et tout simple, mais tellement intéressant!

Circuit C: Le pays des forestiers

Pohénégamook

Pohénégamook Santé Plein Air
$$/pers. pc
bp/bc 🚐 ≈ ✗ 🍴)))
1723 ch. Guérette
☎418-859-2405 ou 800-463-1364
🖶 418-859-3315
www.pohenegamook.com
Pohénégamook Santé Plein Air est un centre

de vacances qui met l'accent sur les séjours de détente et de plein air, et qui dispose de chambres confortables. Parmi les nombreuses activités proposées figurent entre autres les baignades rapides au sauna finlandais, les sorties à la cabane à sucre au printemps, les balades en montagne et les randonnées à skis.

Cabano

Auberge du Chemin Faisant
$$$ pdj
≡ ◉ 🍴 @
12 Vieux Chemin
☎418-854-9342 ou 877-954-9342
www.cheminfaisant.qc.ca
La maison qui abrite l'Auberge du Chemin Faisant est une résidence de type Art déco datant des années 1950. Les actuels propriétaires ont conservé le cachet typique du lieu. Certaines chambres présentent une décoration fidèle à l'époque de la construction de la résidence, et la «chambre verrière» est particulièrement magnifique. Toutes les unités sont de grand luxe et offrent tout le confort recherché. De la grande classe!

Notre-Dame-du-Lac

Auberge La Dolce Vita
$$ pdj
≡ 🍴 @
mai à oct
693 rue Commerciale
☎418-899-0333 ou 877-799-0333
www.aubergeladolcevita.ca
Simple et sans prétention, l'Auberge La Dolce Vita propose huit chambres

sympathiques offrant tout le confort recherché. Le service est personnalisé et très accueillant. La piste cyclable du parc linéaire interprovincial Petit Témis passe en face de l'auberge. On y loue d'ailleurs des vélos, et un hangar à vélos est disponible pour y ranger votre bicyclette. Pour vous y rendre, suivez les indications vers Edmundston-Cabano et sortez à Notre-Dame-du-Lac.

Auberge Marie-Blanc
$$
mai à mi-oct
≡ ☎ ♨ @

1112 rue Commerciale
☎418-899-6747
L'Auberge Marie-Blanc propose 13 chambres de motel, la maison même étant exclusivement réservée à la salle à manger. Le site profite d'un promontoire en bordure du lac Témiscouata. Vous y avez accès à la marina et à une plage. La piste cyclable du parc linéaire interprovincial Petit Témis se trouve à proximité.

Dégelis

Motel 1212
$$
≡ ⛟ ❄ ♨ @
1212 route 185
☎418-853-1212 ou 800-267-2334
www.le1212.com
Le Motel 1212 dispose de 24 chambres. Depuis le motel, on accède directement aux sentiers de motoneige en hiver.

Restaurants

Circuit A: Au gré du Saint-Laurent

La Pocatière

Café Azimut
$-$$
309 4ᵉ Avenue
☎418-856-2411
Le Café Azimut est situé en plein centre-ville de La Pocatière, et une bonne ambiance y règne en général, car il est le rendez-vous de bon nombre d'étudiants locaux. Le menu est simple mais réussi, et certains plats de cuisine du monde y sont proposés.

Kamouraska

Chez Co'sette
$-$$
53 av. Morel (route 132)
☎418-492-2675
Le restaurant familial Chez Co'sette est un établissement sans prétention qui sert des petits plats de poisson frais, un menu du jour et quelques spécialités régionales. Sympathique et réconfortant.

Café du Clocher
$-$$
mai à oct
88 av. Morel (route 132)
☎418-492-7365
www.cafeduclocher.com
Le Café du Clocher est aménagé dans une belle maison ancienne située en plein cœur du village de Kamouraska, mais un peu en retrait de la route, et entourée d'un beau

jardin. Le café est ouvert de 8h à 22h tous les jours et propose un petit menu santé qui conviendra à tous. Quelques bières de microbrasseries sont aussi disponibles ici.

Auberge des Îles
$$-$$$
198 av. Morel (route 132)
☎418-492-7561
www.aubergedesiles.ca
Le café-resto très abordable de l'**Auberge des Îles** (voir p 90), située au cœur du village de Kamouraska, propose un petit menu le midi et des repas plus complets le soir en formule table d'hôte ou bistro. La cuisine est simple mais délicieuse, et la vue depuis le solarium est incroyable!

L'Amuse-Bouche
$$-$$$$
6 rue Chassé
☎418-492-2882
L'Amuse-Bouche est un petit restaurant dont le menu est essentiellement composé de tapas. Selon certains, le prix est un peu élevé pour les portions, plutôt modestes, mais la terrasse vaut à elle seule le détour! Vous prendrez votre repas les pieds dans l'eau du fleuve!

Saint-André

La Solaillerie
$$$-$$$$
112 rue Principale
☎418-493-2914
La salle à manger de l'auberge **La Solaillerie** (voir p 90) est décorée avec soin pour mettre en valeur le cachet historique de la vieille demeure qui

l'abrite. Vous pourrez donc vous y attabler dans un décor chaleureux pour déguster une fine cuisine préparée et servie avec soin par les propriétaires. D'inspiration française, cette cuisine est apprêtée selon l'inspiration du chef à partir des produits frais de la région tels que cailles, agneau et saumon frais ou fumé. Réservations requises.

Notre-Dame-du-Portage

Auberge sur Mer
$$$-$$$$
363 route du Fleuve
☎888-622-0642
▤418-862-7056
www.aubergesurmer.ca
Depuis la salle à manger de l'Auberge sur Mer, on a bel et bien une vue exceptionnelle sur le fleuve, qui commence sérieusement à ressembler à la mer. La fine cuisine qu'on y déguste saura ravir les plus exigeants. Poissons et fruits de mer sont servis avec les meilleurs accompagnements tout au long de l'été. En automne, le gibier est à l'honneur. Réservations requises.

Rivière-du-Loup

Voir carte p 91.

L'Estaminet
$-$$
299 rue Lafontaine
☎418-867-4517
www.restopubestaminet.com
L'Estaminet se dit «bistro du monde» et, avec son menu, on peut le croire.

La carte propose plus de 25 façons d'apprêter les moules, toutes sortes de paninis et de pizzas européennes, ainsi que des plats de cuisine thaïe. Le restaurant sert aussi les petits déjeuners dès 7h. Très bon choix de bières importées. Le lieu se transforme en un pub achalandé le soir (voir p 101).

La Terrasse
$$-$$$
Hôtel Lévesque
171 rue Fraser
☎418-862-6927
www.hotellevesque.com
Tous les dimanches soir, le restaurant de l'Hôtel Lévesque propose un copieux et délicieux buffet italien; le reste de la semaine, la cuisine mitonne de savoureux plats d'inspiration régionale. N'oubliez pas de goûter au saumon préparé dans les fumoirs de l'hôtel selon une méthode ancestrale. Menu pour enfants.

Le Saint-Patrice
$$$
169 rue Fraser
☎418-862-9895
www.restaurantlestpatrice.ca
Le Saint-Patrice est sans doute l'une des bonnes tables du Bas-Saint-Laurent, où le poisson, les fruits de mer, le lapin et l'agneau dominent le menu. À la même adresse, **Le Novello** *($$)* sert des pâtes et une pizza fine dans une ambiance bistro, et **La Romance** *($$$)* se spécialise dans les fondues de toutes sortes.

Trois-Pistoles

L'ensoleillé
$$-$$$
138 rue Notre-Dame O.
☎418-851-2889
Le café-resto L'ensoleillé offre un menu à la carte très simple. Des plats de cuisine santé, à base d'agneau et végétarienne figurent au menu.

Le Michalie
$$$
55 rue Notre-Dame E.
☎418-851-4011
Le Michalie, un petit restaurant coquet, propose une cuisine régionale des plus appréciées ainsi que les délices de la gastronomie italienne.

Saint-Simon

Auberge Saint-Simon
$$$
18 rue Principale
☎418-738-2971
www.aubergestsimon.com
L'**Auberge Saint-Simon** (voir p 93) vous invite à prendre un repas dans un chaleureux décor ancestral. Vous y vivrez l'une des expériences culinaires les plus savoureuses du Bas-Saint-Laurent, alliant lapin, agneau, flétan et fruits de mer aux légumes frais provenant du petit jardin attenant à l'auberge.

Le Bic

Chez Saint-Pierre
$$-$$$
129 rue Mont-St-Louis
☎418-736-5051

En plus d'une chaleureuse ambiance de bistro, Chez Saint-Pierre vous propose une expérience gastronomique du terroir pas trop prétentieuse et surtout très abordable. Une bonne sélection de bières est aussi disponible. Concerts et soupers thématiques à l'occasion. Expositions d'œuvres d'artistes locaux.

Auberge du Mange Grenouille
$$$-$$$$
148 rue Ste-Cécile
☎418-736-5656
www.aubergedumangegrenouille.qc.ca

Reconnu comme une des meilleures tables régionales, le restaurant de **l'Auberge du Mange Grenouille** (voir p 93) a emménagé dans un ancien magasin général, garni de vieux meubles soigneusement choisis afin d'agrémenter les lieux. Le menu, proposé à la carte, en table d'hôte ou selon le principe «Slowfood» (menu dégustation à six services pouvant s'échelonner sur deux à trois heures), est créatif à l'extrême et d'une qualité irréprochable. Tous les jours, on offre un choix de cinq ou six tables d'hôte, composées de plats de gibier, de poisson, de volaille et d'agneau, dont une grande partie met à l'honneur les produits régionaux. La salle à manger, romantique à souhait, est doucement éclairée et chargée d'objets décoratifs: même si le restaurant est plein, chaque table possède sa propre intimité. La carte

des vins est magnifique. Un incontournable dans la région, sinon au Québec.

Rimouski

Voir carte p 94.

Central Café
$-$$
31 rue de l'Évêché O.
☎418-722-4011
www.centralcaferimouski.com

Le Central Café, installé dans un beau bâtiment ancien du centre-ville, propose une cuisine de type pub, avec hamburgers, pizzas, sandwichs à la viande fumée (*smoked meat*) et autres plats de pâtes. S'y trouve aussi une belle terrasse. Du lieu se dégage une ambiance très amicale et chaleureuse.

Le Crêpe-Chignon
$$
140 av. de la Cathédrale
☎418-724-0400
www.crepechignon.com

Jeune initiative locale en plein centre-ville, le Crêpe-Chignon se spécialise dans l'univers de la crêpe: salée, sucrée ou les deux à la fois! Ambiance branchée et éclectique très réussie. Le service est sympathique. Belle terrasse en été.

La Maison du spaghetti
$$-$$$
35 rue St-Germain E.
☎418-723-6010
www.maisonduspaghetti.com

La sympathique Maison du spaghetti propose un menu très varié et fort apprécié de la gent estudiantine rimouskoise, des

résidants en général ainsi que des touristes.

Brochetterie chez Gréco
$$-$$$
40 rue St-Germain E.
☎418-724-2804

La Brochetterie chez Gréco reste fidèle à la tradition des restaurants grecs en servant de très grosses portions de fruits de mer, accompagnés de pâtes ou en brochette.

Café-bistro Le Saint-Louis
$$-$$$
97 rue St-Louis
☎418-723-7979

Le Café-bistro Le Saint-Louis possède tous les airs et les arômes de ses cousins parisiens. Vous y trouverez une grande sélection de bières importées et de microbrasseries. Les mets du menu sont délicieux et servis dans une ambiance agréable. Spectacles de blues à l'occasion.

Le lotus
$$$
143 rue Belzile
☎418-725-0822

Si vous avez envie de manger thaïlandais, vietnamien ou cambodgien, rendez-vous au restaurant Le lotus. Les plats y sont délicieux, très exotiques et bien présentés. Chaque jour, en plus du menu à la carte, vous avez le choix entre le souper mandarin, le souper gastronomique et le souper super-gastronomique, chacun d'eux comprenant quatre ou cinq services. Réservations recommandées. Petit salon tatami privé disponible.

Pointe-au-Père

Auberge La Marée Douce
$$$
1329 rue Ste-Anne
☎418-722-0822
L'**Auberge La Marée Douce** (voir p 95) vous invite à savourer ses spécialités de fruits de mer et sa cuisine française dans une belle salle à manger d'une maison ancestrale.

Sainte-Luce

Café-bistro L'Anse-aux-Coques
$$-$$$
31 route du Fleuve O.
☎418-739-4815
www.anseauxcoques.com
Le Café-bistro L'Anse-aux-Coques, un petit restaurant agréable niché dans le décor charmant et bien connu de Sainte-Luce, sert des steaks, des sous-marins, des quiches ainsi que du poisson et des fruits de mer. Deux terrasses, dont une chauffée lors des soirées fraîches, agrémentent les lieux.

Circuit B: Entre mer et montagnes

Saint-Pascal

Le Saint-Pascal Resto-Pub
$$
535 boul. Hébert
☎418-492-5535
Dans ce petit bistro du centre-ville, on peut manger simplement mais avec goût. Une particularité: il est possible de choisir toutes les garnitures de sa pizza européenne, et même la croûte et le fromage! Donc un menu original, sans prétention et sympathique. À ne pas manquer non plus: le gâteau Sachertorte, un délice. Le service est chaleureux.

Circuit C: Le pays des forestiers

Rivière-Bleue

Trans-Continental
$-$$
62 rue St-Joseph
☎418-893-5666
Le Trans-Continental se présente comme un petit restaurant où l'on peut manger des pizzas, du poulet frit et du steak.

Cabano

Auberge du Chemin Faisant
$$-$$$$
été seulement
12 Vieux Chemin
☎418-854-9342 ou 877-954-9342
www.cheminfaisant.qc.ca
La table de l'**Auberge du Chemin Faisant** (voir p 96) est très originale et propose plusieurs thématiques selon les saisons. On peut y déguster entre autres une «truite marinée à l'érable unilatéral», une «crème brûlée de loupmarin fumé», un «shooter de prunes et foie gras» et une «croustade aux pommes et poireaux». Un beau détour!

Notre-Dame-du-Lac

Auberge Marie-Blanc
$$-$$$$
1112 rue Commerciale
☎418-899-6747
L'**Auberge Marie-Blanc** (voir p 97) vous invite à déguster ses petits déjeuners et ses dîners dans une jolie maison victorienne. Ce site historique se trouve sur un promontoire surplombant le lac, et une galerie de bois superbe fait office de terrasse. Vous pouvez vous y offrir de bons plats de cuisine régionale se composant de poissons (entre autres la corégone du lac), de fruits de mer, de cerf de Virginie, de perdrix, de canard ou de lapin.

Sorties

■ Activités culturelles

Le Bic

Le **Théâtre du Bic** *(50 route du Golf, 16 km à l'ouest du centre-ville de Rimouski,* ☎ *418-736-4141, www. theatredubic.com)* produit chaque année plusieurs pièces de grande qualité. Le paysage environnant est superbe.

Rimouski

La **Salle Desjardins-Telus** *(25 rue St-Germain O.,* ☎*418-725-4990, www.spectart.com)* propose des spectacles de tout type à longueur d'année. La salle présente une belle architecture et se trouve en plein centre-ville.

■ Bars et discothèques

Rivière-du-Loup

L'Estaminet
299 rue Lafontaine
☎418-867-4517
L'Estaminet est un resto-pub qui se transforme en bar achalandé le soir. Sympathique et chaleureux.

Rimouski

Sens Unique
160 av. de la Cathédrale
☎418-722-9400
Le Sens Unique offre une des atmosphères les plus chouettes à Rimouski avec sa musique et sa terrasse. La clientèle, très variée, se compose de gens âgés de 18 à 45 ans.

■ Fêtes et festivals

Juin

Présenté à Saint-Jean-de-Dieu, le festival **La Grande Virée** *(fin juin; St-Jean-de-Dieu,* ☎ *418-963-2576)* est une fête populaire et familiale qui propose des activités sportives et culturelles, ainsi qu'une incursion dans l'univers culturel profond du Québec, avec ses tirs de tracteurs et ses courses de 4x4.

Juillet

Le festival environnemental **Echofête** *(fin juil;*
Trois-Pistoles, ☎ *418-857-3248, www.echofete.ca)* se tient chaque année depuis 2003 à Trois-Pistoles. Il a été mis sur pied par les jeunes de la région afin de sensibiliser la population aux problématiques environnementales. Pendant cinq jours, plusieurs kiosques d'information sont présents sur place. Des activités pour toute la famille ainsi que des concerts y sont aussi proposés. Une belle ambiance festive!

Septembre

Le **Festi Jazz international de Rimouski** *(*☎*418-724-7844, www.festijazzrimouski.com)* présente plusieurs spectacles d'artistes de jazz ou de musique du monde, tant québécois qu'internationaux. Les activités se tiennent aussi bien dans les bars et les salles que dans la rue. Le Festi Jazz dure quatre jours et a toujours lieu durant la fin de semaine de la fête du Travail (première fin de semaine de septembre).

Inauguré en 1983, le **Carrousel international du film de Rimouski** *(*☎*418-722-0103, www.carrousel.qc.ca)* est un festival de cinéma pour jeunes publics. Ce festival se tient la troisième semaine de septembre et dure sept jours.

Octobre

Le **Festival de Contes et Récits de la Francophonie** *(début oct; Trois-Pistoles,* ☎ *418-857-3248, www.contes-recits.ca)* est un petit festival
de contes et de légendes présenté chaque année à Trois-Pistoles. Les spectacles ont généralement lieu à la **Forge à Bérubé** *(363 rue Vézina)*, une ancienne forge reconvertie en salle de spectacle.

Achats

■ Alimentation

Kamouraska

Boulangerie Niemand
été tlj 9h à 18h, hors saison jeu-dim 9h à 18h
82 av. Morel
☎418-492-1236
Située en face de l'église du village, une superbe résidence de style victorien datant de 1900 loge cette boulangerie biologique (viennoiseries et pains succulents, cuits sur la pierre). Ne serait-ce que pour profiter de la vue sur le fleuve qui inspire les artisans, une visite s'impose.

Poissonnerie Lauzier
tlj 9h à 18h
57 av. Morel
☎418-492-7988
Cette poissonnerie familiale propose du poisson frais, des fruits de mer, des plats cuisinés et du poisson fumé «à l'ancienne» dans leur fumoir artisanal (les anguilles et les esturgeons sont particulièrement recommandés).

■ Artisanat, brocante et souvenirs

Saint-André

Les Artisans des Aboiteaux
Auberge des Aboiteaux
280 route 132
☎418-493-2495
www.aubergedesaboiteaux.com
Cette boutique vend des objets décoratifs et utilitaires d'une grande originalité, créés par des artisans de la région. On y trouve entre autres de la céramique, des lainages et des toiles.

Le Bic

Les Antiquités du Bic
18 du Vieux Chemin (route 132)
☎418-736-8374
Chez Les Antiquités du Bic, vous verrez toutes sortes d'objets antiques, de l'amarre de bateau à la chaise berçante.

Chapelle du Mange Grenouille
148 rue Ste-Cécile
☎418-736-5656
Cette petite chapelle attenante à l'auberge du même nom (voir p 93) propose une foule d'objets d'art, de bijoux de verre et de vêtements artisanaux provenant d'un peu partout au Québec et même dans le monde.

Rimouski

La Samare
84 rue St-Germain O.
☎418-723-0242
La Samare dispose d'un vaste choix d'articles de cuir de poisson. Vous y trouverez également un grand choix de sculptures, de vases et de bibelots, tous issus de la tradition artisanale inuite.

Sainte-Luce

Boutique Le Nomade
33 route du Fleuve O.
☎418-739-3585
Le Nomade propose des bijoux et des vêtements exclusifs, en plus d'un bon nombre d'autres petits trésors. La boutique est située sur le quai en face du fleuve.

Gaspésie

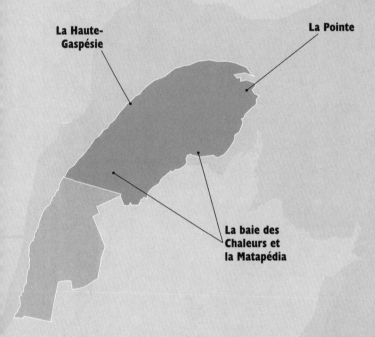

La Haute-Gaspésie

La Pointe

La baie des Chaleurs et la Matapédia

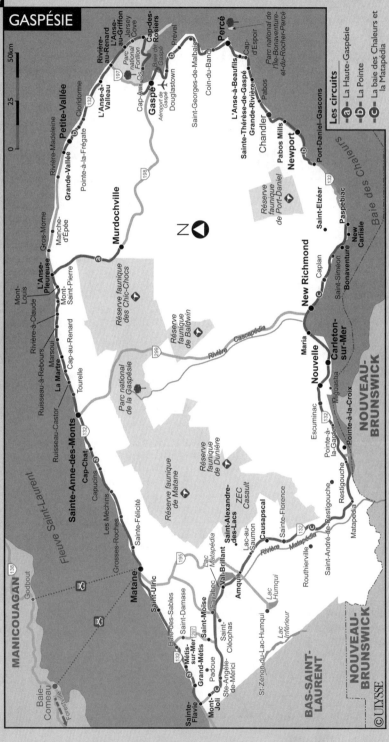

Terre mythique à l'extrémité est du Québec, la Gaspésie fait partie des rêves de ceux qui caressent, souvent longtemps à l'avance, le projet d'en faire enfin le «tour». La Gaspésie offre en effet l'un des parcours les plus intéressants du Québec, car il fait une boucle: vous n'aurez jamais à revenir sur vos pas!

Ce fameux «tour de la Gaspésie», dans le sens des aiguilles d'une montre sur la route 132, permet de traverser les splendides paysages côtiers du golfe du Saint-Laurent, là où les monts Chic-Chocs plongent abruptement dans les eaux froides du fleuve Saint-Laurent; de visiter l'extraordinaire parc national Forillon; de se rendre, bien sûr, jusqu'au fameux rocher Percé; de prendre le large pour l'île Bonaventure; enfin, de lentement revenir en longeant la tranquille baie des Chaleurs et en sillonnant l'arrière-pays par la vallée de la Matapédia.

Dans ce beau «coin» du Québec, aux paysages si pittoresques, des gens fascinants et accueillants tirent encore leur subsistance, en grande partie, des produits de la mer. La grande majorité des quelque 140 000 Gaspésiens habitent de petits villages côtiers, laissant le centre de la péninsule recouvert d'une riche forêt boréale. Le plus haut sommet du Québec méridional, le mont Jacques-Cartier, se trouve dans cette partie de la chaîne des Appalaches que l'on nomme «les monts Chic-Chocs».

Gaspé, mot d'origine amérindienne, est «le bout du monde» pour les Micmacs qui habitent ces terres depuis des millénaires. Malgré son isolement, la péninsule a su attirer au cours des siècles des pêcheurs de maintes origines, que ce soit anglaise, écossaise, acadienne ou jersiaise. On y trouve maintenant une population à forte majorité de langue française.

On se rend en Haute-Gaspésie et sur la Pointe d'abord pour ses paysages rudes et montagneux ainsi que pour le golfe du Saint-Laurent, qui vaut bien l'océan tant il est vaste. Un chapelet de villages de pêcheurs s'égrène sur la côte, laissant l'intérieur pratiquement dans le même état qu'il était au moment de la découverte du Canada par Jacques Cartier, sans villes ni routes.

De façon très surprenante, la région de la baie des Chaleurs offre des températures très agréables, bénéficiant d'un microclimat en raison de la température de l'eau de cette baie qui porte bien son nom. C'est d'ailleurs Jacques Cartier qui, lors de son passage dans la région au mois de juillet 1534, dénomma cette belle étendue d'eau la *baye de Chaleurs*».

Le sieur de Monts et Samuel de Champlain fondent les établissements de l'île Sainte-Croix (1604) et de Port-Royal (1605), peuplés de colons poitevins qui seront à l'origine du développement de l'Acadie, vaste colonie correspondant aux territoires actuels de la Nouvelle-Écosse, de l'Île-du-Prince-Édouard et du Nouveau-Brunswick. En 1755, au cours de la guerre de Sept Ans, les Britanniques traquent et capturent les Acadiens, qu'ils déportent ensuite vers de lointaines contrées. Plusieurs de ceux qui n'auront pas péri au cours du voyage tenteront de revenir sur leurs terres, malheureusement confisquées et octroyées à de nouveaux colons britanniques. Certains s'installeront alors au Québec, plus particulièrement dans la région de la baie des Chaleurs. Paradoxalement, des immigrants irlandais, écossais et anglais viendront bientôt les y rejoindre dans une paix relative, créant un damier de villages tantôt français, tantôt anglais. Par ailleurs, on évalue aujourd'hui que 65% la population de cette région est de souche acadienne.

Dans la vallée de la Matapédia, lacs, rivières à saumons, forêts et champs forment une mosaïque naturelle d'une rare beauté. C'est l'un des meilleurs endroits au Québec où pratiquer certaines activités de plein air comme la chasse et la pêche.

Gaspésie – Introduction

Les rivières Patapédia et Matapédia sont des affluents de la rivière Ristigouche. La Matapédia a creusé une profonde vallée entre les montagnes, délimitant ainsi la frontière ouest de la péninsule gaspésienne. De petites communautés isolées, où l'exploitation forestière constitue la principale activité économique, jalonnent et terminent ce parcours sinueux et poétique.

Les trois circuits proposés dans la région de la Gaspésie forment une boucle qui vous ramène à votre point de départ:

Circuit A: La Haute-Gaspésie ★ ★
Circuit B: La Pointe ★ ★ ★
Circuit C: La baie des Chaleurs et la Matapédia ★

Accès et déplacements

■ En avion

Aéroport de Mont-Joli

L'aéroport de Mont-Joli *(875 rue Jacques-Cartier,* ☎*418-775-3347)* est le principal aéroport de la région. Il dessert la ville de Rimouski, dans le Bas-Saint-Laurent, et les villes de Mont-Joli, Matane et Sainte-Anne-des-Monts en Gaspésie. **Air Canada Jazz** *(*☎*888-247-2262, www.aircanadajazz.com)* et **Pascan Aviation** *(*☎*888-313-8777, www.pascan.com)* sont les deux compagnies aériennes qui y sont représentées. Quelques départs de Montréal et de Québec à destination de Mont-Joli sont proposés par ces deux transporteurs chaque jour.

On accède à l'aéroport de Mont-Joli par la route 132; il se trouve à 25 km à l'est de Rimouski. À Sainte-Flavie, il faut prendre la route 132 en direction sud pour atteindre Mont-Joli.

Aéroport de Gaspé

L'aéroport de Gaspé *(60 rue de l'Aéroport,* ☎*418-368-8110)* propose quelques vols entre Montréal, Québec, Mont-Joli et Gaspé, sur les ailes d'**Air Canada Jazz** (voir ci-dessus).

L'aéroport est situé à 20 km au sud de Gaspé par la route 132. Suivez les indications et tournez à droite dans la rue de l'Aéroport.

Aéroport de Bonaventure

L'aéroport de Bonaventure *(193 route de la Rivière,* ☎*418-534-2101)* reçoit les vols de **Pascan Aviation** (voir ci-dessus) au départ de Montréal (aéroport de Saint-Hubert), Québec, Mont-Joli et les îles de la Madeleine (aéroport de Havre-aux-Maisons).

À partir de la route 132 à Bonaventure, on accède à l'aéroport en prenant le chemin de Grand-Pré, qui devient la route de la Rivière un peu plus loin.

■ En voiture

Le tour de la Gaspésie fait une boucle par la route 132, qui longe le fleuve Saint-Laurent, le golfe du Saint-Laurent, la baie des Chaleurs puis la rivière Matapédia.

Circuit A: La Haute-Gaspésie

Si vous partez de Montréal ou de Québec, rendez-vous jusqu'à Sainte-Flavie par l'autoroute Jean-Lesage (20) puis par la route 132, passe par Matane et Sainte-Anne-des-Monts. À L'Anse-Pleureuse, vous pourrez vous permettre un détour par l'intérieur des terres pour visiter Murdochville.

Circuit B: La Pointe

Ce circuit succède au précédent itinéraire. Il suit la route 132 de Grande-Vallée à Port-Daniel-Gascons, en passant par le parc national Forillon, Gaspé et le célèbre rocher Percé.

Circuit C: La baie des Chaleurs et la Matapédia

Ce circuit est la suite logique du précédent itinéraire; il débute à Paspébiac sur la route 132. De fait, de Pasbébiac à Mont-Joli, où le parcours se termine et où vous bouclerez la boucle, vous suivrez toujours la route 132. Vous croiserez New Carlisle, Bonaventure et Carleton-sur-Mer le long de la baie des Chaleurs, puis Matapédia, porte d'entrée de la vallée du même nom, que vous remonterez le long de la rivière Matapédia jusqu'à Causapscal, Amqui et Sayabec.

Location de voitures

Il peut être intéressant de louer un véhicule à Rimouski, dans la région du Bas-Saint-Laurent, si vous avez l'intention de faire le tour de la Gaspésie.

Hertz
210 Léonidas
Rimouski
☎418-722-6634 ou 800-263-0678
www.hertz.ca

Sinon, vous pourrez en louer un aux principaux aéroports de la Gaspésie:

Budget
Aéroport de Gaspé
☎418-368-1610
www.budget.ca

National
Aéroport de Mont-Joli
☎418-775-3502
www.nationalcar.ca

Thrifty
Aéroport de Bonaventure
☎418-534-4848
www.thrifty.com

■ En autocar

Le service d'autocar en Gaspésie est assuré par la compagnie **Orléans Express** (☎888-999-3977, *www.orleansexpress.com*).

Circuit A: La Haute-Gaspésie (gares routières)

Matane
station-service Irving
521 av. du Phare E.
☎418-562-4085

Sainte-Anne-des-Monts
station-service Pétro-Canada
90 boul. Ste-Anne
☎418-763-9176

Circuit B: La Pointe (gares routières)

Gaspé
Motel Adams
20 rue Adams
☎418-368-1888

L'Anse-à-Beaufils (Percé)
station-service Ultramar
896 route 132
☎418-782-5417

Circuit C: La baie des Chaleurs et la Matapédia (gares routières)

Bonaventure
station-service Ultramar
127 route 132
☎418-534-2777

Carleton-sur-Mer
Restaurant Le Héron
561 boul. Perron
☎418-364-7000

Amqui
station-service Shell
219 boul. St-Benoît E.
☎418-629-6767

Mont-Joli
station-service Pétro-Canada
1511 Gaboury
☎418-775-6060

■ En train

Il n'y a pas de service ferroviaire dans la Haute-Gaspésie (circuit A). Le train de **VIA Rail** (☎888-842-7245, *www.viarail.ca*) qui dessert la Gaspésie au départ de Montréal et de Québec, dénommé *Le Chaleur*, passe

Gaspésie - Accès et déplacements

par Mont-Joli et se rend jusqu'à Gaspé par la vallée de la Matapédia puis le long de la baie des Chaleurs.

Circuit B: La Pointe (gares ferroviaires)

Gaspé
8 boul. Marina
☎418-368-4313

Barachois
1198 rue du Moulin (par la route 132)
☎418-645-3777

Percé
44 rue L'Anse-à-Beaufils
☎418-782-2747

Grande-Rivière
rue du Parc
☎418-385-3535

Chandler
1 rue de la Plage
☎418-689-6919

Circuit C: La baie des Chaleurs et la Matapédia (gares ferroviaires)

Bonaventure
rue de la Gare, près de l'avenue Grand-Pré
☎418-534-3517

Carleton-sur-Mer
rue de la Gare
☎418-364-7734

Matapédia
10 rue MacDonnell
☎418-865-2327

Causapscal
142 rue St-Jacques S.
☎888-842-7245

Amqui
209 boul. St-Benoît O.
☎418-629-4242

Mont-Joli
48 rue de la Gare
☎418-775-7853 ou 888-842-7245

■ En traversier

Circuit A: La Haute-Gaspésie

Baie-Comeau–Matane
adultes 13,45$, voitures 39,45$, motos 23,65$
toute l'année
durée: environ 2h30
☎418-562-2500 ou 877-562-6560
www.traversiers.gouv.qc.ca
Le traversier quitte Baie-Comeau, sur la rive nord du fleuve Saint-Laurent, en direction de Matane. L'horaire des traversiers varie d'une année à l'autre; renseignez-vous avant de planifier un voyage. Réservez à l'avance en saison estivale.

Godbout–Matane
adultes 13,45$, voitures 39,45$, motos 23,65$
toute l'année
durée: environ 2h10
☎418-562-2500 ou 877-562-6560
www.traversiers.gouv.qc.ca
Le traversier part de Godbout, sur la rive nord du fleuve Saint-Laurent, en direction de Matane. Réservez à l'avance en saison estivale.

■ En bateau

Circuit C: La baie des Chaleurs et la Matapédia

CTMA Vacancier
☎418-986-3278 ou 888-986-3278
www.ctma.ca
CTMA Vacancier propose une croisière thématique hebdomadaire au départ de Montréal. Les tarifs varient selon le forfait choisi (type de cabine, avec ou sans salle de bain, etc.). La croisière fait une escale à Québec et à Chandler avant de poursuivre sa route jusqu'aux Îles de la Madeleine.

■ En covoiturage

La coopérative de covoiturage **Amigo Express** (☎*877-264-4697, www.amigoexpress. com*) propose à l'occasion quelques départs vers la Gaspésie. Consultez leur site Internet pour plus de détails sur les coûts et les départs éventuels.

Renseignements utiles

■ Médias

Les hebdos de la Gaspésie: *L'Avant-poste* (Amqui), *La Voix gaspésienne* (Matane), *La Voix du dimanche* (Matane), *Le Riverain* (Sainte-Anne-des-Monts), *Le Pharillon* (Gaspé), Le Havre (Chandler), *L'Écho de la Baie* (New Richmond).

Mensuel communautaire, *Graffici*, édité à New Richmond, traite de l'actualité culturelle en Gaspésie.

Le magazine *Gaspésie*, fondé en 1963, est publié trois fois l'an par le Musée de la Gaspésie. Par sa mission, le magazine vise la diffusion des connaissances relatives à l'histoire, au patrimoine culturel et à l'identité des Gaspésiennes et des Gaspésiens à travers une perspective évolutive.

La radio communautaire de la Baie-des-Chaleurs: CIEU-FM 94,1 ou 106,1, Carleton-sur-Mer.

Radio Gaspésie: Gaspé (CJRG 94,5 FM – radio communautaire), L'Anse-à-Valleau (CJRV 95,3 FM), Murdochville (CJRG-FM-1 104,7 FM), Rivière-au-Renard (CJRE 97,9 FM).

Radio CHNC 610 ou 1150, New Carlisle.

■ Renseignements touristiques

Bureau régional

Association touristique régionale de la Gaspésie
357 route de la Mer
Sainte-Flavie, QC, G0J 2L0
☎418-775-2223 ou 800-463-0323
🖷418-775-2234
www.tourisme-gaspesie.com

Plusieurs municipalités ont leur propre bureau de renseignements touristiques, pour la plupart ouverts entre la mi-juin et le début de septembre. Ils sont pour la plupart situés directement sur la route 132, ou sont à tout le moins très bien indiqués. Voici les plus importants.

Circuit A: La Haute-Gaspésie

Sainte-Flavie
Voir ci-dessus.

Matane
968 av. du Phare O.
☎418-562-1065
www.ville.matane.qc.ca

Sainte-Anne-des-Monts
96 boul. Sainte-Anne O. (route 132)
☎418-763-7633
www.villesainte-anne-des-monts.qc.ca

Murdochville
635 5e Rue
☎418-784-2536
www.murdochville.com

Circuit B: La Pointe

Gaspé
27 boul. York E.
☎418-368-6335
www.tourismegaspe.org

Percé
142 route 132 O.
☎418-782-5448
www.perce.info

Circuit C: La baie des Chaleurs et la Matapédia

Bonaventure
av. Port-Royal, derrière le Musée acadien du Québec (voir p 138)
☎418-534-4014
www.bonaventuregaspesie.com

Carleton-sur-Mer
629 boul. Perron
☎418-364-3544
www.carletonsurmer.com/tourisme

Pointe-à-la-Croix
1830 rue Principale
☎418-788-5670
www.pointe-a-la-croix.com

Causapscal
5 rue St-Jacques S. (route 132)
☎418-756-6048
www.causapscal.net

Amqui
606 route 132 O.
☎418-629-5715
www.matapedia.net/amqui

■ Santé

Circuit A: La Haute-Gaspésie

Centre hospitalier de Matane
333 rue Thibault
Matane
☎418-562-3135

Hôpital des Monts
50 rue Belvédère
Sainte-Anne-des-Monts
☎418-763-2261

Circuit B: La Pointe

CLSC Mer et Montagnes
71 boul. St-François-Xavier Est (route 132)
Grande-Vallée
☎418-393-2001

Hôtel-Dieu de Gaspé
215 boul. York O.
Gaspé
☎418-368-3301

Centre hospitalier de Chandler
451 rue Mgr-Ross E.
Chandler
☎418-689-2261

*Circuit C: La baie des Chaleurs
et la Matapédia*

Centre hospitalier Baie-des-Chaleurs
419 boul. Perron
Maria
☎418-759-1336

Centre hospitalier d'Amqui
135 rue de l'Hôpital
Amqui
☎418-629-2211

Attraits touristiques

Circuit A:
La Haute-Gaspésie
★ ★

⏱ *Deux à trois jours*

▲ *p 144* 🍴 *p 156* ✈ *p 160* 🛏 *p 162*

Avant même la découverte de l'Amérique, les Européens venaient pêcher dans les eaux du golfe du Saint-Laurent. Il ne reste plus de traces aujourd'hui des campements qu'ils ont établis sur la côte, mais on se prend à imaginer leurs réactions devant ce continent inconnu et leurs rencontres inévitables avec les Autochtones. Le circuit de la Haute-Gaspésie longe des falaises abruptes avant d'atteindre certaines zones plus clémentes de la Pointe, là même où Jacques Cartier a pris possession du Canada au nom du roi de France.

Ici la nature est sauvage et profonde à l'intérieur des terres. Le parc national de la Gaspésie est une bonne illustration de cette nature infinie souvent rêvée par ceux qui caressent le désir de venir découvrir les étendues boréales du Québec.

Sainte-Flavie

Surnommé «la porte d'entrée de la Gaspésie», le village de Sainte-Flavie a été fondé en 1829. Il doit son appellation à la seigneuresse Angélique-Flavie Drapeau, fille du seigneur Joseph Drapeau. On y trouve des boutiques d'artisanat et plusieurs lieux d'hébergement avec vue sur l'estuaire du Saint-Laurent. Malheureusement, certains de ces motels et hôtels déparent le paysage, car leur architecture est totalement étrangère au caractère des lieux. S'y trouve aussi le principal bureau d'accueil touristique de la Gaspésie *(357 route de la Mer)*, où vous pourrez vous procurer une petite carte thématique qui permet de parcourir la **Route des Arts** et ainsi découvrir les artistes et artisans de la localité dans leurs ateliers respectifs.

Le **Centre d'Art Marcel Gagnon** ★ *(entrée libre; mai à mi-oct tlj 8h à 17h, hors saison 8h à 21h; 564 route de la Mer, ☎418-775-2829, www. centredart.net)* comprend à la fois une boutique d'artisanat, un centre d'exposition, un restaurant et une auberge. À l'arrière, une œuvre de Marcel Gagnon intitulée *Le grand rassemblement*, composée de 80 personnages de béton émergeant du fleuve Saint-Laurent, surprend le visiteur. Les jours de brume, le lieu devient complètement surréel… Une belle occasion de prendre des photos mémorables.

Grand-Métis ★

Grand-Métis bénéficie d'un microclimat qui attirait autrefois les estivants fortunés. L'horticultrice Elsie Reford a ainsi pu y créer un jardin à l'anglaise où poussent plusieurs espèces d'arbres et de fleurs, introuvables ailleurs à cette latitude en Amérique, et qui constitue de nos jours le principal attrait de la région. Les Malécites ont baptisé l'endroit *Mitis*, qui signifie «petit peuplier», appellation qui s'est transformée en «Métis» avec les années.

Les **Jardins de Métis** ★ ★ ★ *(16$; ♿; début juil à fin août tlj 8h30 à 18h30, juin, sept et oct tlj 8h30 à 17h; 200 route 132, ☎418-775-2222, www.jardinsmetis.com)* font partie des plus beaux jardins du Québec, et leur nom a fait le tour du monde. Il s'agit aussi d'un lieu historique national. En 1927, Elsie Stephen Meighen Reford hérite du domaine de son oncle, Lord Mount Stephen, qui avait fait fortune en investissant dans le chemin de fer transcontinental du Canadien Pacifique. Elle entreprend de créer un jardin à l'anglaise sur son domaine, qu'elle entretiendra et augmentera jusqu'à sa mort, en 1954. Sept ans plus tard, le gouvernement du Québec se porte acquéreur du domaine

et l'aménage pour l'ouvrir au public. Les Jardins de Métis ont été rachetés par le petit-fils de la fondatrice, Alexander Reford, qui leur a inculqué une énergie nouvelle grâce à des réalisations remarquables telles que le **Festival international de jardins** (voir p 161).

Les jardins sont divisés en plusieurs ensembles ornementaux distincts. On peut voir aussi les réalisations du festival annuel et des œuvres d'art contemporaines. N'oubliez pas votre insectifuge car les moustiques sont plutôt voraces ici!

La **Villa historique Reford** ★ ★ *(mi-juin à mi-oct tlj 9h à 17h; à l'intérieur des Jardins de Métis, ☎418-775-3165, www.jardinsmetis. com)* est une villa de 37 pièces qui se dresse au milieu des Jardins de Métis. On y fait revivre la vie des Métissiens du début du XXᵉ siècle. On peut visiter, à travers différentes salles, la chambre des serviteurs, la chapelle, le magasin général, l'école et le cabinet du médecin. On peut aussi s'y restaurer au **Café-jardin** (voir p 156) ou faire des achats à la boutique d'artisanat.

Poursuivez en direction de Matane. Un arrêt à Métis-sur-Mer permet de se rapprocher de l'eau en quittant momentanément la route 132 Est.

Métis-sur-Mer ★

Ce centre de villégiature était, au tournant du XXᵉ siècle, le lieu de prédilection des professeurs de l'université McGill de Montréal qui louaient d'élégants cottages en bord de mer pour la durée des vacances estivales. Des familles anglo-saxonnes plus fortunées s'y sont également fait construire de vastes résidences apparentées aux styles de la Nouvelle-Angleterre. Elles ont été attirées par la beauté du paysage, mais aussi par la présence d'une petite communauté écossaise établie dans les environs, dès 1820, par le seigneur de Métis, John McNider. Par sa cohésion et la qualité de son architecture de bois, cette municipalité, aussi connue sous le nom de «Metis Beach», se démarque des villages environnants.

La plupart des Écossais sont membres de l'Église presbytérienne, église officielle d'Écosse, bien que plusieurs communautés se soient regroupées avec les méthodistes, au début du XXᵉ siècle, pour former l'Église unie; c'est le cas de celle de Métis-sur-Mer. Leur **chapelle presbytérienne** *(à l'entrée du village)*, érigée en 1874, rappelle par la forme de ses ouvertures et de son clocher l'architecture des églises catholiques de colonisation.

Vous traverserez ensuite Les Boules, puis les charmants villages de Baie-des-Sables et de Saint-Ulric avant d'arriver à Matane.

Saint-Ulric

Ce village est également connu sous l'appellation de «Rivière-Blanche», du nom de la rivière locale qui se jette dans le fleuve Saint-Laurent. Il est dominé par son imposante église, construite en 1912. Toute la région qui, à partir de Saint-Ulric, s'étend vers l'est sur une distance de 200 km, jusqu'à Rivière-au-Renard, à l'entrée du parc national Forillon, fut peuplée tardivement dans la seconde moitié du XIXᵉ siècle.

Matane (15 000 hab.)

Le principal attrait de Matane, mot d'origine micmaque qui signifie «vivier de castors», est sa gastronomie, fondée sur le saumon et les fameuses crevettes de Matane. La ville est le centre administratif de la région et son principal moteur économique grâce à la présence d'une industrie diversifiée, axée à la fois sur la pêche, l'exploitation forestière, les cimenteries et le transport maritime. Les sous-marins allemands se rendirent jusqu'aux abords du quai de Matane pendant la Seconde Guerre mondiale.

L'**ancien phare** *(968 av. du Phare O.)*. Ce phare de 1911 accueille les visiteurs à l'entrée de la ville. La maison du gardien abrite le bureau de tourisme ainsi qu'un mini-musée sur l'histoire locale.

La rivière Matane traverse la ville en son centre. On y a aménagé le **barrage Mathieu-D'Amours** ★ *(à proximité du parc des Îles)*, doublé d'une **passe migratoire** pour le saumon qui remonte la rivière afin d'aller frayer en amont. Un poste d'observation, situé sous le niveau de l'eau, permet d'observer le spectacle fascinant des saumons qui luttent avec acharnement contre le courant. Le **parc des Îles** avoisine le barrage. On y trouve une plage et une aire de pique-nique.

L'**église Saint-Jérôme** ★ *(527 av. St-Jérôme)*. Les architectes Paul Rousseau et Philippe Côté réalisèrent ici l'un des monuments précurseurs du modernisme dans l'art religieux du Québec en réutilisant les murs de l'ancienne église de Matane, incendiée en 1932. Comme on ne pouvait faire porter la nouvelle structure sur les ruines trop fragiles du temple détruit, de grands arcs paraboliques en béton furent construits pour supporter la totalité du poids de la toiture.

Le **Centre canadien de valorisation du diamant** ★ *(5$; lun-jeu 10h à 14h; 159 rue St-Pierre, 2ᵉ étage, ☎866-562-7707, www.ccvd. org)* fait la promotion de la filière diamantaire canadienne, en plus de présenter l'exposition *De la mine au bijou*. Par l'intermédiaire d'une visite commentée de 1h30, vous découvrirez les différentes facettes de cette industrie, des premiers stades de l'extraction dans le Grand Nord canadien à la taille et la mise en valeur du minerai sur un bijou. Une belle réussite!

Une excursion facultative à l'intérieur des terres permet de se rendre jusqu'à la **réserve faunique de Matane** *(3,50$; 257 rue St-Jérôme, ☎418-562-3700 ou 800-665-6527, www.sepaq.com)*, un ensemble de montagnes et de collines boisées s'étendant sur 1 284 km², parcourue de rivières et de lacs prisés pour la pêche au saumon. L'**Auberge de montagne des Chic-Chocs** (voir p 147) se trouve au cœur de la réserve, ce qui permet aux heureux visiteurs de s'adonner au ski de haute route, à la raquette, à la randonnée pédestre, au vélo de montagne, à la pêche ou à l'observation de la faune.

Reprenez la route 132 Est en direction de Cap-Chat et de Sainte-Anne-des-Monts. Vous longerez alors de coquets hameaux de pêcheurs aux noms évocateurs: Sainte-Félicité, L'Anse-à-la-Croix, Grosses-Roches et Les Méchins.

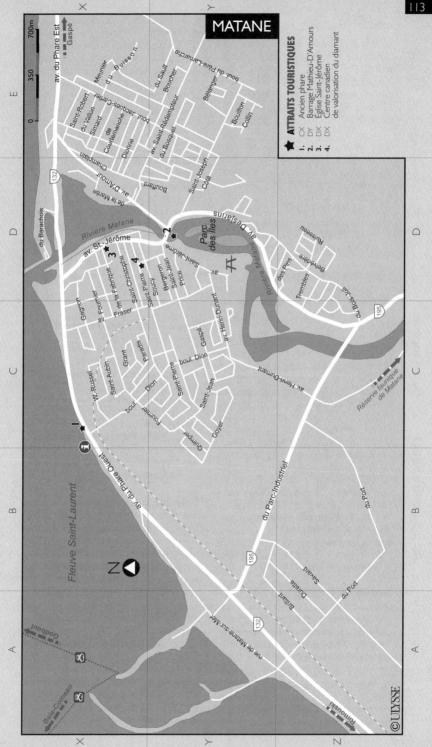

MATANE

ATTRAITS TOURISTIQUES

1. CX Ancien phare
2. DY Barrage Mathieu-D'Amours
3. DX Église Saint-Jérôme
4. DX Centre canadien de valorisation du diamant

©ULYSSE

Cap-Chat

La **baie des Capucins** est reconnue pour abriter une flore et une faune (particulièrement des oiseaux) très riches et typiques des marais salés. Il s'agit en effet du seul marais d'eau salée des environs. La promenade qui suit le tracé de la baie est vraiment des plus agréables.

Selon les uns, le nom de «Cap-Chat» serait attribuable à Champlain, qui a baptisé les environs *Cap de Chatte*, en l'honneur du commandeur de Chatte, lieutenant général du roi, alors que d'autres affirment que c'est plutôt la forme d'un rocher rappelant étrangement un chat accroupi, situé à proximité du phare, qui en serait à l'origine.

L'**église Saint-Norbert**, érigée en 1916, est le seul monument d'importance au centre de la ville. De facture néoromane, elle est une des rares églises en maçonnerie à l'est de Matane.

L'énergie électrique peut être obtenue de différentes façons. L'une des plus originales et dont la popularité va croissant est sans contredit l'énergie éolienne. Cap-Chat, de par sa situation géographique idéale, sert de site, depuis plusieurs années, à diverses installations d'éoliennes. Vous ne pourrez d'ailleurs pas manquer, depuis la route, ce spectacle un peu surnaturel! Le centre d'interprétation, de recherche et de développement de l'énergie éolienne **Éole Cap-Chat** ★ *(12$; fin juin à oct tlj 8h30 à 17h; route 132, ☎418-786-5719, www.eolecapchat.com)* abrite une éolienne de 110 m de haut, **Éole**, la plus puissante et la plus grande éolienne à axe vertical du monde, ainsi que le **Nordais**, un des plus importants parcs d'éoliennes de l'Est canadien. La magnifique et plutôt grande Éole est bloquée sur son axe depuis 1993 à la suite d'un problème technique. Toutefois, un projet récent mis sur pied par des industriels de Montréal vise, à court terme, à remettre Grande Éole dans le vent!

La visite permet de connaître tous les aspects de la production d'électricité par ce procédé en pleine croissance de popularité à travers le monde. Aussi, dans une optique de développement durable et d'énergies renouvelables, l'éolien fait figure de ressource-vedette, ce qui explique la grande part d'informations concernant les changements climatiques et le protocole de Kyoto données lors de la visite, ainsi que l'apport de cette technique de production écologique d'électricité à la lutte au réchauffement global.

Plus concrètement, on visite le site extérieur et la salle de l'alternateur, où les explications du guide font prendre tout leur sens à certaines machines dont l'utilité semble pour le moins obscure de prime abord, du moins pour un non-initié. La visite s'avère très instructive pour les curieux avides de comprendre certains aspects de la vie matérielle dans leurs détails techniques, comme la provenance de ce courant qui illumine une pièce ou fait bouillir l'eau!

Sainte-Anne-des-Monts ★

La municipalité de Sainte-Anne-des-Monts possède quelques bâtiments intéressants, notamment l'**église Sainte-Anne** et l'ancien palais de justice de 1885. On y trouve également de belles demeures de capitaines et d'industriels. Sainte-Anne-des-Monts constitue le point de départ des excursions en forêt dans le parc national de la Gaspésie, dans la réserve faunique des Chic-Chocs et dans le secteur de la rivière Sainte-Anne.

Exploramer, la mer à découvrir ★ *(12$; juin à oct tlj 9h à 17h; 1 rue du Quai, ☎418-763-2500, www.exploramer.qc.ca)* vous propose de découvrir, grâce à quatre expositions, le monde marin du Saint-Laurent. On y organise aussi des excursions écotouristiques en mer. Boutique sur place.

Une excursion qui vaut le détour conduit au cœur de la péninsule gaspésienne. Empruntez la route 299, qui mène à l'entrée du **parc national de la Gaspésie** ★★★ *(3,50$; 1981 route du Parc, ☎418-763-7494 ou 800-665-6527, www.sepaq.com)*. Couvrant 800 km² et abritant une partie des célèbres monts Chic-Chocs, il fut créé en 1937 afin de sensibiliser les gens à la sauvegarde du territoire naturel gas-

Parc national de la Gaspésie

© Sépaq

Vers Mont-Saint-Pierre

Mont des Pics

Mont Jacques-Cartier

Camping du Mont-Jacques-Cartier

La Grive

S.I.A.

La Camarine

Le Tétras

Mont Xalibu

Éole

Mont Joseph-Fortin

Mont Richardson

Mines Madeleine

Le Pergélisol

Lac Bernières

Mont Ernest-Laforce

La Falaise

Le Brûlé

Ruisseau du Castor

Le Roselin

Mont Albert

Camping du Mont-Albert

Mont Olivine

Gîte du Mont-Albert

Centre de découverte et de services

Mont Albert

La Serpentine

Le Versant

Lac du Diable

299

Camping de la Rivière

La Saille

Les Rabougris

Vers New Richmond

La Grande Fosse

La Fougère

La Palurde

Le Pluvier

Le Nénuphar

L'Oasis

Le Petit Saut

La Boussole

Lac Cascapédia

Camping du Lac-Cascapédia

L'Éboulis

Pic du Brûlé

Le Saule

La Mésange

Lac Cascapédia

Ruisseau Isabelle

Vers Sainte-Anne-des-Monts

Cap-Seize

299

Le Huard

Le Kalmia

Le Carouge

Le Guet

La Chouette

La Crossée

La Nyctale

Mont-Logan

S.I.A.

Mont Lyall Mine d'agathes

1000

62 km

Légende

2	Centre de découverte et de services	**S.I.A**	Sentier international des Appalaches
3	Poste de perception/Borne de perception	**2**	Canot-camping
P	Stationnement	**2**	Abri
A	Camping aménagé	**H**	Navette
A	Camping rustique	**V**	Point de vue
C	Chalet	**I**	Site d'observation
C	Refuge	**T**	Tour d'observation

	Route régionale
	Route secondaire
	Route tertiaire
- - - -	Longue randonnée pédestre
- - - -	Courte randonnée pédestre

0   2,5   5   10   15 Km

N
O   E
S

pésien. Le parc est constitué de zones de préservation réservées à la protection des éléments naturels de la région et de la zone d'ambiance, formée d'un réseau de routes, de sentiers ainsi que de lieux d'hébergement.

Le parc est situé dans la partie septentrionale de la longue chaîne de montagnes des Appalaches. Celle-ci s'étend sans interruption sur des milliers de kilomètres entre l'Alabama et l'île de Terre-Neuve, ce qui en fait la plus importante chaîne de montagnes de l'est de l'Amérique du Nord. À l'échelle du Québec, les montagnes de la Gaspésie représentent les sommets les plus élevés, après les lointains et peu accessibles monts Torngat, près de la baie d'Ungava et à la frontière avec le Labrador.

Le secteur couvert par le parc fait partie de la portion des Appalaches connue sous l'appellation des monts Notre-Dame. Quant au parc lui-même, il compte deux importants massifs emblématiques: les monts Chic-Chocs et les monts McGerrigle.

Avec 25 sommets de plus de 1 000 m, dont plusieurs à une vingtaine de kilomètres à peine du fleuve Saint-Laurent, on ne peut qu'être d'accord avec les Micmacs, à qui l'on doit le nom du massif des Chic-Chocs. En effet, le mot micmac *sigsôg* signifie «parois infranchissables». Ce ne sont pas les montagnes Rocheuses de l'Ouest canadien, mais on se retrouve ici devant de véritables géants de roc.

Les sentiers du parc traversent trois paysages étagés en se rendant jusqu'aux sommets des quatre plus hauts monts de l'endroit, le **mont Jacques-Cartier** (qui culmine à 1 268 m, ce qui en fait le deuxième plus haut sommet du Québec), le **mont Richardson**, le **mont Xalibu** et le **mont Albert**. C'est le seul endroit au Québec où se trouvent à la fois des cerfs de Virginie (dans la riche végétation de la première strate), des orignaux (dans la forêt boréale) et des caribous (dans la toundra, sur les sommets). Les amateurs de randonnée doivent s'enregistrer avant le départ.

Au centre du parc se trouve le **Gîte du Mont-Albert** (voir p 147). Il n'a de gîte que le nom, puisqu'il s'agit en fait d'une auberge très confortable réputée pour sa table, son architecture de bois délicate et ses panoramas saisissants.

En 1950, le Gîte du Mont-Albert ouvre ses portes et devient rapidement un incontournable du paysage touristique québécois. Les années 1984 et 1985 voient l'érection du Centre d'interprétation et l'aménagement des campings. Puis, en 1993, le Gîte du Mont-Albert entreprend de grands travaux qui verront l'ajout d'un nouveau bâtiment d'hébergement de 48 chambres. La salle à manger d'origine demeure en place, et la réputation culinaire, toujours au cœur de la démarche des chefs cuisiniers qui se succèdent aux fourneaux, demeure intacte.

Le centre d'interprétation du parc a récemment été agrandi pour devenir le **Centre de découverte et de services**, plus fonctionnel. Situé à proximité du Gîte du Mont-Albert, il présente une exposition permanente qui introduit les visiteurs au territoire du parc et au patrimoine naturel et historique: *Une mer de montagnes au cœur de la Gaspésie*. On y trouve également nombre de services, y compris la location d'équipement de plein air comme des raquettes, des skis de fond et des vélos de montagne.

De retour sur la route 132, vous traverserez les villages de Tourelle, de Ruisseau-Castor et de Cap-au-Renard avant d'arriver à La Martre.

La Martre

Village de pêcheurs typique, avec son église en bois (1914) et son phare (1906), La Martre est situé à la limite de la plaine littorale. Au **Musée des phares ★** *(début juin à fin sept tlj 9h à 17h; 10 av. du Phare,* ☎*418-288-5698)*, on présente, dans l'ancien phare rouge de forme octogonale et dans la maison du gardien, tout aussi éclatante, une intéressante exposition sur l'histoire des phares de la Gaspésie et sur leur fonctionnement.

La route de La Martre à L'Anse-Pleureuse ★★★

Au-delà de La Martre, la côte devient beaucoup plus accidentée et abrupte. La route doit donc épouser le découpage en profondeur des baies et les avancées des caps aux escarpements dénudés. Vous aurez droit alors à un magnifique spectacle qui dévoile la Gaspésie dans toute sa splendeur, culminant avec les falaises du parc national Forillon. À plusieurs endroits, la route longe directement la mer, dont les vagues viennent lécher l'asphalte par «gros temps». Il est suggéré d'emprunter pendant quelques kilomètres certaines des rares routes qui conduisent à l'intérieur des terres, à partir des villages, afin d'apprécier pleinement la rudesse des paysages et la force des rivières, notamment les routes de gravier qui longent la rivière à Claude et la rivière Mont-Saint-Pierre.

Vous traverserez ensuite Marsoui, Ruisseau-à-Rebours, Rivière-à-Claude et Mont-Saint-Pierre, où se trouvent des rampes de lancement de vol libre (voir p 120), et enfin un village au nom que l'on croirait tiré d'un roman peuplé de fantômes, L'Anse-Pleureuse.

L'Anse-Pleureuse

Plusieurs légendes sont à l'origine de l'appellation de ce petit village. L'une d'elles raconte que, par nuit de tempête, on entend de longues plaintes portées par le vent. Évidemment, les sceptiques vous diront plutôt qu'il s'agit du bruit que font deux arbres en se frottant l'un contre l'autre, ou autre explication rationnelle du genre.

Une excursion facultative, par la route 198, conduit à Murdochville, ancienne capitale québécoise du cuivre. Il s'agit de l'unique agglomération d'importance à l'intérieur de la péninsule gaspésienne.

Murdochville

Murdochville fut créée en pleine forêt, à 40 km de toute civilisation. Sa fondation ne remonte qu'à 1951, alors que la

Gaspésie Mines décide d'exploiter les importants gisements de cuivre de cette région isolée. L'agglomération a été aménagée par l'entreprise selon un plan plus ou moins précis. En 1957, les mineurs de Murdochville ont mené une grève difficile pour la reconnaissance de leur droit à se pourvoir d'un syndicat, écrivant ainsi l'une des pages importantes de l'histoire du syndicalisme québécois.

Malheureusement, en 2002 c'est une triste page de la ville qui s'est écrite: la mine a fermé ses portes. Après 50 années de travail dans les entrailles de la terre, les mineurs ont été remerciés, et l'exploitation du minerai de cuivre a cessé.

Cependant, on peut encore visiter le **Centre d'interprétation du cuivre ★★** *(14$; juin à mi-sept tlj 9h à 17h; 345 route 198, ☎418-784-3335 ou 800-487-8601, www. cicuivre.com)* pour en apprendre plus sur la vie des mineurs et sur l'histoire et les méthodes de l'extraction du cuivre. Les visites guidées du site de l'ancienne mine, agrémentées de plusieurs explications, ainsi que la visite de l'exposition, demeurent des expériences très enrichissantes.

*Revenez sur vos pas en direction de L'Anse-Pleureuse. Prenez à droite la route 132 Est pour atteindre d'autres hameaux aux noms savoureux tels que Gros-Morne, Manche-d'Épée, Pointe-à-la-Frégate et L'Échouerie. Le circuit prend fin ici, mais vous pouvez continuer par la route 132 en direction du parc Forillon et de Gaspé pour entreprendre le **Circuit B: La Pointe**.*

🐾 Activités de plein air

■ Canot et kayak

À Mont-Saint-Pierre, **Carrefour Aventure** *(10$/h; 106 rue Cloutier, Mont-St-Pierre, ☎418-797-5033)* fait la location de kayaks de mer (accessoires inclus).

Valmont Plein Air *(30$; 10 rue Notre-Dame E., Cap-Chat, ☎418-786-1355, www. valmontpleinair.com)* propose une belle activité d'initiation au kayak de rivière: la descente de la rivière Cap-Chat. Deux parcours sont offerts: un de seulement 5 km et un autre de 17 km.

Eskamer Aventure *(35$; route 132, Ruisseau-Castor, 14 km à l'est de Ste-Anne-des-Monts, ☎418-763-2999 ou 866-963-2999, www. eskamer.ca)* organise des sorties en kayak de mer pour aller observer les baleines. Eskamer loge au même endroit que l'**Auberge Festive Sea Shack** (voir p 147).

■ Observation de l'orignal

Valmont Plein Air *(100$/pers.; 10 rue Notre-Dame E., Cap-Chat, ☎418-786-1355, www. valmontpleinair.com)* propose une activité très originale: l'observation de ce grand mammifère qu'est l'orignal. D'une durée de 6h, cette sortie en forêt accompagnée d'un guide chevronné vous assure à près de 100% d'apercevoir au moins un de ces cervidés, le plus grand au monde. Réservations requises.

■ Observation des oiseaux

Dans les **Jardins de Métis**, à Grand-Métis, on remarque la présence de nombreux oiseaux dans les clairières, sur les pelouses, dans les jardins, dans la zone boisée et près du fleuve.

La **baie des Capucins**, à Cap-Chat, est un marais d'eau salée qui abrite une faune ailée nombreuse que l'on peut observer en déambulant le long du sentier qui la borde.

Le **parc national de la Gaspésie** *(3,50$; 1981 route du Parc, Ste-Anne-des-Monts, ☎418-763-7494 ou 880-665-6527, www.sepaq.com)* compte plus de 150 espèces d'oiseaux nichant sous différents climats. Vous pourrez facilement les observer en arpentant les sentiers du parc.

■ Parcours d'aventure en forêt

À Cap-Chat, **D'Arbre en Arbre** *(26$; 11 route du Phare, Cap-Chat, ☎418-786-2112, www. arbreenarbre.com)* propose plusieurs parcours d'aventure en forêt. Un des circuits consiste en plusieurs tyroliennes, dont une qui passe presque au-dessus du fleuve! Un petit labyrinthe est aussi proposé pour les plus jeunes et les familles.

■ Randonnée pédestre

Le **parc national de la Gaspésie** *(3,50$; 1981 route du Parc, Ste-Anne-des-Monts, ☎418-763-7494 ou 800-665-6527, www.sepaq.com)* propose un superbe réseau de sentiers aux randonneurs. Vous pourrez, dans une même randonnée, admirer quatre types de végétation: une forêt boréale, une forêt d'où sont absents les feuillus, une forêt subalpine constituée d'arbres miniatures et enfin, sur les sommets, la toundra. La plupart des sentiers débutent au Centre de découverte et de services du parc. Nous recommandons particulièrement les randonnées suivantes.

La chute Sainte-Anne: bonne introduction au parc, particulièrement si l'on dispose de peu de temps, ce sentier est le plus court, avec à peine 1,6 km à franchir en une demi-heure environ. Tout près de la route 299, ce sentier facile longe la rivière Sainte-Anne. D'ailleurs, un point de vue sur la chute Sainte-Anne donne un plan rapproché des escarpements du mont Albert. Il constitue l'attrait principal de la sortie. La chute Sainte-Anne tombe d'une hauteur de 10 m. Son débit est impressionnant lors de la fonte des neiges au mois de juin, mais il peut augmenter soudainement après une grosse averse en plein été.

La chute du Diable: ce parcours nécessite un effort plus soutenu, avec ses 7 km de niveau intermédiaire pour environ 3h de trajet et 200 m de dénivelé. En ce qui concerne la chute elle-même, on ne s'en approche pas complètement et on ne peut distinguer que sa partie supérieure. Cette chute est en fait une section du ruisseau du Diable, lui-même une voie d'écoulement naturelle du versant est du mont Albert et un affluent de la rivière Sainte-Anne.

Le mont Albert: pour atteindre le sommet du mont Albert (sommet Albert Nord) et ses 1 070 m d'altitude (ne pas confondre avec le sommet Albert Sud: 1 154 m, vers lequel aucun sentier ne mène), le marcheur doit emprunter un sentier aller-

Les avalanches

La neige abondante, les parois à forte inclinaison et les vents violents qui compactent la neige sont autant d'éléments propices à la formation d'avalanches. Mais l'élément déclencheur est parfois lié à la pratique d'un sport de plein air hivernal. Un passage au mauvais moment et au mauvais endroit d'un raquetteur, d'un skieur ou d'un planchiste suffit parfois à faire décrocher une plaque de neige déclenchant l'avalanche.

Le **Centre d'avalanche de la Haute-Gaspésie** *(www.centreavalanche.qc.ca)*, à Sainte-Anne-des-Monts, s'active depuis 1999 à sensibiliser et à prévenir les accidents de ce type, auxquels on doit une trentaine de décès depuis 1970 au Québec. La Gaspésie compte pour 40% des accidents répertoriés, incluant deux accidents mortels en 2000. Avant de partir à l'aventure, il est nécessaire de se renseigner sur les risques d'avalanche en vigueur le jour de sa visite du parc national de la Gaspésie.

retour de 11,4 km. Ce parcours s'effectue en 5h et passe par le belvédère La Saillie. Les 870 m de dénivelé font en sorte que ce sentier est classé «difficile».

L'abri des Rabougris est votre porte d'entrée sur l'immense plateau du sommet de 13 km². Sur ce grand plateau, il n'est pas rare d'apercevoir quelques caribous broutant la végétation arctique-alpine. N'oubliez pas vos jumelles! Un peu plus loin, le belvédère du Versant offre une vue impressionnante sur la vallée du Diable. Il représente le point d'où vous devrez rebrousser chemin si vous ne faites que l'ascension du mont Albert et non le tour de la montagne.

Le tour du mont Albert: pour contempler le mont Albert dans toute sa splendeur, il faut prendre la journée entière (de 6h à 8h) afin d'en faire le tour. S'il s'agit du même sommet que l'ascension aller-retour du mont Albert décrite ci-dessus, le tour du mont Albert se fait cependant par un sentier en boucle qui propose l'agréable possibilité de ne pas revenir sur ses pas. Cette piste est donc plus longue (17,2 km) et plus exigeante (niveau: très difficile). En effet, une fois parvenu au belvédère du Versant, vous vous engagerez dans la gigantesque vallée glaciaire du Diable en suivant le ruisseau du même nom. Puis

vous rejoindrez l'abri de La Serpentine avant de longer la rivière Sainte-Anne lors des derniers kilomètres.

Le mont Jacques-Cartier: champion de la hauteur avec ses 1 268 m d'altitude, le mont Jacques-Cartier propose l'expérience la plus extrême de la montagne gaspésienne. À l'échelle québécoise, seul le lointain mont D'Iberville, dans les monts Torngat du Grand Nord, le surpasse en altitude. Au sommet du mont Jacques-Cartier, par temps clair, on peut contempler les monts Chic-Chocs et le plateau du mont Albert, le fleuve Saint-Laurent et parfois même la Côte-Nord. Mais c'est aussi et surtout l'endroit idéal pour rencontrer les caribous, qui profitent ici d'une vaste étendue de toundra alpine. Ce sentier difficile et rocailleux (départ près du camping du mont Jacques-Cartier) totalise 8,2 km pour 450 m de dénivelé et 4h ou 5h de marche. Une boucle supplémentaire de 1 km (sentier du Caribou), près du sommet, mène à une grande vallée alpine d'où l'on peut découvrir la majestueuse vallée du Cor tout en augmentant ses chances d'apercevoir des caribous.

Gaspésie - Activités de plein air - La Haute-Gaspésie

■ Raquette et ski de fond

Le **parc national de la Gaspésie** *(3,50$; 1981 route du Parc, Ste-Anne-des-Monts, ☎ 418-763-7494 ou 800-665-6527, www.sepaq.com)* possède un réseau de 24 km de pistes de ski de fond tracées et entretenues mécaniquement. Elles ont toutes leur origine au Centre de découverte et de services. La piste du Lac-Aux-Américains est magnifique, mais longue (16 km, 5h) et considérée comme difficile.

Pour ce qui est de la raquette, presque tous les sentiers de randonnée pédestre (voir ci-dessus) sont accessibles en raquettes l'hiver venu. Donc, les possibilités sont presque infinies.

Pour le ski hors-piste en longue randonnée, quelque 190 km de sentiers balisés (mais non entretenus) sont aussi accessibles. Le long des ces sentiers, on trouve 14 refuges pour se réchauffer et reprendre des forces jusqu'au lendemain. La vie dans le refuge le soir venu et les paysages côtoyés pendant la journée font de la longue randonnée un moyen privilégié de «vivre» et de «sentir» le parc national de la Gaspésie. Parmi les sentiers dédiés à la longue randonnée, retenons:

Les monts McGerrigle: ce parcours en boucle de 31 km s'effectue en trois jours au départ du Centre de découverte et de services. En forêt, le sentier s'éloigne d'abord sur 8 km du Centre de découverte et de services, avant d'atteindre le refuge du Roselin, au bord du lac aux Américains. De là, c'est 11 km qui vous séparent du refuge des Mines Madeleine, par un sentier qui longe le bas du massif. Le retour s'effectue le troisième jour sur 12 km jusqu'au Centre de découverte et de services. Cette boucle est considérée comme facile.

Cascapédia: ce parcours de 57 km fait le tour du lac Cascapédia et atteint les refuges du Pluvier (première et quatrième nuits), du Huard et de la Mésange. La première journée vous promet une longue montée d'une dizaine de kilomètres sur un large faux plat qui n'en finit plus. Après, la piste s'enfonce dans des sentiers plus étroits où l'on sent davantage le couvert forestier nous envelopper. De-ci

de-là apparaissent quelques lacs grâce à des points de vue tout en plongée. La deuxième journée est la plus longue avec 20 km, tandis que la troisième journée n'en compte que 6. La boucle est considérée comme un parcours intermédiaire, mais les journées sont inégales, certaines étant difficiles et d'autres plus faciles. Il faut compter cinq jours pour la boucler.

■ Tourisme d'aventure

Plusieurs entreprises de tourisme d'aventure organisent des expéditions hivernales de quelques jours dans le parc national de la Gaspésie, en skis de randonnée, en télémark ou en raquettes de montagne. Les forfaits comprennent habituellement le coucher en refuge et les repas. Parmi ces entreprises, mentionnons **Détour Nature** *(☎ 514-271-6046, www.detournature.com)*, **Vertigo Aventures** *(☎ 418-737-4893, www.vertigo-aventures.com)* et **Absolu ÉcoAventure** *(☎ 418-566-5774, www.ecoaventure.com)*. Pour plus de détails sur les forfaits offerts par les différents producteurs d'aventure, visitez le site d'**Aventure Écotourisme Québec** *(www.aventure-ecotourisme.qc.ca)*.

■ Vélo de montagne

Il existe trois parcours de vélo de montagne dans le **parc national de la Gaspésie** *(3,50$; 1981 route du Parc, Ste-Anne-des-Monts, ☎ 418-763-7494 ou 880-665-6527, www.sepaq.com)*. Ils sont situés dans le secteur du lac Cascapédia. Un premier parcours, de niveau facile, entre le lac Paul et le refuge du Huard, fait 13 km aller-retour. Le deuxième, de niveau intermédiaire, du lac Cascapédia au refuge du Huard, fait 40 km aller-retour. Enfin, le troisième, de niveau expert, part du refuge du Huard et se rend au mont Logan (44 km aller-retour). L'hébergement au refuge du Huard est possible sur réservation.

■ Vol libre

Mont-Saint-Pierre est un endroit unique en Amérique du Nord pour le vol libre (voir aussi le **Festival du Vol Libre**, p 161).

Carrefour Aventure *(début juin à sept tlj; 106 rue Cloutier, Mont-St-Pierre, ☎ 418-797-5033)* propose aux débutants des vols d'initiation en deltaplane tandem. L'entreprise dispose aussi d'une boutique de sports où l'on fait la location et la vente d'articles de plein air, ainsi que d'un café.

Circuit B: La Pointe
★ ★ ★

 Trois jours

▲ *p 148*   ⑪ *p 157*   ⋽ *p 160*   ▯ *p 162*

La région de la pointe gaspésienne représente souvent l'image que se font les visiteurs de ce coin de pays. Et c'est effectivement là que l'on trouve certains des attraits les plus populaires du Québec, notamment le magnifique parc national Forillon et le célèbre rocher Percé.

C'est aussi dans cette région que le golfe du Saint-Laurent devient presque la mer. La rencontre des falaises abruptes de la fin des terres et du début de cette «mer» est non moins qu'un des paysages les plus grandioses que l'on puisse voir en Amérique du Nord.

Mais c'est aussi le pays de l'accueil chaleureux, de l'hébergement renommé et de la table d'inspiration éminemment marine.

Pour commencer ce circuit, il faut simplement reprendre là où l'on a terminé le circuit A, c'est-à-dire sur la route 132.

Grande-Vallée

On trouve à Grande-Vallée, outre l'**église Saint-François-Xavier**, le **pont couvert Galipeau**, long de 44 m, qui donne un air vieillot à tout le village. Il s'agit d'une construction de bois de type Town à une seule travée, installée en 1923.

Petite-Vallée

Le très petit village de Petite-Vallée est surtout reconnu pour son **Festival en Chanson de Petite-Vallée** (voir p 161), qui permet à de jeunes auteurs et compositeurs de passer une semaine en retraite de création, parrainés par une personnalité du monde de la musique professionnelle.

L'Anse-à-Valleau

L'Anse-à-Valleau est un hameau de la côte gaspésienne par lequel on doit passer pour se rendre à Pointe-à-la-Renommée, en empruntant le sentier de bord de mer. **Pointe-à-la-Renommée** ★ *(entrée libre; information à L'Anse-à-Valleau, 884 boul. de l'Anse-à-Valleau/route 132,* ☎ *418-269-3310)* était à l'époque l'endroit où fut installée la première station radio-maritime en Amérique du Nord. En 1957, le lieu est tombé en désuétude à même perdu son phare en 1977. Un regroupement de citoyens de L'Anse-à-Valleau a décidé de reprendre les choses en main depuis quelques années, en mettant en valeur ce magnifique site. Ils ont rapatrié le phare, où ils présentent, ainsi que dans la maison du gardien, une exposition sur Guglielmo Marconi (le scientifique italien considéré comme l'inventeur de la télégraphie sans fil) et l'histoire des radiocommunications. Une seconde exposition porte sur l'histoire des lieux, occupés jadis par des générations de pêcheurs. Le sentier pédestre qui longe la côte de la pointe des Cannes de Roches à la Coulée à Zéphir est sublime et très facile à parcourir. Plusieurs autres sentiers sont proposés aux marcheurs, aussi bien débutants qu'experts.

Rivière-au-Renard

Rivière-au-Renard, centre de transformation du poisson (nettoyage, préparation, mise en conserve ou en boîte), est dominé par ses usines. Quant à son port de pêche, il est le plus important du côté nord de la péninsule gaspésienne. Des programmes gouvernementaux, liés au tourisme et à la création d'emplois, permettent de faire connaître aux visiteurs

Gaspésie - Attraits touristiques - La Pointe

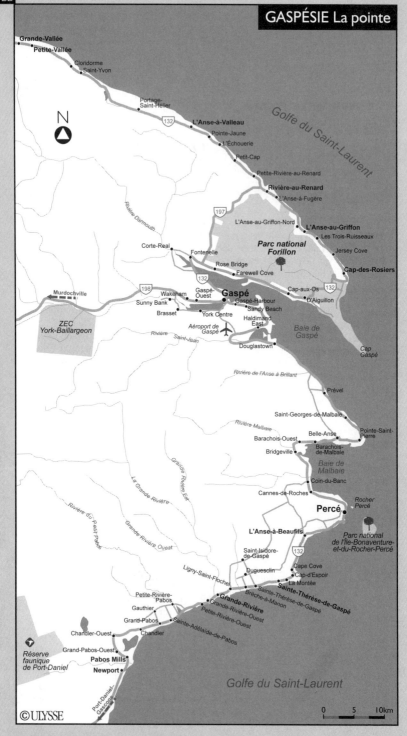

GASPÉSIE La pointe

N

Grande-Vallée
Petite-Vallée
Cloridorme
Saint-Yvon

Portage-Saint-Hélier

Golfe du Saint-Laurent

132
L'Anse-à-Valleau
Pointe-Jaune
L'Échouerie
Petit-Cap

Petite-Rivière-au-Renard

Rivière-au-Renard
L'Anse-à-Fugère

197
L'Anse-au-Griffon-Nord
L'Anse-au-Griffon
Les Trois-Ruisseaux

Rivière Darmouth

Corte-Real

Fontenelle

*Parc national
Forillon*

Jersey Cove

Rose Bridge
Farewell Cove

Cap-des-Rosiers

198
Wakeham
Gaspé-Ouest
Gaspé
Cap-aux-Os
132
D'Aiguillon

Murdochville

Sunny Bank
Brasset
York Centre
Gaspé-Harbour
Sandy Beach

**ZEC
York-Baillargeon**

Aéroport de
Gaspé
Haldimand
East

Rivière Saint-Jean

*Baie de
Gaspé*

*Cap
Gaspé*

Douglastown

Rivière de l'Anse à Brillant

Prével

Saint-Georges-de-Malbaie

Rivière Malbaie

Belle-Anse
Pointe-Saint-Pierre

Barachois-Ouest
Barachois-de-Malbaie
Bridgeville

*Baie de
Malbaie*

Grande Rivière Est

Coin-du-Banc

Cannes-de-Roches

*Rocher
Percé*

Percé

La Grande Rivière

Rivière du Petit Pabos

Grande Rivière Ouest

L'Anse-à-Beaufils

*Parc national
de l'Île-Bonaventure-
et-du-Rocher-Percé*

Saint-Isidore-
de-Gaspé
132
Cape Cove

Ligny-Saint-Flochel
Duguesclin
Cap-d'Espoir
La Montée

Petite-Rivière-
Pabos
Grande-Rivière
Sainte-Thérèse-de-Gaspé

Gauthier
Grand-Pabos
Grande-Rivière-Ouest
Brèche-à-Manon
Sainte-Thérèse-de-Gaspé

Chandler-Ouest
Chandler
Petite-Rivière-Ouest
Sainte-Adélaïde-de-Pabos

*Réserve
faunique
de Port-Daniel*

Grand-Pabos-Ouest
Pabos Mills
Newport

*Port-Daniel-
Gascons*

Golfe du Saint-Laurent

©ULYSSE

0   5   10km

toutes les étapes de la transformation du poisson.

Bardeau et Bateau *(5$; fin juin à sept lun-sam 9h30 à 17h30; 17 rue de la Langevin, ☎418-269-7358)* permet de découvrir le village avec les multiples facettes de la pêche contemporaine à travers une exposition, une présentation audiovisuelle et un sentier d'interprétation. Ce qui est davantage intéressant, c'est la visite guidée des usines et, surtout, la dégustation des produits marins. S'y trouve aussi le dernier moulin à scie de l'est du Québec encore en activité, le **moulin Plourde**, qui a conservé tous ses équipements et qui transforme l'arbre en planches ou en bardeaux.

*À l'est de Rivière-au-Renard et jusqu'à Gaspé, vous longerez le **parc national Forillon** (voir plus loin), l'un des plus beaux parcs nationaux gérés par Parcs Canada.*

L'Anse-au-Griffon ★

À la suite de la conquête britannique de la Nouvelle-France, la pêche commerciale en Gaspésie est prise en charge par un petit groupe de marchands anglo-normands, originaires de l'île de Jersey. L'un d'entre eux, John Le Boutillier, bâtit à L'Anse-au-Griffon des entrepôts de sel, de farine et de morue séchée vers 1840. La morue est alors exportée en Espagne, en Italie et au Brésil. Selon toute vraisemblance, «Griffon» aurait été le nom d'un bateau ayant navigué dans les parages au XVIIIᵉ siècle. Certains croient cependant que le toponyme provient en fait des «gris fonds» que l'on trouve au large, et qu'il n'a donc rien à voir avec un monstre hideux aux griffes acérées…

Le **Manoir Le Boutillier** ★ *(7$; début juin à mi-oct tlj 9h à 17h; 578 boul. Griffon, ☎418-892-5150).* Cette belle maison de bois, peinte d'un jaune éclatant, fut construite en 1840 pour servir de résidence et de bureau aux gérants de l'entreprise de Le Boutillier, qui emploiera jusqu'à 2 500 personnes dans la région en 1860. Sa toiture à larmiers cintrés rappelle les maisons de Kamouraska. On y trouve un centre d'interprétation sur l'histoire de la maison et des marchands originaires de Jersey ainsi qu'une boutique d'artisanat et un café.

Après avoir traversé Jersey Cove, vous arriverez à Cap-des-Rosiers, porte d'entrée de la portion sud du parc national Forillon, celle où les paysages sont les plus tourmentés et où la mer est plus présente que jamais.

Cap-des-Rosiers ★

Occupant un site admirable, Cap-des-Rosiers a été le théâtre de nombreux naufrages. Deux monuments rappellent un naufrage particulier, celui du voilier *Karrik*, au cours duquel 87 des quelque 200 immigrants irlandais qui prenaient place à bord périrent; ils furent enterrés au cimetière local. La plupart des autres s'établirent à Cap-des-Rosiers, donnant une couleur nouvelle et inattendue à cette communauté. Des noms d'origine irlandaise tels que Kavanagh et Whalen sont encore présents dans les environs. C'est également du haut de ce cap que les «Canadiens» (soit les premiers Québécois de l'époque) aperçurent la flotte du général Wolfe se dirigeant vers Québec en 1759. On y trouve par ailleurs le plus haut phare au pays, qu'il est possible de visiter *(2$)*.

Le thème du **parc national Forillon** ★★★ *(6,80$; ♿; toute l'année, tlj; 122 boul. Gaspé, ☎418-368-5505, www.pc.gc.ca)* est «l'harmonie entre l'homme, la terre et la mer». La succession de forêts et de montagnes, sillonnées de sentiers et bordées de falaises le long du littoral, fait rêver plus d'un amateur de plein air. Le territoire du parc constitue une presqu'île montagneuse de 36 km de longueur qui pointe vers le golfe du Saint-Laurent comme le doigt d'une main. Sa situation et sa forme géographiques ne sont pas sans rappeler le cap Corse sur l'île française du même nom. La presqu'île de Forillon constitue l'extrémité continentale de la longue chaîne des Appalaches, qui s'étend de l'île de Terre-Neuve jusqu'au centre de l'Alabama, dans le sud des États-Unis. Pour les Amérindiens de la nation micmaque, cette région s'appelait *Gespeg*, ce qui signifie de façon on ne peut plus imagée «la fin des terres». Lorsqu'on

Les débuts du parc Forillon

La création du parc national Forillon en 1970, premier parc national fédéral créé au Québec, constitue l'une des pages les plus marquantes de l'histoire de la Gaspésie. Une entente fédérale-provinciale reconnaît ainsi la valeur environnementale et historique exceptionnelle de la presqu'île de Forillon. Le Parlement canadien autorise alors de nombreuses expropriations pour protéger ce site symbolique. L'aménagement nécessite en effet le déplacement de quelque 260 familles et libère 23 900 ha de terres sur lesquelles se trouvaient 350 propriétés construites et 1 690 propriétés boisées. Les maisons ont été rasées ou brûlées, souvent en présence des propriétaires qui avaient habité les lieux pendant des générations. Encore aujourd'hui, après plus de 35 ans, les expropriés survivants doivent payer un droit d'entrée à Parcs Canada, comme n'importe quel visiteur, pour fouler les terres qui les ont vus naître. Plusieurs fondations de maisons démolies restent encore aujourd'hui cachées dans les broussailles. Le sujet, qui demeure toujours délicat, a fait l'objet de nombreux débats ainsi que d'une large couverture médiatique.

l'admire à partir des eaux du golfe, on constate que la presqu'île présente un relief fortement incliné au sud, vers la baie de Gaspé. Les parois rocheuses qui bordent son versant nord peuvent atteindre près de 200 m de hauteur.

Créé en 1970, le 22e parc national du réseau de Parcs Canada couvre 244,8 km², dont une frange de 4,4 km² qui englobe le milieu marin. La splendeur de ses paysages tourmentés n'évoque pas l'harmonie bucolique de prime abord, mais une connaissance plus approfondie du milieu et de son histoire permet de comprendre à quel point l'homme, la terre et la mer s'y côtoient dans une symbiose vitale.

Malgré la dureté de l'environnement et l'exiguïté des lieux, la diversité de la faune et de la flore lui confère une identité unique qui alimente de toutes parts les multiples points d'intérêt du parc. En effet, renards, ours, orignaux, porcs-épics ainsi que d'autres mammifères y sont représentés en grand nombre. Plus de 200 espèces d'oiseaux y sont répertoriées, notamment le goéland argenté, le cormoran, le pinson, l'alouette et le fou de Bassan. À partir des sentiers du littoral, on peut apercevoir, selon les saisons, des

baleines et des phoques. Le parc dissimule aussi différentes plantes rares qui aident à comprendre le passé du sol dans lequel elles poussent.

On y retrouve donc non seulement des éléments naturels mais aussi des rappels de l'activité humaine. Dans ce vaste périmètre de 245 km² se trouvaient autrefois quatre hameaux, hors desquels 200 familles furent déplacées lors de la création de ce parc fédéral en 1970. Cette expropriation ne s'est d'ailleurs pas faite sans heurt. Les bâtiments les plus intéressants sur le plan ethnographique furent conservés et restaurés: une dizaine de **maisons de Grande-Grave**, le **phare de Cap-Gaspé**, l'**ancienne église protestante de Petit-Gaspé** et le **fort Péninsule**, partie du système défensif mis en place lors de la Seconde Guerre mondiale pour protéger le Canada contre les incursions des sous-marins allemands.

Tout le secteur Sud du parc est profondément marqué par l'histoire des pêches, l'essentiel du destin de tous ceux qui ont vécu sur cette côte difficile à partir du XIXe siècle. À Grande-Grave, plusieurs bâtiments d'origine témoignent encore de cette période qui ne s'est terminée qu'à la fin des années 1960. L'ensemble com-

Parc national Forillon

© Parcs Canada

SERVICES

- Camping
- Camping de groupe
- Camping sauvage
- Transport en commun
- Église St. Peter
- Accessibilité aux personnes à mobilité réduite

ACTIVITÉS

- Terrain de jeux
- Baignade
- Croisière
- Randonnée équestre
- Pêche
- Kayak de mer
- Plongée sous-marine
- Randonnée pédestre
- Longue randonnée
- Vélo de montagne
- Bicyclette
- Centre récréatif
- Pique-nique

INSTALLATIONS

- Centre d'interprétation
- Amphithéâtre
- Belvédère
- Site patrimonial
- Centre d'accueil et de renseignements
- Poste de perception
- Abri
- Canon
- Phare
- Tour d'observation
- Sentier pédestre
- Sentier pour le vélo
- Limites du parc
- Route principale
- Route secondaire pavée
- Distance (km) entre 2 points

Zone interdite ou à accès limité (selon les périodes de l'année) pour la plongée sous-marine, la circulation à pied et l'accostage. Renseignez-vous auprès du personnel du parc.

DISTANCES (KM)

	Gaspé					
Penouille	20					
Grande-Grave	18	38				
Secteur sud	5	13	33			
Secteur nord	10	15	23	43		
L'Anse-au-Griffon	18	28	33	41	61	

SAINTE-ANNE-DES-MONTS

RIVIÈRE-AU-RENARD

L'ANSE-AU-GRIFFON

CAP-DES-ROSIERS

GOLFE DU SAINT-LAURENT

SENTIER INTERNATIONAL DES APPALACHES (SIA)

CENTRE D'ACCUEIL ET DE RENSEIGNEMENTS

Lac au Renard

‹Les Lacs

Lac de Penouille

CENTRE OPÉRATIONNEL

‹Le Portage

‹La Vallée

‹Les Crêtes›

‹La Chute›

‹Le Castor›

CENTRE D'ACCUEIL ET DE RENSEIGNEMENTS

FORT PENINSULE

CAP-AUX-OS

SECTEUR SUD

PETIT-GASPÉ

PENOUILLE

MONUMENT À JACQUES CARTIER

SAINT-MAJORIQUE

GASPÉ

Percé

BAIE DE GASPÉ

SECTEUR NORD

CENTRE D'INTERPRÉTATION

‹Prélude à Forillon›

DES ROSIERS

‹Mont St-Alban›

Plage Petit Gaspé

CAP-BON-AMI

‹Une tournée dans les parages›

‹Les Graves›

CAP-GASPÉ

ANSE-AUX-AMÉRINDIENS
(Anse-aux-Sauvages)

ANSE-SAINT-GEORGES

GRANDE-GRAVE

ANSE-BLANCHETTE

prend notamment l'**ancien magasin Hyman** de 1845, dont l'intérieur a été soigneusement reconstitué afin de lui redonner son apparence du début du XXe siècle, ainsi que la **maison Blanchette**, en bord de mer, dont les bâtiments forment avec le paysage environnant une véritable carte postale. Tout un programme d'animations et d'activités d'interprétation permet aux visiteurs de mieux comprendre cette époque.

Littéralement enclavée dans le parc, la petite localité de **Cap-aux-Os** a refusé de disparaître lors de la création du parc. On y propose plusieurs activités de plein air (voir p 133) et quelques lieux d'hébergement (voir p 148) pour les amants de la nature.

Après avoir contourné le cap Gaspé, on entre dans la baie du même nom. Le relief rude des falaises abruptes fait soudainement place à de doux vallons entrecoupés de rivières.

Gaspé ★ (14 750 hab.)

C'est ici que, le 24 juillet 1534, Jacques Cartier prend possession du Canada au nom du roi de France, François Ier. Il faut cependant attendre le début du XVIIIe siècle avant que ne soit implanté le premier poste de pêche à Gaspé, et la fin du même siècle pour voir apparaître un véritable village à cet endroit. Tout au long du XIXe siècle, Gaspé vit au rythme des grandes entreprises de pêche des marchands jersiais, qui règlent la vie d'une population de pêcheurs canadiens-français et acadiens démunie et peu éduquée. Au cours de la Seconde Guerre mondiale, Gaspé s'est préparée à devenir la base principale de la Royal Navy, en cas d'invasion de la Grande-Bretagne par les Allemands, ce qui explique la présence des quelques infrastructures militaires imposantes aménagées à cette fin sur le pourtour de la baie. La ville de Gaspé forme un long et étroit ruban qui épouse les contours de la baie du même nom.

L'édifice tout en longueur qui domine la ville n'est rien d'autre que l'**ancien sanatorium** de Gaspé, une structure hybride de l'après-guerre dont la volonté de modernisme est soumise aux règles de l'École des beaux-arts (symétrie, composition classique mais grandiloquente, pavillons aux extrémités).

Le **Musée de la Gaspésie** ★★ *(7$; fin juin à début sept tlj 9h à 17h; début sept à fin juin mar-ven 9h à 17h, sam-dim 13h à 17h; 80 boul. Gaspé,* ☎ *418-368-1534, www. museedelagaspesie.ca)* fut érigé en 1977, à l'initiative de la société historique locale, sur la pointe Jacques-Cartier dominant la baie de Gaspé. Il s'agit d'un musée d'histoire et de traditions populaires où l'on présente une exposition permanente sur la Gaspésie, des premiers occupants amérindiens de la nation micmaque jusqu'à nos jours, intitulée *Un peuple de la mer*. Des expositions temporaires complètent la vocation de l'institution. On y trouve aussi un centre d'archives et de généalogie.

Le superbe **monument à Jacques Cartier** ★ qui avoisine le musée est une œuvre de la famille Bourgault de Saint-Jean-Port-Joli. Sur les six stèles en bronze rappelant des objets mythiques sortis de la nuit des temps sont inscrits des textes relatant l'arrivée de Cartier, la prise de possession du

Gaspé la grande

Le 24 décembre 1970, la fusion de 12 localités situées sur le bout de la péninsule gaspésienne est décrétée par le gouvernement du Québec, faisant de Gaspé l'une des villes nord-américaines les plus étendues avec ses quelque 1 440 km² et ses 150 km de littoral! De nos jours, Gaspé a développé une vocation industrielle qui s'appuie sur ses avantages portuaires, ses liens ferroviaires et aéroportuaires, ses trois parcs industriels et sa population largement bilingue.

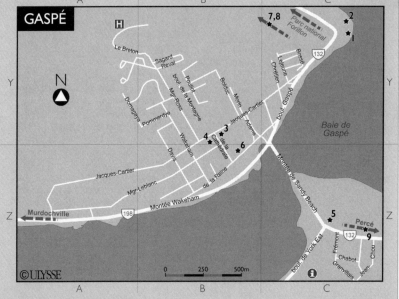

GASPÉ

H

N

Le Breton

Sagard
Reval

boul. de la Montagne

Poulin

Mgr-Ross

Domsevaya

Pommerdye

Wakeham

Devos

Boldic

Morin

Jacques-Adams

Jacques-Cartier

Lebrun

Chrétien

Brosé

132

Baie de
Gaspé

Jacques-Cartier

Mgr-Leblanc

de la Reine

Montée Wakeham

boul. Jacques-Cartier

Montée de Sandy Beach

Murdochville

198

Montée de Sandy Beach

Percé

132

Frémont

Chabot

Granvillais

Jean

Chol

©ULYSSE

0   250   500m

Parc national
Forillon

7,8

2
1

5

9

★ ATTRAITS TOURISTIQUES

1.	CY	Musée de la Gaspésie
2.	CY	Monument à Jacques Cartier
3.	BY	Cathédrale du Christ-Roi
4.	BY	Croix de Gaspé
5.	CZ	Monument à Jacques de Lesseps

6.	BZ	Ash Inn
7.	CY	Sanctuaire Notre-Dame-des-Douleurs
8.	CY	Site d'interprétation micmac de Gespeg
9.	CZ	Plage Haldimand

Canada et la première rencontre avec les Amérindiens.

Suivez le boulevard Gaspé jusqu'à la rue Jacques-Cartier et bifurquez vers la rue de la Cathédrale.

La **cathédrale du Christ-Roi** ★ *(20 rue de la Cathédrale)*, seule cathédrale en bois d'Amérique du Nord, adopte un parti contemporain. Elle a été érigée en 1968 sur les fondations de la basilique entreprise en 1932 pour commémorer le quatrième centenaire de l'arrivée de Jacques Cartier en sol canadien, mais jamais terminée faute de fonds. L'intérieur est baigné d'une douce lumière provenant d'un beau vitrail de Claude Théberge fait de verre ancien. On y trouve aussi une fresque illustrant la prise de possession du Canada par Jacques Cartier, donnée par la France en 1934.

En face de la cathédrale se dresse la **croix de Gaspé**, qui commémore l'arrivée de Jacques Cartier au Canada.

Ce navigateur breton, maître pilote du roi de France, a quitté Saint-Malo le 20 avril 1534 avec deux navires et 61 hommes. Lorsqu'il débarqua à Gaspé, où l'attendaient 200 Amérindiens désireux de faire commerce avec les Européens, Cartier fit planter une croix de bois que rappelle cette croix faite d'un seul morceau de granit et installée en 1934.

Le **monument à Jacques de Lesseps** *(boul. York S.)*. Dans le cimetière de Gaspé se trouve un monument à la mémoire de Jacques de Lesseps et de son compagnon d'infortune, Theodor Chichenko, qui périrent dans un accident d'avion en 1927. Lesseps, fils de Ferdinand de Lesseps, constructeur du canal de Suez, était un aventurier et un pilote d'avion renommé qui s'illustra à plusieurs reprises pendant la Première Guerre mondiale. Il fut le premier à survoler Montréal en avion. Une fois démobilisé, il s'installa en Gaspésie, où il effectua des relevés géographiques aériens.

Gaspésie - Attraits touristiques - La Pointe

L'**Ash Inn** ★ *(186 rue de la Reine)*, cette ancienne demeure construite en 1885 pour le docteur William Wakeham, célèbre explorateur de l'Arctique, est l'une des seules maisons en pierres du XIXe siècle de toute la Gaspésie. Elle abrite maintenant une splendide auberge, la **Maison William Wakeham** (voir p 149).

Le **sanctuaire Notre-Dame-des-Douleurs** *(2$; début juin à mi-sept tlj 7h à 20h30, mi-sept à fin mai tlj 8h à 19h30; 765 boul. de la Pointe-Navarre, ☎418-368-2133)*. L'église de ce sanctuaire fondé en 1942 renferme des œuvres de Médard Bourgault de Saint-Jean-Port-Joli ainsi qu'un chemin des «Douleurs de Marie» de la céramiste Rose-Anne Monna. Une boutique et d'autres bâtiments, dont l'apparence laisse parfois à désirer, complètent l'ensemble.

Le **Site d'interprétation micmac de Gespeg** ★ *(8$; juin à sept tlj 9h à 17h; 783 boul. Pointe-Navarre, ☎418-386-6005 ou 866-870-6005)* retrace les origines et les différents outils et habitations de la nation micmaque. Un petit musée est proposé, mais ce qui retient surtout l'attention est le site extérieur, beaucoup plus intéressant car il permet d'être témoin du savoir-faire des Autochtones dans la fabrication des différents outils de piégeage d'animaux et de préparation de la nourriture, en plus de voir de véritables huttes amérindiennes.

À 7 km de Gaspé, la **plage Haldimand** constitue une aire de baignade plutôt agréable, surtout lorsqu'il fait chaud, car l'eau du golfe du Saint-Laurent peut s'avérer… assez froide. Le sable fin s'y étend sur plus de 2 km, et l'on aperçoit souvent des amateurs de planche à voile.

En quittant Gaspé, on reprend la route 132 en direction de Percé. On longe alors le côté sud de la baie de Gaspé, où se trouvent de charmants villages aux origines anglo-saxonnes et protestantes. Il s'agissait au début de petites communautés de loyalistes américains ou d'immigrants britanniques. L'implantation dans ces lointaines contrées, à la fin du XVIIIe siècle, d'une population dont la fidélité au roi d'Angleterre ne faisait aucun doute, était voulue par le gouvernement colonial britannique, qui espérait ainsi consolider son emprise aux quatre coins du Québec et favoriser une assimilation rapide de la population canadienne-française.

Parmi ces villages, on remarquera plus particulièrement **Barachois**, dont l'**église St. Mary** de 1895 occupe un site agréable, de même que **Cape Cove**, avec son **église néogothique St. James** de 1875. Entre ces villages se dresse le **fort Prével**, aménagé lors de la Seconde Guerre mondiale. Il fut transformé en hostellerie (voir p 150) par le gouvernement du Québec à la fin du conflit, mais a conservé ses énormes canons, les plus gros de cette catégorie en Amérique du Nord, qui pointent toujours en direction du large.

Poursuivez sur la route 132 jusqu'à Percé. Vous apercevrez tout au long du chemin des paysages absolument sublimes.

Percé ★ ★

Célèbre centre de tourisme, Percé occupe un site admirable, malheureusement quelque peu altéré par une industrie hôtelière débridée. Le décor naturel grandiose présente plusieurs phénomènes naturels différents dans un périmètre restreint, le principal étant le fameux rocher Percé, qui est au Québec ce que le Pain de Sucre de Rio est au Brésil. Depuis le début du XXe siècle, les artistes, charmés par la beauté des paysages et par le pittoresque de la population, viennent nombreux à Percé chaque été.

Au XVIIe siècle, la famille Denys y a établi un camp de pêche saisonnier que fréquentaient les pêcheurs français et basques. Elle succédait ainsi aux Amérindiens pour qui Percé avait déjà été un important point de rassemblement. En 1781, le puissant marchand jersiais Charles Robin fonde un établissement de pêche dans l'anse du Sud. Des loyalistes, des Irlandais et des immigrants de Guernesey s'ajoutent alors à la population canadienne-française. À cette époque, la population sédentaire demeure très faible par comparaison à la population saisonnière qui travaille dans les frêles bâtiments de Robin. Percé

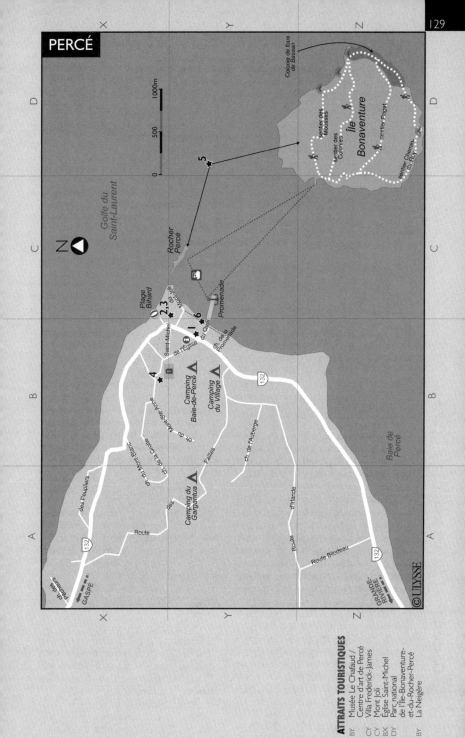

PERCÉ

129

ATTRAITS TOURISTIQUES

1. BY Musée Le Chafaud /
Centre d'art de Percé
2. CY Villa Frederick-James
3. CY Mont Joli
4. BX Église Saint-Michel
5. DY Parc national
de l'Île-Bonaventure-
et-du-Rocher-Percé
6. BY La Neigère

© ULYSSE

Le prisonnier du rocher Percé

Un jour, un jeune chef iroquois capturé par les Micmacs est condamné à être exposé au soleil sur le rocher Percé jusqu'à ce que mort s'ensuive. Entre-temps, de jeunes femmes micmacques se rendent auprès du prisonnier pour le maltraiter, en lui tirant les cheveux et en lui plantant des arêtes de poisson dans les cuisses.

Prise de compassion, leur consœur Méjiga le nourrit en cachette. Devenue amoureuse de l'ennemi, elle projette de le délivrer et de fuir avec lui. Mais avant qu'elle n'ait pu intervenir, le cadavre du prisonnier est retrouvé, la gorge ouverte, sur la grève de l'anse du Nord.

Méjiga a disparu: la légende veut que le Grand Esprit l'ait changée en goéland pour lui faire oublier la mort de l'être aimé. Inconsolable, elle tournoie la nuit autour du rocher en se lamentant.

est d'ailleurs le principal port de pêche sur la côte du Québec pendant tout le XIXᵉ siècle. L'industrie touristique prend la relève au XXᵉ siècle, surtout après l'ouverture de la route 132 en 1929, mais le caractère saisonnier et précaire de la vie à Percé demeure.

Le **Musée Le Chafaud** ★ *(5$; juin à oct tlj 10h à 17h; 145 route 132 ou par la rue du Quai,* ☎*418-782-5100, www.musee-chafaud. com)* est aménagé dans la plus grande des structures formant les installations de Charles Robin à Percé. Le «chafaud» était un bâtiment dans lequel on transformait et entreposait le poisson. Il présente de nos jours une exposition sur le patrimoine local de même que diverses activités liées aux arts visuels, notamment des expositions d'œuvres contemporaines. L'entrepôt de sel et la glacière subsistent également à proximité du quai. De l'autre côté de la rue, se trouvent la «Bell House», surmontée d'une cloche qui servait autrefois à appeler les employés au travail, l'ancien magasin de la compagnie Robin avec son toit à pignon et ses ornements de bois scié, et finalement le **Centre d'art de Percé**, qui loge dans l'ancienne grange des Robin.

La **Villa Frederick-James** ★ *(27 rue du Mont-Joli).* L'un des premiers artistes attirés par la beauté du paysage de Percé, Frederick James, était Américain d'origine. Sa résidence d'été à Percé (vers 1900) occupe un promontoire faisant partie d'un ensemble de falaises de part et d'autre du **mont Joli**. Sur ce mont, qui est davantage un cap s'avançant dans la mer, aurait été située la première chapelle érigée au Canada. D'autres formations rocheuses, entre autres le **pic de l'Aurore**, les **Trois Sœurs** et le **cap Barré**, sont visibles au nord-ouest.

L'**église Saint-Michel** ★ *(57 rue de l'Église).* Construite avec la pierre locale d'une belle teinte rosée, l'église catholique de Percé a été réalisée au tournant du XIXᵉ siècle et présente un style éclectique et hautement pittoresque. Il s'agit de l'une des seules églises en pierres de la Gaspésie et de la plus vaste d'entre elles. Le sentier du mont Sainte-Anne, qui mène à une grotte, débute juste derrière l'église.

En arrivant à Percé, l'œil est bien sûr attiré par le célèbre **rocher Percé** ★★★, véritable muraille d'une longueur de 475 m et d'une hauteur de 85 m, qui s'est formé en bonne partie par des sédiments de nature calcaire dans une mer alors chaude, il y a des centaines de millions d'années. Par sa composition, il demeure sujet à l'érosion et fragile, malgré son poids de 5 millions de tonnes.

Son nom lui vient des ouvertures arrondies, entièrement naturelles, à la base de la paroi. Une seule des deux ouvertures, d'un diamètre de 20 mètres, subsiste depuis l'effondrement de la partie est du rocher au milieu du XIXᵉ siècle. Sa nature friable met au jour un tout autre aspect: la présence de 150 espèces animales fossilisées, dont une, propre à la région, un trilobite nommé «dalminite percéen». Chose frappante, on ne relève pas de poissons. Cela suppose que le rocher s'est constitué à une époque antérieure, voilà plus de 400 millions d'années, à une époque où les poissons n'existaient pas encore.

Mise en garde: le rocher Percé perd 300 tonnes de roches par année. Marcher autour est dangereux. L'accès au rocher est d'ailleurs interdit aux visiteurs autonomes par les autorités du parc national de l'Île-Bonaventure-et-du-Rocher-Percé (voir ci-dessous), mais permis avec accompagnement pendant la haute saison. L'accès y est interdit hors saison.

Le rocher Percé et l'île Bonaventure (voir ci-dessous) sont protégés par le **parc national de l'Île-Bonaventure-et-du-Rocher-Percé** ★★ *(3,50$, transport vers l'île Bonaventure non inclus; début juin à mi-oct 9h à 17h; 4 rue du Quai, Percé,* ☎ *418-782-2240 ou 800-665-6527, www.sepaq.com).* Situé au rez-de-chaussée du Musée Le Chafaud (voir ci-dessus), le Centre de découverte et de services du parc présente un court métrage retraçant l'histoire de l'île Bonaventure et ses fous de Bassan. Il dispose d'une salle d'exposition et d'aquariums d'eau salée ainsi qu'il s'entoure de deux courts sentiers de randonnée. À côté se trouve **La Neigère**, qui abrite le bureau d'accueil du parc, passage obligé si vous voulez explorer les lieux. Une boutique y vend entre autres des livres et des souvenirs.

L'**île Bonaventure** était vraisemblablement autrefois rattachée au rocher Percé, si l'on se fie à sa section nord en calcaire. La hauteur des falaises dans les parties est et nord s'avère à peu près la même, soit

90 m. L'effritement des parois a un effet hautement bénéfique pour la nidification des oiseaux marins, en créant des corniches, des crevasses et de petites grottes. À son point le plus haut, l'île atteint 136 m au-dessus du niveau de la mer. Par contre, le côté sud présente un relief nettement moins prononcé, avec des escarpements d'à peine 15 m de haut. Côté ouest, en face de la ville de Percé, on retrouve de petites falaises entrecoupées de quelques grèves. L'accès plus facile dans ce secteur en a d'ailleurs jadis favorisé le peuplement. Comme la superficie de l'île est de 4 km², la dénivellation à l'intérieur se fait donc graduellement et en douceur. De loin, le profil ressemble à une baleine. L'île abrite d'importantes colonies d'oiseaux (plus de 250 000 oiseaux marins et côtiers dont quelque 120 000 fous de Bassan, soit la plus importante colonie au monde) et est ponctuée de maisons rustiques le long de ses quelques sentiers de randonnée (voir p 135).

Sur le quai de Percé, plusieurs bateliers proposent de vous emmener jusqu'à l'île Bonaventure. Les départs se font fréquemment de 8h à 17h en haute saison. La traversée comporte souvent une courte excursion autour de l'île et du Rocher pour vous permettre de bien en observer les beautés. La plupart des entreprises vous laissent passer le temps que vous voulez sur l'île et revenir avec un de leurs bateaux qui font régulièrement l'aller-retour.

Quelques kilomètres passé Percé, sur la route 132, se trouve le charmant village de L'Anse-à-Beaufils.

L'Anse-à-Beaufils

Le **Magasin Général Historique Authentique 1928** ★★★ *(7$; mi-juin à fin sept tlj 10h à 17h; 32 rue à Bonfils,* ☎ *418-782-2225 ou 418-782-5286, www.mghistorique.com)* propose une splendide incursion dans l'univers d'un magasin général des années 1920 au Québec. S'inspirant des contes traditionnels québécois, le guide-propriétaire Rémi Cloutier vous convie, avec ses acolytes conteurs, à une visite qui ne manquera pas de charmer même ceux qui n'ont pas l'habitude d'aimer ce genre de sorties patrimoniales. Ce lieu vaut réellement le détour, et la manière si dynamique de présenter les divers éléments, qui comprend quelques savoureuses mises en situation, rend la visite tout à fait captivante. Comptez 2h pour prendre pleinement le pouls de l'endroit. Merveilleux!

Après votre visite, vous pouvez descendre la rue vers **La Vieille Usine de L'Anse-à-Beaufils** ★ *(55 rue à Bonfils, ☎418-782-2277, www.lavieilleusine.qc.ca)*, un charmant lieu pluridisciplinaire qui comprend un café, un petit bistro, une galerie d'art, une salle de spectacle, un atelier d'artiste, un studio d'enregistrement et une boutique (voir p 162)!

Sainte-Thérèse-de-Gaspé

L'entreprise **Lelièvre, Lelièvre et Lemoignan** *(visites guidées 4,50$; mi-juin à mi-sept lun-sam 9h à 17h; 52 rue des Vigneaux, ☎418-385-3310, www.economusees.com)* produit de la morue séchée de très grande qualité. Elle renferme également un économusée instructif qui explique le processus de salage et de séchage des poissons. La visite extérieure permet de voir les centaines de «vigneaux» où sèchent les poissons, un genre de treillis surélevé permettant la circulation de l'air.

Grande-Rivière

Inauguré en 2007, le **Carrefour national de l'aquaculture et des pêches** ★★ *(12$; début mai à mi-oct tlj 9h à 17h, le reste de l'année sam-dim 10h à 17h; 70 rue du Parc, ☎418-385-1583)* est un splendide et très étonnant musée qui explique les manières de procéder dans le milieu de l'aquaculture et l'importance des écosystèmes marins en général. Le bâtiment qui abrite le musée est impressionnant et presque surréaliste tant la structure, qui représente un bateau, est innovatrice et artistique. Les composantes d'aluminium font place à du cèdre rouge de la Colombie-Britannique, et l'eau fait aussi partie intégrante du concept architectural. On peut voir dans le musée des espèces de poissons que l'on a rarement la chance

d'apercevoir, et comprendre la reproduction et la culture en milieu aquatique. Les visites guidées sont très intéressantes, et la salle multimédia vaut à elle seule le détour. On y retrouve un écran à 180° et un système de son à faire pâlir d'envie les grandes salles de cinéma urbaines.

*En poursuivant par la route 132, vous passerez la ville de **Chandler** avant d'arriver à Pabos Mills.*

Pabos Mills

C'est ici, à Pabos Mills, que l'on effectue des fouilles archéologiques dans le **Parc du Bourg de Pabos** *(7$; début juin à mi-sept tlj 9h à 16h; 75 ch. de la Plage, ☎418-689-6043, www.lebourgdepabos.com)*, sur le site du poste de pêche en activité de 1729 à 1758, qui représentait l'un des très rares efforts de peuplement permanent en Gaspésie sous le Régime français. Sur l'**île Beauséjour**, au centre de la baie de Pabos, se trouvent les vestiges archéologiques du **manoir de Bellefeuille**, érigé au XVIIIe siècle pour cette famille de seigneurs aventuriers, active de Terre-Neuve jusqu'à l'île du Cap-Breton.

Reprenez la route 132 en direction de Newport.

Newport

Newport est un important port de pêche commerciale. C'est aussi la patrie de Mary Travers (1894-1941), auteure, compositeure et chansonnière avant la lettre, mieux connue sous le nom de «La Bolduc». Ses chansons populaires et entraînantes, qui décrivent le quotidien des Québécois d'alors, connurent un vif succès pendant la crise des années 1930. C'était la première fois qu'un artiste d'ici connaissait le succès sans emprunter au répertoire américain ou européen.

Le **Site Mary Travers dite «La Bolduc»** *(5,50$; début juin à mi-oct tlj 10h à 16h, juil et août tlj 9h à 17h; 124 route 132, ☎418-777-2401, www.labolduc.qc.ca)* vous fait découvrir la vie et l'œuvre de cette chanteuse à travers une salle d'exposition et d'animation. Des spectacles de contes et légendes, de chansons ou de théâtre y sont présentés à l'occasion.

Port-Daniel–Gascons

En plus d'offrir une belle plage de sable aménagée pour recevoir les baigneurs, Port-Daniel–Gascons recèle quelques bâtiments intéressants, entre autres l'**église anglicane St. James** de 1907 et son presbytère (1912), doté d'une tour octogonale et de larges galeries en bois qui rappellent l'architecture des villas de bord de mer de la Côte Est américaine. Deux attraits liés aux transports avoisinent le village: le **tunnel ferroviaire du cap de l'Enfer**, creusé sur 190 m de longueur à même le roc, et le **pont couvert en bois** de 1938, sur la route menant à la réserve faunique de Port-Daniel, située au nord du village.

Créée en 1953, la **réserve faunique de Port-Daniel** ★ *(3,50$; à 8 km de la route 132 depuis Port-Daniel,* ☎*418-396-2789 en saison ou* ☎*418-396-2232 hors saison, www.sepaq. com)* présente un intérêt certain pour quiconque s'intéresse à la nature. Vous y trouverez une faune et une flore particulièrement riches. La réserve, d'une superficie de 57 km^2, est sillonnée de sentiers et parsemée de lacs et de chalets. Certains belvédères offrent de très belles vues.

Le circuit de la Pointe se termine ici. Pour effectuer une boucle complète, ce que l'on appelle familièrement «le tour de la Gaspésie», et ainsi revenir en direction de Québec ou de Montréal sans avoir à retourner sur vos pas, vous pouvez jumeler les circuits A et B au **Circuit C: La baie des Chaleurs et la Matapédia**.

🪶 Activités de plein air

■ Canot et kayak

Aube Aventure *(37-44; 1986 boul. Grande-Grève, Cap-aux-Os,* ☎*418-892-0004, www. aubeaventure.com)* propose des excursions en kayak de mer dans la baie de Gaspé et ses environs. Elles permettent d'aller à la rencontre des phoques pour quelques heures, ou bien d'effectuer une véritable expédition de trois ou quatre jours dans le golfe du Saint-Laurent (littéralement la mer à cet endroit) entre Cap-aux-Os et Percé. Aube Aventure étant par ailleurs une des seules écoles de sauvetage en mer et en rivière reconnues au Québec, vous pouvez donc être assuré de la compétence de ses guides. L'hébergement (voir p 148) et la restauration (voir p 158) sont également proposés sur place.

À L'Anse-au-Griffon, **Griffon Aventure** *(829 boul. du Griffon, route 132, L'Anse-au-Griffon,* ☎*418-360-6614, www.griffonaventure. com)* organise la descente, en canot ou en kayak, de cinq des rivières cristallines des environs. Une foule d'autres activités sont aussi proposées (canyoning, kayak de mer, etc.). Le camping en yourte, en tipi ou sous la tente prospecteur est aussi possible sur le site.

■ *Croisières et observation des baleines*

Les **Croisières Baie de Gaspé** *(45$; départ au quai de Grande-Grave, 1 à 4 départs/jour; 64 boul. de la Montagne, Gaspé,* ☎*418-892-5500 ou 866-617-5500, www.baleines-forillon. com).* L'excursion sur le *Narval III*, un grand pneumatique à coque en aluminium, d'une capacité de 48 passagers assis, dure environ 2h30 et permet d'acquérir toute l'information pertinente sur les mammifères marins de la part d'un guide-interprète bilingue et professionnel. Ce bateau puissant et stable atteint rapidement les zones d'observation à la vue des souffles (même lointains), où les passagers vivent pleinement la rencontre avec les plus grands animaux de la planète. À l'arrêt des moteurs, le souffle des cétacés retentit comme une détonation, et l'on s'émerveille de voir défiler le dos de la baleine bleue, du rorqual commun et du petit rorqual ou, récompense ultime, de regarder s'élever hors de l'eau la queue du rorqual à bosse. On peut aussi en profiter pour admirer à partir du large les paysages spectaculaires de Forillon et du cap Gaspé. Imperméable fourni. Il est important de s'habiller chaudement.

Des excursions d'observation des baleines sont également organisées par **Observation Littoral Percé** *(40$ pour une durée de 2h30 à 3h; juin à oct; près de l'hôtel*

Normandie, 240 route 132, Percé, ☎418-782-5359). Pendant ces excursions, vous aurez l'occasion de voir des baleines et, avec un peu de chance, des dauphins à flancs blancs. Il est préférable de ne pas s'attendre à voir des queues de baleine comme sur les photographies des magazines; on ne voit généralement que le dos de la baleine, et celle-ci est souvent loin. Des lois sévères régissent d'ailleurs les organisateurs d'excursions, et de lourdes amendes leur sont imposées lorsqu'ils ne tiennent pas leurs distances. Les départs se font tôt le matin, et l'excursion dure toute la matinée. N'oubliez pas de vous munir de vêtements chauds et d'un bon coupe-vent.

■ Motoneige

Info Motoneigiste Gaspésie (800 rue Hôtel-de-Ville, Chandler, ☎418-689-5533 ou 877-202-4636, www.quebectrails.com) propose de l'information sur les principaux sentiers de motoneige de la Gaspésie. On y vend les permis de circulation, obligatoires sur les sentiers.

■ Observation des oiseaux

Le **parc national de l'Île-Bonaventure-et-du-Rocher-Percé** (3,50$, transport vers l'île Bonaventure non inclus; début juin à mi-oct 9h à 17h; 4 rue du Quai, Percé, ☎418-782-2240 ou 800-665-6527, www.sepaq.com), un site naturel visant à préserver les lieux de nidification des cormorans et des fous de Bassan sur l'île Bonaventure, est un paradis pour les amateurs d'ornithologie.

■ Pêche

La **réserve faunique de Port-Daniel** (3,50$; à 8 km de la route 132 depuis Port-Daniel, ☎418-396-2789 en saison ou ☎418-396-2232 hors saison, www.sepaq.com) est parsemée d'une vingtaine de lacs où il est possible de pêcher la truite. Vous avez le choix entre la pêche d'un jour et la pêche avec hébergement dans les chalets situés au bord des lacs (dans certains cas, presque dans le lac!). Des chaloupes sont mises à la disposition des usagers. Il faut réserver 48 heures à l'avance.

Les 3 Rivières Pabos (10 boul. Pabos, Pabos, ☎418-682-4912 ou 888-374-8437, www.3rivierespabos.com) est une organisation de mise en valeur des rivières Petit Pabos, Grand Pabos Ouest et Grand Pabos Nord pour la pêche au saumon. L'eau de ces rivières est littéralement cristalline. Quelques refuges sympathiques sont proposés aux pêcheurs.

■ Plongée sous-marine et plongée-tuba

Les fonds marins du **parc national Forillon** (6,80$; 122 boul. Gaspé, Gaspé, ☎418-368-5505, www.pc.gc.ca) comptent parmi les plus appréciés des plongeurs pour leur vie abondante, colorée et très diversifiée. Effectivement, tous les blocs de pierre que l'érosion a arrachés aux falaises de Forillon et projetés sur les plateaux sous-marins constituent un habitat privilégié tant pour la faune que pour la flore marine. Ajoutons à cela une mer exceptionnellement active et riche en nutriments à cause de la rencontre des eaux du golfe du Saint-Laurent et de la baie de Gaspé, et vous avez tous les éléments qui composent un milieu de plongée des plus fascinants autour de trois sites en particulier: Petit-Gaspé, Grande-Grave et L'Anse-Saint-Georges. À Grande-Grave, les plongeurs ont accès à un bâtiment de services avec vestiaires et bassins pour le rinçage de leur équipement.

Au total, une douzaine de sites de plongée sont disséminés au sud de la presqu'île et à la pointe est de Forillon. Les eaux froides et oxygénées du secteur abritent de nombreuses anémones, du corail mou, des homards et des forêts de laminaires. Parfois, des phoques au comportement très amical viennent saluer les plongeurs.

■ Randonnée pédestre

Le **parc national Forillon** (6,80$; 122 boul. Gaspé, Gaspé, ☎418-368-5505, www.pc.gc.ca), avec ses falaises sculptées par la mer et son paysage extraordinaire, vous assure de magnifiques randonnées. Vous y trouverez plusieurs parcours accessibles aux jeunes et moins jeunes. Nous recommandons entre autres:

Le sentier des Graves

Départ de Grande-Grave: 8 km (aller-retour)
Niveau: facile
Durée: 2h30

Le sentier des Graves est celui qui longe presque toute la côte sud du parc et conduit le marcheur jusqu'à la pointe extrême de la presqu'île de Forillon. On y côtoie des plages de gravier, des anses bucoliques et des falaises moins escarpées que sur le flanc nord. De plus, il arrive qu'on puisse observer des mammifères marins au large. Il est aussi possible d'emprunter la route de gravier sur 3,2 km pour se rendre jusqu'à Cap-Gaspé.

Le Mont Saint-Alban

Départ de la plage Petit-Gaspé: 7,2 km (boucle)
Départ de Cap-Bon-Ami: 7,8 km (boucle)
Niveau: intermédiaire
Durée: 3h

C'est toute la grande scène naturelle la plus spectaculaire de Forillon qui se déploie au fil de ce sentier qui grimpe jusqu'à une tour d'observation située à 283 m d'altitude. Bien que la piste soit quelque peu abrupte au départ, il vaut largement la peine de faire l'effort durant les premiers kilomètres puisque la satisfaction est grande à l'approche du sommet. Rappelez-vous, au cours de l'ascension, que les habitants de L'Anse-au-Griffon franchissaient autrefois ce sentier avec bœuf et charrette pour aller s'approvisionner à Grande-Grave…

Dans le **parc national de l'Île-Bonaventure-et-du-Rocher-Percé** *(3,50$, transport vers l'île Bonaventure non inclus; début juin à mi-oct 9h à 17h; 4 rue du Quai, Percé, ☎ 418-782-2240 ou 800-665-6527, www.sepaq.com)*, vous trouverez quelque 15 km de sentiers parcourant la splendide île Bonaventure, la longueur des sentiers variant entre 2,8 km à 4,9 km. Nous recommandons entre autres:

Le sentier des Mousses

Longueur: 3,5 km
Niveau: facile
Durée: 75 min

Ce sentier couvre certains affleurements rocheux et offre un trajet peu achalandé. On y explore une forêt boréale en régénération. À l'est, sur la côte, deux belvédères permettent de contempler au loin la baie de Saint-Georges-de-Malbaie et les caps de Gaspé.

Le chemin du Roy

Longueur: 4,9 km
Niveau: facile
Durée: 90 min

Le chemin du Roy est un sentier qui fait référence à la route qui relie les anciennes habitations de l'île, reliques d'une petite communauté de pêcheurs et de cultivateurs du siècle dernier. À partir du secteur des Colonies, le trajet offre de superbes points de vue sur la mer. Soyez attentif: vous pourriez voir une baleine au large. Des mouettes tridactyles, des petits pingouins et des guillemots noirs nichent dans la falaise, plus particulièrement dans la baie des Marigots. Il vaut la peine de faire une halte sur la plage pour en apprécier le paysage.

■ *Ski alpin et planche à neige*

Le **mont Béchervaise** *(25$; du centre-ville de Gaspé, faites 5 km sur la route 198 en direction de Murdochville, ☎ 418-368-2000, www.vivelaneige.com)*, avec ses 280 m de dénivelé, compte 13 pistes de ski alpin qui conviennent aussi bien aux débutants qu'aux experts. Trois remontées mécaniques réduisent les temps d'attente, et le système d'enneigement artificiel garantit une bonne couverture quel que soit le temps.

■ Ski de fond

Les fondeurs peuvent pratiquer leur sport favori sur plus de 40 km de pistes entretenues dans le **parc national Forillon** *(6,80$; 122 boul. Gaspé, Gaspé, ☎418-368-5505, www.pc.gc.ca)*. Pour leur commodité, des abris munis de poêles à bois, de tables de pique-nique et de toilettes sèches jalonnent la majorité des sentiers. Le réseau de ski de fond comprend plusieurs sentiers balisés, notamment:

La Vallée

Longueur: 9,2 km (aller-retour)
Accès: à 1 km de la route 132, à L'Anse-au-Griffon

Sur un parcours peu accidenté, à l'abri du vent, on longe la rivière de l'Anse au Griffon et on rejoint le sentier Le Portage (voir ci-dessous). Un abri est situé à mi-parcours.

Le Ruisseau

Longueur: 9,6 km (boucle)
Accès: par les sentiers La Cédrière à l'ouest ou Le Castor à l'est

Le sentier Le Ruisseau permet de parcourir un paysage de montagnes et de collines.

Le Portage

Longueur: 20 km (aller-retour)
Accès: à 0,5 km de la route 132, près de Penouille, ou à 1 km de la route 132, à L'Anse-au-Griffon

Au sud, la piste longe une zone forestière qui s'ouvre sur des champs vers le nord. Elle rejoint les sentiers La Vallée et La Cédrière.

■ Vélo

La bicyclette est un moyen de transport intéressant pour découvrir certaines parties du **parc national Forillon** *(6,80$; 122 boul. Gaspé, Gaspé, ☎418-368-5505, www.pc.gc.ca)*. À vélo, on peut observer la nature sous un autre angle et faire un sain exercice en même temps. Le vélo s'avère aussi particulièrement utile pour se déplacer dans les campings et se rendre aux centres de services ou aux activités.

On peut se balader sur les routes secondaires du parc (secteurs Nord et Sud), sur le chemin de la plage de Penouille, ou sur le sentier Le Portage. Les amateurs de vélo de montagne pourront également emprunter le sentier La Vallée ainsi que la route de gravier menant à Cap-Gaspé. Le vélo est toutefois interdit dans tous les autres sentiers pédestres.

Un service de location de vélos est offert au centre récréatif du parc et au stationnement de L'Anse-aux-Amérindiens. De ce dernier point, on longe facilement la côte jusqu'au cap Gaspé, mais seuls les véritables sportifs se hissent sur la dernière pente jusqu'au phare. Les autres laissent leur vélo en bas de la côte et montent à pied.

- -

Circuit C: La baie des Chaleurs et la Matapédia
★

🕐 *Deux à trois jours*

▲ *p 153*   🍴 *p 159*   ➔ *p 160*   🏠 *p 162*

Contrairement aux circuits de la Haute-Gaspésie et de la Pointe, celui de la baie des Chaleurs et de la Matapédia aborde des paysages doux et davantage de terres en culture. La baie des Chaleurs compte en outre des plages de sable caressées par une eau plus calme et bien plus chaude que celle de Percé, d'où son nom. Elle pénètre profondément à l'intérieur des terres, séparant le Nouveau-Brunswick, au sud, du Québec, au nord. Ce circuit peut servir de tremplin à une visite dans les provinces atlantiques (pour plus d'information sur cette région, consultez le guide Ulysse *Provinces atlantiques du Canada*).

Pour ce qui est de la Matapédia, cette longue et étroite vallée est parsemée de petits villages dépendant essentiellement de l'industrie forestière. Ses belles forêts et ses nombreux lacs et rivières sont le royaume de la chasse et de la pêche.

À partir de Port-Daniel-Gascons, reprenez la route 132 jusqu'à Paspébiac, où débute le circuit.

Paspébiac

Petite ville industrielle, Paspébiac était autrefois le quartier général de la compagnie Robin, spécialisée dans la transformation et le commerce de la morue. Cette compagnie a été fondée dès 1766 par le marchand Charles Robin, originaire de l'île de Jersey. Son entreprise essaimera par la suite en plusieurs points sur la côte gaspésienne et même sur la Côte-Nord.

En 1791, Robin ajoute un chantier naval à ses installations de Paspébiac, où l'on construira les bateaux qui livreront le poisson jusqu'en Europe. Vers 1840, il est rattrapé par l'entreprise de John Le Boutillier, l'un de ses anciens employés qui lui fait une féroce concurrence. La faillite de la banque de Jersey en 1886 affectera durement les entreprises de pêche de la Gaspésie, qui ne retrouveront jamais leur puissance d'antan.

Le **Site historique du Banc-de-Paspébiac** ★ ★ *(5$; juin à sept tlj 9h à 17h, mi-sept à fin oct tlj 9h à 17h; 3e Rue route du Quai, ☎418-752-6229, www.shbp.ca)*. Un «banc» est une langue de sable et de gravier propice au séchage du poisson. Voisin d'un port naturel profond et bien protégé, le banc de Paspébiac se prêtait admirablement bien au développement d'une véritable industrie de la pêche. En 1964, il subsistait encore sur le banc quelque 70 bâtiments des entreprises Robin et Le Boutillier. Cette année-là, un incendie en détruisit cependant la majeure partie. Seuls 11 bâtiments sont parvenus jusqu'à nous; ils ont été soigneusement restaurés et sont ouverts au public.

La plupart des bâtiments subsistants ont été construits dans la première moitié du XIXᵉ siècle. On peut notamment voir l'ancienne charpenterie, la forge, les cuisines, le bureau de l'entreprise Robin et une poudrière, de même que le «B.B.» (Le Boutillier and Brothers) de 1850, cette structure destinée à l'entreposage de la morue dont le haut toit pointu domine les installations. On présente, dans certains des bâtiments, des expositions thématiques consacrées aux constructions navales, au commerce international du poisson et à l'histoire des compagnies de Jersey. Une boutique et un restaurant où l'on sert des mets typiques s'ajoutent à l'ensemble patrimonial.

New Carlisle ★

La région de New Carlisle fut colonisée par des loyalistes américains qui s'y fixèrent à la suite de la signature du traité de Versailles, qui reconnaissait l'indépendance des États-Unis en 1783. Le coquet village, doté de quelques églises de diverses dénominations, n'est pas sans rappeler ceux de la Nouvelle-Angleterre. Il faut absolument voir les trois **églises protestantes** ★, fierté des gens de New Carlisle. Ces temples sont distribués le long de la route 132, qui devient la «rue Principale» au centre du village. New Carlisle est aussi connue comme le lieu de naissance de René Lévesque, premier ministre du Québec de 1976 à 1985.

L'**église anglicane St. Andrew** fut construite vers 1890. Plus vaste que la plupart des temples de l'Église d'Angleterre érigés dans les villages de taille comparable, elle témoigne de l'importance de la communauté protestante à New Carlisle. La **Zion United Church**, dont il ne reste plus beaucoup de membres, adopte une forme curieuse, alors que la **Knox Presbyterian Church**, une église de tradition écossaise, reproduit un plan typique des années 1850.

À New Carlisle, il faut aussi remarquer les **bornes-fontaines** peintes à l'effigie de personnages de dessins animés ou de bandes dessinées. Concept unique au Québec, il y aurait plus de 60 bornes ainsi décorées, disséminées un peu partout dans la ville!

Le **Manoir Hamilton** ★ *(entrée libre; 115 boul. Gérard-D.-Lévesque,* ☎*418-752-6498 ou 866-542-6498, www.manoirhamilton.com)*. On trouve peu de demeures bourgeoises du XIXᵉ siècle en Gaspésie, contrée de pêcheurs et de travailleurs forestiers. Le manoir Hamilton, érigé en 1852 pour John Robinson Hamilton, avocat et député, en est un rare exemple. Il comporte en outre un carré de maçonnerie, ce qui ajoute à son caractère exceptionnel. En plus d'abriter un gîte touristique (voir p 153), le manoir comprend une petite galerie d'art, un salon de thé, un café Internet et un théâtre de poche. Il est aussi possible de le visiter sur réservation.

Beaucoup plus modeste que la précédente, la **maison natale de René Lévesque** (1922-1987) *(on ne visite pas; 16 Mount Sorel)*, premier ministre du Québec de 1976 à 1985, grand responsable de la nationalisation de l'électricité et fondateur du Parti québécois, témoigne des brassages de population dans la région au XIXᵉ siècle, alors que New Carlisle était le centre administratif de la région de la baie des Chaleurs.

Poursuivez par la route 132 en direction de Bonaventure.

Bonaventure ★

Des Acadiens réfugiés à l'embouchure de la rivière Bonaventure (l'une des meilleures rivières à saumons en Amérique) ont fondé le village du même nom à la suite de la victoire des Britanniques lors de la bataille de la Ristigouche en 1760. Aujourd'hui, Bonaventure est l'un des bastions de la culture acadienne dans la région de la baie des Chaleurs, en plus d'accueillir une petite station balnéaire qui bénéficie à la fois d'une plage sablonneuse et d'un port en eaux profondes. On y fabrique des articles en cuir de poisson (porte-monnaie, sacs à main), uniques au monde.

On estime qu'un million de Québécois sont d'origine acadienne. Le **Musée acadien du Québec** ★ *(7$; &; fin juin à début sept tlj 9h à 18h; début sept à mi-oct tlj 9h à 17h; le reste de l'année lun-ven 9h à 12h et 13h à 17h, dim 13h à 16h30; 95 av. Port-Royal, ☎418-534-4000, www.museeacadien.com)* retrace le périple des Acadiens du Québec et d'ailleurs en Amérique. La collection du musée comprend des meubles du XVIIIᵉ siècle, des toiles et des photographies d'époque, et une présentation audiovisuelle à caractère ethnographique donne une excellente idée du rayonnement des Acadiens. Le musée loge dans un édifice (1914) qui abritait à l'origine une académie pour garçons ainsi que la caisse populaire.

La construction de l'**église Saint-Bonaventure** ★ *(100 av. Port-Royal)* a été entreprise en 1860, l'année même où le clergé catholique se tourne enfin vers la région de la baie des Chaleurs, alors jugée fort éloignée, pour ériger canoniquement les premières paroisses. L'intérieur très coloré est garni de toiles du peintre Georges S. Dorval de Québec ainsi que de plusieurs ornements en bois imitant le marbre.

Le **Bioparc de la Gaspésie** *(12,50$; juin et sept tlj 9h à 17h, juil et août tlj 9h à 18h, le reste de l'année sur réservation; 123 rue des Vieux-Ponts,* ☎*418-534-1997 ou 866-534-1997, www.bioparc.ca)* est un lieu idéal à visiter en famille. À l'aide de présentations multimédias et de guides-interprètes, vous découvrirez avec ravissement les secrets des animaux vivant en Gaspésie tels que l'ours, le phoque, la loutre, le lynx et le caribou. Sur un parcours d'environ 1 km, on a recréé le milieu naturel où vivent ces animaux: la toundra, la rivière, le «barachois», la forêt et la baie. La visite dure 2h.

Dans les environs de Bonaventure se trouvent la longue plage de Beaubassin de même que la ZEC (zone d'exploitation contrôlée) de la rivière Bonaventure.

Une excursion facultative conduit au village de Saint-Elzéar, situé à l'intérieur des terres.

Saint-Elzéar

La **grotte de Saint-Elzéar** *(37$, enfants de moins de 6 ans non admis; début juin à début sept, 1ᵉʳ départ 8h; 198 rue de l'Église,* ☎ *418-534-4335, www.lagrotte.ca)* vous fera découvrir 500 000 années d'histoire gaspésienne. À travers ce voyage spéléologique et géomorphologique, vous aurez l'occasion de visiter les deux plus grandes salles souterraines du Québec. Des vêtements chauds et une bonne paire de chaussures sont requis, car la température se maintient à 4°C.

Reprenez la route 132 à droite en direction de New Richmond. Quittez la route principale pour emprunter le boulevard Perron Ouest à gauche.

New Richmond ★

Les premiers colons anglais de la Gaspésie s'installent ici au lendemain de la Conquête. Ils seront bientôt rejoints par des loyalistes puis par des immigrants écossais et irlandais. Cette forte présence anglo-saxonne se traduit dans l'architecture de la ville aux rues proprettes, ponctuées de petites églises protestantes de diverses dénominations.

Avant d'entrer dans la ville, on trouvera, du côté gauche, le **Village Gaspésien de l'Héritage Britannique** ★ *(10$, le prix inclut le transport en navette; début juin à début sept tlj 9h à 18h; 351 boul. Perron O.,* ☎ *418-392-4487, www.villagegaspesien.com)*. Il est situé sur la pointe Duthie et regroupe des bâtiments qui furent construits le long de la baie des Chaleurs; ils ont été sauvés de la démolition puis transportés ici, site de l'ancien domaine Carswell. Ils ont été restaurés afin d'accueillir des expositions thématiques portant sur le développement industriel de la région et les différents arrivants anglophones en Gaspésie, qu'ils soient Britanniques, Écossais ou Irlandais. Les vestiges de la maison Carswell servent à illustrer l'arrivée des colons britanniques; un campement loyaliste reconstitué évoque l'arrivée de ces fidèles sujets en août 1784; une maison et un entrepôt de céréales rappellent, quant à eux, l'immigration écossaise, alors qu'une autre maison témoigne de

l'arrivée des Irlandais. Enfin, dans une clairière, la maison Willet, qui date de la fin du XIXᵉ siècle, évoque le développement industriel de la région.

L'**église St. Andrew** ★ *(211 boul. Perron O.)*. Au centre de la ville s'élève une des plus anciennes églises de la région de la baie des Chaleurs. Il s'agit de l'église presbytérienne St. Andrew, construite en 1839. À la suite des fusions entre communautés protestantes au XXᵉ siècle, le temple fait aujourd'hui partie de l'Église unie du Canada.

Maria

En reprenant la route 132 en direction de Carleton-sur-Mer, on traverse la rivière Cascapédia, à l'embouchure de laquelle se trouvent le village de Maria et la **réserve amérindienne de Gesgapegiag**, avec son **église en forme de tipi**. La réserve loge également la **Coopérative d'artisanat micmac** *(120 boul. Perron/route 132,* ☎ *418-759-3504)*, qui vend des produits fabriqués sur place. Depuis plusieurs générations, les paniers de frêne et de jonc sont une spécialité des Micmacs.

Le petit **Jardin de l'abeille** *(entrée libre; mi-juin à mi-sept tlj 9h à 17h; 1059 Dimock Creek/route de la réserve amérindienne, suivez les indications,* ☎ *418-759-3027, www.jardindelabeille. com)* est une entreprise qui permet d'en apprendre un peu plus sur les différentes étapes de la fabrication et de la récolte du miel. Vous y verrez, à travers une vitre, l'activité qui règne dans une ruche. On y vend de nombreux produits dérivés du miel, entre autres l'hydromel, un vin de miel que vous pourrez d'ailleurs goûter sur place.

Carleton-sur-Mer ★

Tout comme Bonaventure, Carleton-sur-Mer est un important centre de la culture acadienne au Québec de même qu'une station balnéaire dotée d'une belle plage de sable caressée par des eaux calmes relativement plus chaudes qu'ailleurs en Gaspésie, d'où le nom donné à la baie des Chaleurs. Les montagnes qui s'élèvent derrière la ville contribuent à lui donner un cachet particulier. Carleton a été fondée dès 1756 par des réfugiés acadiens auxquels se sont joints des déportés de retour d'exil. Connue à l'origine sous le nom de «Tracadièche», la petite ville a été rebaptisée au XIXᵉ siècle par l'élite d'origine britannique en l'honneur de Sir Guy Carleton, troisième gouverneur du Canada. Carleton-sur-Mer est le résultat de la fusion de Carleton et de la paroisse voisine, Saint-Omer.

L'**église Saint-Joseph** ★ *(764 boul. Perron)* est l'un des plus anciens lieux de culte catholiques de la Gaspésie. Sa construction fut entreprise en 1849, mais ne fut véritablement terminée qu'en 1917.

Près du sommet du **mont Saint-Joseph** se trouve l'**oratoire Notre-Dame** (1924), décoré de mosaïques et de verrières. Une belle passerelle offre une vue grandiose sur toute la baie des Chaleurs, les montagnes du centre de la Gaspésie et la côte du Nouveau-Brunswick. Des tours guidés de la ville de Carleton-sur-Mer incluant le transport ainsi qu'une visite commentée au mont Saint-Joseph sont organisés à l'**Hostellerie Baie Bleue** (voir p 154) et au **Camping Carleton** (voir p 154). Plus de 30 km de sentiers pédestres sont aussi proposés aux randonneurs à partir du site de l'oratoire Notre-Dame et relient Carleton-sur-Mer et Maria (voir p 143).

Prenez la rue du Quai (perpendiculaire à la route 132) vers la mer; après le *Saint-Barnabé*, un bateau échoué, suivez la route de gravier jusqu'aux abords de la **tour d'observation**. Montez jusqu'au sommet de la tour. En haute saison, un guide y donne parfois quelques explications sur la faune ailée. Vers l'ouest, on aperçoit l'ancienne paroisse de Saint-Omer, avec sa belle église néogothique érigée en 1900.

Une fois arrivé dans le village de Nouvelle, prenez à gauche la route de Miguasha.

Nouvelle

Plus petit parc du réseau de Parcs Québec, le **parc national de Miguasha** ★ ★ *(3,50$, accès au parc plus musée 11,50$;*

début juin à début sept tlj 9h à 18h, début sept à mi-oct 9h à 17h, hors saison lun-ven 8h30 à 12h et 13h à 16h30; 231 route de Miguasha O., ☎418-794-2475 ou 800-665-6527, www. sepaq.com) se distingue de tous les autres établissements de la Sépaq par son attrait principal: la richesse fossilifère de sa falaise. Ce site offre en effet une chance unique au Québec de découvrir le monde fascinant de la paléontologie et d'admirer et de s'instruire sur des fossiles vieux de 380 millions d'années. Des fossiles qui ont si bien traversé les âges géologiques que scientifiques et visiteurs continuent d'être ébahis devant le spectacle de ces organismes semblant presque encore en vie. Le site en entier est d'ailleurs reconnu depuis 1999 par l'UNESCO comme faisant partie du Patrimoine mondial, le tout dans un cadre naturel enchanteur, celui de la pointe de Miguasha, avec ses vallons boisés et sa falaise donnant sur l'estuaire de la rivière Ristigouche.

C'est au **Musée d'histoire naturelle** *(&)* du parc et sur la falaise que les fossiles reprennent vie grâce à une passionnante visite guidée. L'exposition *De l'eau à la terre*, que l'on peut faire aussi de manière autonome, présente des dizaines de fossiles de poissons, d'invertébrés et de plantes qui ont été découverts dans la falaise du parc. Des textes explicatifs complets sont présentés partout dans la salle d'exposition. La visite extérieure permet de s'initier au monde des fossiles en compagnie d'un garde-parc et vous fera remonter dans le temps, lorsque les falaises environnantes constituaient le fond d'une lagune il y a 380 millions d'années, bien avant l'apparition des dinosaures, lorsque les poissons étaient les seuls vertébrés sur Terre et que certains d'entre eux s'apprêtaient à fouler la terre ferme...

Prenez 1h pour parcourir le sentier qui longe la falaise et admirer la vue splendide sur l'estuaire de la rivière Ristigouche et les montagnes environnantes. Un escalier de 220 marches permet de continuer la promenade sur la plage, d'où il est possible de contempler la falaise qui préserve les fossiles de poissons disparus, et de se tremper les pieds dans l'eau!

Les Micmacs

Les *Mi'gmaq* (Micmacs), dont la population s'élève aujourd'hui à un peu plus de 4 800 personnes au Québec, se sont sédentarisés dans la région de la Gaspésie, formant les villages de Restigouche (Listuguj) et de Gesgapegiag, ou habitant, avec les non-Autochtones, à Gaspé (Gespeg) et dans ses alentours. Sans doute la toute première nation amérindienne à avoir eu des contacts avec les Européens, les Mi'gmaq habitaient alors les côtes de la Gaspésie et des provinces maritimes. Reconnus comme d'excellents marins, ils établirent aussi des campements, permanents ou non, sur plusieurs des îles du golfe du Saint-Laurent. Avec le développement économique de la région, plusieurs Mi'gmaq sont devenus, depuis le XIXe siècle, bûcherons ou ouvriers. Bon nombre d'habitants de Restigouche et de Gesgapegiag parlent toujours le micmac, que l'on enseigne d'ailleurs maintenant dans les écoles des deux villages.

À l'ouest de Miguasha, la baie des Chaleurs se rétrécit considérablement jusqu'à l'embouchure de la rivière Ristigouche, qui se déverse dans la baie.

Pointe-à-la-Croix

Le 10 avril 1760, une flotte française quitte Bordeaux à destination du Canada afin de libérer la Nouvelle-France, tombée aux mains des Anglais. Seuls trois navires parviennent dans la baie des Chaleurs, les autres ayant été victimes des canons anglais à la sortie de la Gironde. Ce sont *Le Machault*, *Le Bienfaisant* et *Le Marquis-de-Malauze*, des vaisseaux de 350 tonneaux en moyenne. Peine perdue, les troupes anglaises rejoignent les Français dans la baie des Chaleurs à l'embouchure de la rivière Ristigouche. La bataille s'engage. Les Anglais, beaucoup plus nombreux, déciment la flotille française en quelques heures...

Le **Lieu historique national de la Bataille-de-la-Ristigouche** ★ *(4$; début juin à mi-oct tlj 9h à 17h; route 132,* ☎*418-788-5676, www.pc.gc.ca)* présente plusieurs objets repris aux épaves de même que quelques morceaux de la frégate *Le Machault*. Une intéressante reconstitution audiovisuelle donne une idée des différentes étapes de l'affrontement.

Maison Bordeaux *(on ne visite pas; 101 ch. Bordeaux)*. Cette maison, qui date de la fin du XVIIIe siècle, est la plus ancienne de la Gaspésie. Elle porte ce nom parce que sa première résidente, Mary Barter, était originaire de Bordeaux.

Entre Pointe-à-la-Croix et Restigouche, un pont traversant la baie des Chaleurs relie le Québec au Nouveau-Brunswick.

Poursuivez par la route 132 pour atteindre Causapscal, dans le cœur de la vallée de la Matapédia.

Causapscal

Les scieries de Causapscal dominent le village traversé en son centre par la rivière Matapédia. Celle-ci est l'une des meilleures rivières à saumons d'Amérique du Nord. Chaque année, les amateurs de pêche sportive séjournent dans la région afin de pratiquer leur sport favori. Longtemps source de conflits entre la population locale et les clubs privés qui détenaient l'exclusivité des droits de pêche sur la rivière, la pêche au saumon constitue de nos jours un apport économique régional appréciable. Causapscal, mot d'origine micmaque qui signifie «pointe rocheuse», a été fondé en 1839 à la suite de l'ouverture d'un relais baptisé «La Fourche», à la jonction des rivières

Matapédia et Causapscal. Au centre du village se dresse l'imposante **église Saint-Jacques-le-Majeur**, réalisée dans le style néogothique au début du XXᵉ siècle.

Le **Site historique Matamajaw** ★ *(6$; début juin à mi-août tlj 9h à 17h; 53C rue St-Jacques,* ☎*418-756-5999)*. Dès 1873, Donald Smith, futur Lord Mount Stephen, acquiert les droits de pêche de la rivière Matapédia. Quelques années plus tard, les droits sont rachetés par le Matamajaw Salmon Club. Les membres de ces clubs sont en général des hommes d'affaires américains ou canadiens-anglais qui viennent passer trois ou quatre jours par année au milieu des bois dans un ambiance de détente et de fête. Ultime luxe, ils envoient leurs prises à la maison dans des wagons réfrigérés qui les attendent à la gare de Causapscal. Le club cesse ses activités vers 1950, et les bâtiments du domaine Matamajaw sont classés monuments historiques et ouverts au public en 1984. On y présente une exposition retraçant l'histoire de la pêche au saumon et la vie au club. Depuis 1996, on peut faire l'observation du saumon de l'Atlantique grâce à une fosse reconstituée. Des sentiers mènent au **parc Les Fourches**, où se rencontrent les rivières Matapédia et Causapscal et où l'on peut voir des pêcheurs à l'œuvre.

Les berges de la rivière Causapscal constituent l'endroit rêvé pour observer plus de 200 saumons dans la fosse du **Marais** et aux **Falls**, où l'on peut les voir travailler pour remonter les chutes. Deux sentiers d'interprétation et d'observation s'étalant sur 25 km sont aménagés pour accueillir les amateurs de plein air. Les deux sites se trouvent à environ 25 min de Causapscal et font partie de la **réserve faunique de la Rivière-Causapscal** *(3,50$; 53-B rue St-Jacques S.,* ☎*418-756-6174 ou 888-730-6174, www.sepaq.com)*.

Il faut se promener dans les environs, sur les routes secondaires, afin de pouvoir apprécier pleinement le paysage constitué de chutes, de rapides et de falaises.

Reprenez la route 132 en direction d'Amqui. Peu avant d'arriver à Amqui, vous aper- *cevrez une route (6 km) qui mène à Saint-Alexandre-des-Lacs.*

Saint-Alexandre-des-Lacs

Les **chutes à Philomène**, situées à l'entrée du village de Saint-Alexandre-des-Lacs, constituent un très bel endroit pour un pique-nique. Ces chutes de 30 m dévoilent un spectacle naturel d'une grande beauté.

Revenez à la route 132 et poursuivez en direction nord pour atteindre Amqui.

Amqui

Amqui est le chef-lieu de la municipalité régionale de comté (MRC) de la Matapédia. Vous pourrez y apercevoir un pont couvert érigé en 1931. Rendezvous à la vieille gare ferroviaire *(209 boul. St-Benoît O.)* pour voir le plus vieux wagon de type Pullman encore en service en Amérique du Nord.

Continuez par la route 132 en direction nord.

Val-Brillant

Avis aux skieurs, Val-Brillant se trouve à quelque 10 km du **Parc régional de Val-d'Irène** (voir p 144).

Continuez sur la route 132 en direction nord.

Saint-Moïse

À Saint-Moïse s'élève l'église la plus originale de toutes les églises anciennes de la Gaspésie. Réalisée en 1914 selon les plans du chanoine Georges Bouillon, elle adopte un vocabulaire romano-byzantin exprimé à travers un plan polygonal qui provoque un effet étrange mais réussi.

Enfin, poursuivez toujours sur la route 132 jusqu'à Mont-Joli.

Mont-Joli

À Mont-Joli, dernière étape de cette longue et belle tournée, vous bénéficierez d'un beau panorama sur le fleuve Saint-Laurent.

En continuant sur la route 132 un peu passé Mont-Joli, vous regagnerez Sainte-Flavie. La boucle est bouclée et le tour de la Gaspésie terminé...

Activités de plein air

■ Excursions minéralogiques

Les guides géologues de la petite entreprise touristique **Le Sémaphore** *(55$/ demi-journée, 80$/jour; 401 route 299, New Richmond, ☎ 418-392-2626 ou 866-364-2210, www.semaphore.ca)* proposent des excursions d'exploration dans l'arrière-pays de la Gaspésie afin de connaître un peu mieux son histoire géologique et de partir à la quête des fossiles et de géodes sur les monts Lyall, Tuzo et Squaw Cap. Une petite boutique se trouve sur place.

■ Canot et kayak

La **Route bleue de la Gaspésie** *(☎ 418-368-2201, poste 8058, www.routebleuegaspesie. ca)* est un tronçon du **Sentier maritime du Saint-Laurent** (voir p 57), conçu pour les embarcations à faible tirant d'eau, particulièrement le kayak de mer. Le Sentier maritime est organisé de telle sorte que, tout au long du parcours, des haltes pour se reposer, des emplacements de camping et des services d'hébergement et de restauration sont proposés aux kayakistes et autres pagayeurs par les commerçants partenaires du Sentier maritime. Le sentier suit le littoral sud de l'estuaire et du golfe du Saint-Laurent, et se prolonge en contournant la péninsule gaspésienne pour se terminer dans la baie des Chaleurs. Consultez le site Internet de la Route bleue pour plus d'information, car cette très intéressante initiative était toujours en cours de coordination au moment de mettre sous presse.

À Bonaventure, **Cime Aventure** *(200 ch. Athanase-Arsenault, Bonaventure, ☎ 418-534-*2333 ou 800-790-2463, www.cimeaventure. com)* organise des excursions sur la cristalline rivière Bonaventure, en kayak ou en canot, d'une durée allant de quelques heures à six jours. Un petit centre de location propose aussi des kayaks de mer à la marina de Bonaventure, à ceux qui veulent s'aventurer dans la baie des Chaleurs.

■ Observation des oiseaux

Le **barachois de Carleton** est un lieu privilégié pour l'observation de la sauvagine, de la sterne et du grand héron. D'ailleurs, vous verrez une grande colonie de sternes à l'extrémité sud du banc de Carleton. Une petite tour d'observation, agrémentée de panneaux d'interprétation, permet de bien observer les oiseaux.

■ Pêche

À Causapscal, le poste d'accueil de la **Corporation de Gestion des rivières Matapédia et Patapédia** *(☎ 756-6174, réservations ☎ 888-730-6174, www.cgrmp.com),* situé en face du Site historique Matamajaw, émet des permis de pêche pour ces deux rivières. Pour la pêche au saumon, du début juin à la fin août, vous pouvez bénéficier d'un service de location d'équipement et de la présence d'un guide. On vend des droits d'accès à la journée, et il y a possibilité de forfaits. La rivière Matapédia représente un véritable trésor pour les pêcheurs de saumons. Vous y capturerez des spécimens pesant jusqu'à 20 kg!

■ Randonnée pédestre

À Carleton-sur-Mer, un réseau de 12 sentiers de randonnée pédestre totalisant plus de 30 km est accessible au sommet du mont Saint-Joseph, à partir du site de l'**oratoire Notre-Dame** (voir p 140). Menant de Carleton-sur-Mer à Maria, ce réseau de sentiers de niveau familial ou intermédiaire traverse de très beaux paysages. Il comprend plusieurs aménagements (ponts, escaliers et belvédères) qui vous permettront d'apprécier la splendeur de la région. Une carte détaillée des sentiers est disponible à la boutique de l'oratoire.

Basée à Maria, l'entreprise **Les Secrets du Vieux Bouc** *(140 rang 2, Maria, ☎418-759-3248, www.lessecretsduvieuxbouc.com)* propose un service de guide touristique partout en Gaspésie. Spécialisée dans les lieux uniques et peu fréquentés, elle offre des randonnées en montagne et des rencontres avec le patrimoine local grâce à un guide naturaliste ayant plus de 25 ans d'expérience en Gaspésie. Des formations en photographie de type safari sont aussi proposées.

■ Ski alpin

Le **Parc régional de Val-d'Irène** *(27,50$; 115 route Val-d'Irène, Ste-Irène, ☎418-629-3450 ou pour connaître les conditions de ski ☎418-629-3101, www.val-direne.com)* offre 274 m de dénivelé sur 26 pistes.

■ Ski de fond

Le **Parc régional de Val-d'Irène** *(entrée libre; 115 route Val-d'Irène, Ste-Irène, ☎418-629-3450, www.val-direne.com)* bénéficie d'excellentes conditions de ski au Québec. On y trouve 15 km de sentiers bien entretenus.

■ Voile

Écovoile Baie-des-Chaleurs *(499 boul. Perron, Carleton-sur-Mer, ☎418-392-1974 ou 418-364-7802, www.ecovoile.com)*, une petite coopérative de solidarité, propose des excursions en voilier à la baie des Chaleurs. On peut aussi y faire la location de dériveurs et de kayaks de mer. L'Écovoile organise également une gamme d'activités de formation liées à la pratique de la voile et à l'interprétation du milieu marin.

▲ Hébergement

Circuit A: La Haute-Gaspésie

Sainte-Flavie

Le village de Sainte-Flavie marque le début de la Gaspésie. Il peut être agréable de s'y attarder un peu avant d'entamer le tour de cette péninsule qui réserve de belles découvertes.

Centre d'Art Marcel Gagnon
$$
☖ @
564 route de la Mer
☎418-775-2829
▤775-9548
.centredart.net
L'auberge du Centre d'Art Marcel Gagnon, en bordure de la route 132, propose des chambres tranquilles qui offrent une vue sur les 80 statues grandeur nature baignant dans la mer. On y trouve aussi un bon restaurant.

Motel Le Gaspésiana
$$-$$$
≡ ⚥ @ ☖ @
460 route de la Mer
☎418-775-7233 ou 800-404-8233
▤418-775-9227
www.gaspesiana.com
Le Motel Le Gaspésiana propose des chambres de motel bien équipées et insonorisées. Leurs larges fenêtres les rendent, somme toute, assez agréables.

Grand-Métis

Motel Camping Métis
$-$$
mi-juin à mi-oct
220 route 132
☎418-775-6473
Le volet «motel» du Motel Camping Métis dispose de chambres simples et modernes. Le camping, quant à lui, compte 40 emplacements, dont 20 dédiés au camping rustique. Un chalet est également offert en location.

Métis-sur-Mer

Camping Annie
$
≋
1352 route 132
☎418-936-3825
▤418-936-3035
www.campingunion.com
Le Camping Annie est pourvu de 150 emplacements dont 58 équipés des trois raccordements (aux eaux usées, à l'eau potable et à l'électricité) pour véhicules récréatifs. Il se trouve en bordure de sentiers pédestres et cyclables. Situé à 8 km des Jardins de Métis, cet

endroit est chaleureux et très sympathique.

Auberge Métis-sur-Mer
$-$$
❄ 🍴 🍸
mi-mai à mi-sept
387 ch. Patton
☎418-936-3563 ou 877-338-3683
www.aubergemetissurmer.qc.ca
L'Auberge Métis-sur-Mer est dotée de chambres spacieuses, bien éclairées par la lumière du jour, et d'installations simples. Plusieurs chalets *($$$;* ☕ ⛺*)* situés près de la mer sur une plage privée sont aussi offerts en location.

Au coin de la baie
$$-$$$
☕ 🍴
mi-mai à mi-sept
336 route 132
☎418-936-3855
▤418-936-3112
www.aucoindelabaie.com
Des forfaits donnant accès aux Jardins de Métis sont offerts.

Auberge du Grand Fleuve
$$$ pdj
🍴 @
mi-mai à oct
47 rue Principale
☎418-936-3332
www.aubergedugrandfleuve.qc.ca
Avec un nom de village aussi original, il fallait s'attendre à y retrouver des établissements témoignant d'une certaine créativité! C'est le cas de l'Auberge du Grand Fleuve, qui se qualifie de «bouquin-couette». Tenue par un couple franco-québécois amoureux des lettres et de l'art de l'accueil, cette auberge propose le gîte et une fine cuisine dans un environnement largement inspiré de la mer.

Matane

Voir carte p 146.

Auberge de La Seigneurie
$$ pdj
bp/bc @
621 av. St-Jérôme
☎418-562-0021 ou 877-783-4466
▤418-562-4455
www.aubergelaseigneurie.com
Lieu idéal pour se reposer au confluent du fleuve et de la rivière Matane, l'Auberge de La Seigneurie, érigée sur l'ancien site de la seigneurie Fraser, propose des chambres confortables.

Motel La Vigie
$$
≡ ◎ 🍴 @
1600 av. du Phare O.
☎418-562-3664 ou 888-527-3664
▤418-566-2930
www.lavigie.com
Situé à proximité des sentiers de motoneige, le Motel La Vigie est pourvu de chambres simples aménagées dans un décor moderne. Le lieu est confortable et l'accueil très courtois.

Hôtel-Motel Belle Plage
$$
◎ 🍴 @
1310 rue de Matane-sur-Mer
☎418-562-2323 ou 888-244-2323
▤418-562-2562
www.hotelbelleplage.com
Situé en bordure du fleuve, l'hôtel-Motel Belle Plage propose des chambres simples dans un décor un peu vieillot. Louez l'une des chambres de l'hôtel plutôt que du motel car elles sont plus jolies. L'hôtel dispose d'un fumoir à poisson, et leur saumon fumé est tout simplement irrésistible…

Riôtel Matane
$$-$$$
≡ ◎ ⛴ ≋ 🍴 ≀≀≀ @
250 av. du Phare E.
☎418-566-2651 ou 888-427-7374
▤418-562-7365
www.riotel.qc.ca
En arrivant au Riôtel Matane, on constate qu'un effort a été apporté à la décoration et au confort. L'escalier de bois en colimaçon et les fauteuils de cuir ne sont qu'un aperçu de ce qui vous attend plus loin. En traversant le restaurant et le bar, vous aurez droit à une superbe vue du fleuve. Plus récentes, les chambres à l'étage offrent un bon confort. De plus, un court de tennis et un terrain de golf sont mis à la disposition des clients de l'hôtel.

Cap-Chat

Relais Chic-Chocs St-Octave
$$-$$$ pc
≀≀≀ 🍴 @
951 route St-Octave, à 15 km au sud de Cap-Chat
☎418-786-2349 ou 800-530-2349
www.relaischic-chocs.com
Au cours des années 1970, le gouvernement du Québec expropria plusieurs villages de 50 habitants et moins de l'intérieur de la Gaspésie. Le Relais Chic-Chocs occupe un de ces anciens villages, Saint-Octave-de-l'Avenir. Le complexe comporte plusieurs chambres tout confort en auberge ou en chalet (de type canadien ou scandinave). Un bar et un restaurant de fine cuisine font aussi partie de l'offre. Plusieurs activités sont proposées sur place, comme le ski de fond, la randonnée pédestre ou

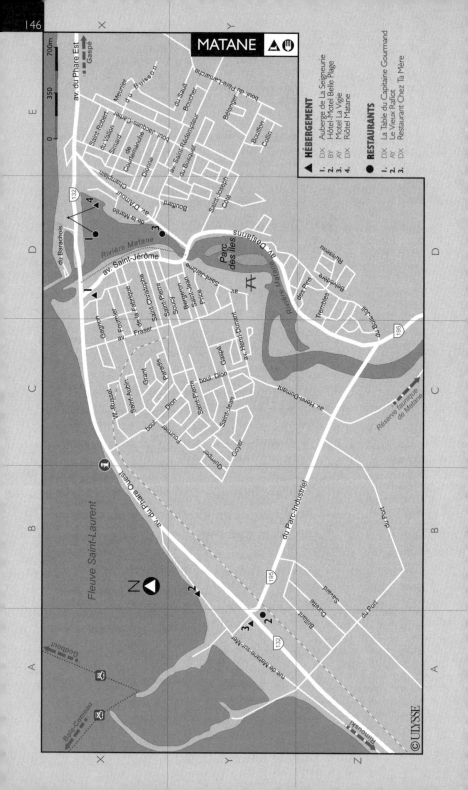

MATANE

146

© ULYSSE

la motoneige. Un beau site, quoiqu'un peu triste à cause des bâtiments abandonnés du village qui n'ont pas encore reçu une nouvelle vocation.

Réserve faunique de Matane

Auberge de montagne des Chic-Chocs
$$$$$ pc
))) ♨

fermé de début avr à mi-juin et de mi-oct à fin déc
à 55 km au sud de Cap-Chat
☎800-665-3091 (pour réservation)
www.sepaq.com

Sans contredit un incontournable dans la région, l'Auberge de montagne des Chic-Chocs est située à plus de 600 m d'altitude au cœur d'une nature sauvage. Inaugurée en 2006, l'auberge accueille les visiteurs venus profiter des nombreuses activités de plein air offertes dans la réserve. Misant sur l'intimité, elle ne compte que 18 chambres ainsi qu'un salon commun avec foyer, un sauna, un bain à remous extérieur et une salle à manger. L'auberge met à la disposition des visiteurs une équipe de guides qui ont le mandat d'encadrer les activités de plein air et de faire découvrir le magnifique territoire de la réserve. Le bureau d'accueil et de départ de la navette pour l'auberge (vous ne pouvez pas vous y rendre par vos propres moyens) se trouve au **Bistro Chez Valmont** (voir p 157), à Cap-Chat. Le bistro est fermé d'octobre à avril,

mais le bureau d'accueil demeure ouvert.

Sainte-Anne-des-Monts

Auberge Internationale Sainte-Anne-des-Monts
$ pdj
bc))) @
295 1ʳᵉ Avenue E.
☎418-763-7123
☐418-763-7138
www.aubergesgaspesie.com

Une bonne adresse économique et pratique. On n'y va pas pour le charme des lieux ni pour la vue depuis les dortoirs en demi-sous-sol, mais pour ses services: cuisine équipée, accès Internet, laverie, salon… Le tout dans une atmosphère très conviviale. Chambres privées, chambres partagées et dortoirs sont disponibles. Petit déjeuner inclus.

Parc national de la Gaspésie

Dans le parc national de la Gaspésie, différents emplacements de **camping** (*$; mi-juin à fin sept*) sont mis à votre disposition. On y trouve aussi une vingtaine de **chalets** (*$$-$$$*) pouvant accueillir deux, quatre, six ou huit personnes (*☎866-727-2427 ou 800-665-6527, ☐418-763-5435, www.sepaq.com*). Si vous prévoyez faire de la randonnée pédestre sur les flancs des monts Albert ou Jacques-Cartier, il est préférable de louer l'un des chalets du Gîte du Mont-Albert. Les autres chalets sont situés plus loin des sentiers, soit près du lac Cascapédia.

Gîte du Mont-Albert
$$$$
$$$$$ ½p
●△≈♨)))&
☎418-763-2288 ou 866-727-2427
☐418-763-7803
www.sepaq.com

Situé dans le **parc national de la Gaspésie** (voir p 114), le Gîte du Mont-Albert offre un panorama splendide. Comme l'auberge est construite en forme de fer à cheval, chacune des 48 chambres vous offre, en plus d'un bon confort, une vue imprenable sur les monts Albert et McGerrigle. Location de chalets.

Ruisseau-Castor

Auberge Festive Sea Shack
$ pdj
bc @
route 132, à 14 km à l'est de Ste-Anne-des-Monts
☎418-763-2999 ou 866-963-2999
www.aubergefestive.com

Érigé directement au bord du fleuve, cet établissement est typique des auberges où les jeunes voyageurs se retrouvent pour faire la fête et profiter des spectacles de musique et des activités de plein air qui sont organisés sur place. Ambiance assurée, feu à l'extérieur jusque tard dans la nuit et cuisine collective complètent le tableau. Plusieurs types d'hébergement sont proposés, comme le tipi, la yourte, le dortoir, le chalet et le camping. Sur place, l'entreprise **Eskamer Aventure** (voir p 118) propose des sorties en kayak de mer.

Circuit B: La Pointe

Petite-Vallée

La Maison Lebreux
$-$$ pdj
bp/bc
2 Longue Pointe
☎418-393-2662
www.lamaisonlebreux.com
Cette auberge compte huit chambres sympathiques et trois chalets. Très bon rapport qualité/prix.

Pointe-à-la-Frégate

L'Étoile du Nord
$-$$ pdj
🍴
1 ch. du Pêcheur
☎418-395-2966
www.etoiledunord.net
Cette petite auberge dispose d'une situation magnifique directement sur la côte du golfe du Saint-Laurent, avec une vue superbe. Comme la maison principale abrite le restaurant, par ailleurs excellent (voir p 157), les chambres ont été aménagées dans un bâtiment attenant de type motel. Elles sont simples, très propres et sans prétention, mais pourraient bénéficier d'une petite cure de rajeunissement. Le service est chaleureux et invitant. Une belle étape sur la route!

Parc national Forillon

Vous trouverez trois campings dans le parc, en plus du **camping de groupe de Petit-Gaspé** (*☎418-892-5911 en été*, *☎418-368-5505 le reste de l'année*), pour les groupes de 10 personnes et plus, ouvert toute l'année. Pour réserver *($)* un emplacement, composez, à partir de la mi-mars, le ☎*877-737-3783 (www.pccamping.ca)*. Notez que seulement 50% des 367 emplacements du parc sont disponibles sur réservation; le reste suit le principe du «premier arrivé, premier servi».

Camping Des Rosiers
$
secteur Nord
Le camping Des Rosiers est doté de 155 emplacements pour tentes et véhicules récréatifs (42 d'entre eux avec électricité). Il est situé sur un terrain semi-boisé en face de la mer.

Camping Cap-Bon-Ami
$
secteur Nord
Le Camping Cap-Bon-Ami compte 41 emplacements, pour tentes seulement, situés sur un terrain semi-boisé.

Camping Petit-Gaspé
$
secteur Sud
Le Camping Petit-Gaspé propose 171 emplacements pour tentes et véhicules récréatifs (35 emplacements avec électricité) sur un terrain boisé recouvert de gravillon.

Cap-aux-Os

Auberge de jeunesse de Cap-aux-Os
$
bc 🍴 @
2095 boul. Grande-Grève
☎418-892-5153
www.gaspesie.net/aj-gaspe
Si vous ne recherchez pas le grand luxe et que vous surveillez vos dépenses, l'auberge de jeunesse de Cap-aux-Os vous conviendra parfaitement. D'ambiance vraiment conviviale, tant à la cafétéria qu'au grand salon, l'auberge est située aux portes du parc national Forillon et offre plusieurs activités.

Aube Aventure
$
1986 boul. Grande-Grève
☎418-892-0004
www.aubeaventure.com
L'entreprise de plein air **Aube Aventure** (voir p 133) propose l'hébergement dans des tentes de type prospecteur ou des yourtes tout aménagées, chacune pouvant accueillir jusqu'à six personnes. On a accès à une aire de cuisine collective, à un rond de feu pour les soirées et à un bloc sanitaire. L'ambiance est très agréable.

Gîte du Loup Marin
$$ pdj
bc
2060 boul. Grande-Grève
☎418-892-5162
www.gaspesie.net/loupmarin
La vue depuis ce petit gîte de quatre chambres ouvert toute l'année est tout simplement sublime. Peu cher, l'hébergement consiste en une option très sympathique aux portes du parc national Forillon, pour pratiquer toutes sortes d'activités. Le gîte est d'ailleurs associé avec l'entreprise de plein air **Aube Aventure** (voir p 133) et offre un forfait hébergement et kayak dans la baie de Gaspé.

Gaspé

Résidence du Cégep
de la Gaspésie et des Îles
$
mi-juin à mi-août
94 rue Jacques-Cartier
☎418-368-2749
www.cgaspesie.qc.ca

La Résidence du Cégep de la Gaspésie et des Îles loue ses chambres pendant les vacances des étudiants. La literie, les serviettes et la vaisselle dans les cuisines sont fournies.

Motel Camping Fort Ramsay
$-$$
254 boul. Gaspé
☎/🖷 418-368-5094
www.fortramsay.com

Établi entre le parc national Forillon et le centre-ville de Gaspé, le Motel Camping Fort Ramsay dispose de chambres simples mais un peu bruyantes, la route se trouvant à proximité. L'établissement compte également des emplacements pour installer sa tente.

Motel Adams
$$
20 rue Adams
☎418-368-2244 ou 800-463-4242
🖷 418-368-6963
www.moteladams.com

Situé au centre-ville, le Motel Adams abrite des chambres agréables, spacieuses et très propres.

Maison William Wakeham
$$-$$$$ pdj
186 rue de la Reine
☎418-368-5537
www.maisonwakeham.ca

La Maison William Wakeham propose six chambres dans une splendide ancienne demeure en pierres (**Ash Inn**, voir p 128). L'ambiance est très chaleureuse et le confort irréprochable. La chambre de la Reine est tout simplement magnifique et a effectivement un cachet royal et très anglais. Une très belle adresse!

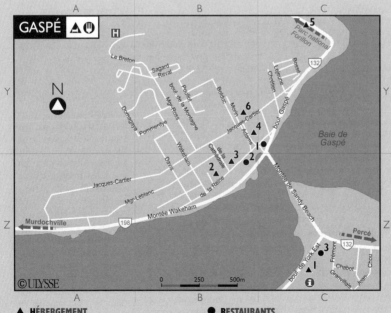

▲ HÉBERGEMENT

1.	CZ	Auberge L'Ancêtre
2.	BZ	Hôtel des Commandants
3.	BZ	Maison William Wakeham (R)
4.	BY	Motel Adams
5.	CY	Motel Camping Fort Ramsay
6.	BY	Résidence du Cégep de la Gaspésie et des Îles

● RESTAURANTS

1.	CY	Brûlerie du Café des Artistes
2.	BZ	Le Brise Bise
3.	CZ	Restaurant Bar Latini

(R): établissement avec restaurant décrit

Gaspésie - Hébergement - La Pointe

Hôtel des Commandants
$$$

≡ ◎ ♨ � @

178 rue de la Reine
☎ 418-368-3355 ou 800-462-3355
▤ 418-368-1702
www.hoteldescommandants.com
L'Hôtel des Commandants se dresse au centre-ville à côté d'un centre commercial. Les chambres sont agréables et confortables. L'établissement dispose aussi d'un petit cinéma, le **Cinéma Baker** (voir p 160).

Auberge L'Ancêtre
$$$ pdj

≡ @

55 boul. York E.
☎ 418-368-4358 ou 888-368-4358
www.aubergeancetre.com
L'Auberge l'Ancêtre est aménagée dans une jolie maison datant de 1837, ce qui en fait l'une des plus anciennes de la péninsule. Cinq chambres avec salle de bain privée sont proposées, et l'auberge est décorée avec goût et un souci de conservation. Le petit déjeuner maison est copieux, et les propriétaires sont fort sympathiques.

Fort Prével

Auberge Fort-Prével
$$-$$$$

≋ ♨

mi-juin à mi-sept
2053 boul. Douglas
St-Georges-de-Malbaie
☎ 418-368-2281 ou 888-377-3835
▤ 418-368-1364
www.sepaq.com
Tout comme le Gîte du Mont-Albert, l'Auberge Fort-Prével est administrée par la Société des établissements de plein air du Québec (Sépaq). La batterie de Fort Prével servit pendant la Seconde Guerre mondiale; un circuit d'interprétation nous rappelle son rôle. L'auberge abrite six chambres. Près de l'auberge, un pavillon compte 12 chambres et un motel 40 chambres. Douze chalets tout équipés plus une maison à louer pouvant accueillir jusqu'à 12 personnes ainsi que 28 emplacements pour autocaravanes sont également disponibles. On y a une très belle vue sur la mer.

Percé

Auberge de jeunesse La Maison Rouge
$

125 route 132 O.
☎/▤ 418-782-2227
Quelques dortoirs et des chambres privées se partagent cette belle maison d'antan selon la formule de l'auberge de jeunesse. Une belle terrasse, une cuisine commune et l'accès à Internet sont aussi mis à la disposition de la clientèle. En été, un dortoir s'y ajoute dans la grange à l'arrière. D'ici, la vue est magnifique.

Camping du Gargantua
$

222 route des Failles
☎ 418-782-2852
Le Camping du Gargantua est sans contredit le plus beau camping de Percé et de ses environs. Il offre une vue non seulement sur le rocher Percé et sur la mer, mais aussi sur les montagnes verdoyantes environnantes. Sur les 28 emplacements disponibles, on ne trouve généralement que des tentes.

Gîte Au Presbytère
$$ pdj

bp/bc @

47 av. de l'Église
☎ 418-782-5557 ou 866-782-5557
www.perce-gite.com
Ce gîte est aménagé dans une belle maison un peu à l'écart de la route 132, parfois exagérément touristique. Au cœur du vieux village, donc, tout à côté de l'église, le Gîte Au Presbytère propose cinq chambres magnifiques et décorées avec beaucoup de goût. Le très copieux petit déjeuner est servi à la grande table où s'assoient tous les convives.

Auberge du Gargantua
$$

♨

juin à sept
222 route des Failles
☎ 418-782-2852
▤ 418-782-5229
Depuis une trentaine d'années qu'elle domine Percé du haut de son promontoire, l'Auberge du Gargantua n'a plus besoin d'introduction pour les habitués de la péninsule gaspésienne. Sa table (voir p 159) fait partie des meilleures de la région. Son magnifique panorama entre mer et montagne laissera dans votre mémoire un souvenir impérissable. Vous pouvez dormir au motel, dans de petits chalets ou planter votre tente dans le camping de l'établissement (voir ci-dessus). Les chambres sont simples mais confortables. Un petit déjeuner (avec supplément) est proposé aux

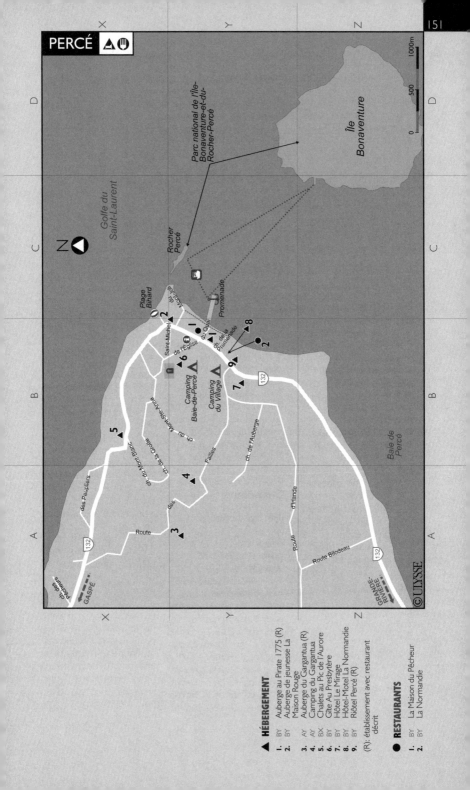

PERCÉ ▲🍽

Parc national de l'Île-Bonaventure-et-du-Rocher-Percé

Golfe du Saint-Laurent

Île Bonaventure

N

Rocher Percé

Promenade

Plage Bihard

Saint-Michel

du Mont-Joli

de l'Église

du Quai

du Mont-Ste-Anne

ch. du Mont-Blanc

ch. de la Cédée

Camping Baie-de-Percé

Camping du Village

de la PlCinaniahlole

Faillis

ch. de l'Auberge

des

Route

des Peupliers

d'Irlande

Route Bilodeau

Route

Baie de Percé

132

132

GASPÉ
ch. des Fournaux

GRANDE-RIVIÈRE

0 500 1000m

© ULYSSE

HÉBERGEMENT

- **1.** BY Auberge au Pirate 1775 (R)
- **2.** BY Auberge de jeunesse La Maison Rouge
- **3.** AY Auberge du Gargantua (R)
- **4.** AY Camping du Gargantua
- **5.** BX Chalets au Pic de l'Aurore
- **6.** BY Gîte Au Presbytère
- **7.** BY Hôtel Le Mirage
- **8.** BY Hôtel-Motel La Normandie
- **9.** BY Riôtel Percé (R)

(R): établissement avec restaurant décrit

RESTAURANTS

- **1.** BY La Maison du Pêcheur
- **2.** BY La Normandie

occupants. Au départ de l'auberge, plusieurs chemins de randonnée rejoignent Percé et permettent de se balader autour du mont Sainte-Anne.

Auberge au Pirate 1775
$$-$$$ pdj
🛏 @
169 route 132
☎ 418-782-5055
www.quebecweb.com/aubergeaupirate1775

L'Auberge au Pirate 1775 propose cinq très belles chambres dans une maison du XVIIIe siècle. La vue sur le golfe du Saint-Laurent est à couper le souffle. Une très bonne table (voir p 159) complète par ailleurs les installations et services de l'établissement.

Chalets au Pic de l'Aurore
$$-$$$
🛏🔥🏊⛄
mi-juin à mi-sept
1 route 132
☎ 418-782-2166 ou 800-463-4212
🖥 418-782-5323
www.resperce.com

Les Chalets au Pic de l'Aurore sont situés en haut de la côte, au nord de Percé, et surplombent toute la ville. Chacun des 17 chalets bénéficie d'une jolie terrasse et dispose d'une cuisinette, d'une chambre et d'un salon avec foyer.

Riôtel Percé
$$$
🛏🏊@
261 route 132
☎ 418-782-2166 ou 800-463-4212
www.riotel.com

Pratiquement situé en plein cœur du village, le Riôtel Percé abrite des chambres spacieuses et lumineuses.

Hôtel Le Mirage
$$$
🛏≡⛄🏊
mai à oct
288 route 132
☎ 418-782-5151 ou 800-463-9011
🖥 418-782-5536

L'Hôtel Le Mirage dispose de courts de tennis et de 67 chambres confortables offrant une vue superbe.

Hôtel-Motel La Normandie
$$$-$$$$
🛏 @
221 route 132
☎ 418-782-2337 ou 800-463-0820
🖥 418-782-2337
www.normandieperce.com

L'Hôtel-Motel La Normandie a acquis une excellente réputation à Percé. Cet établissement de luxe est complet plus souvent qu'à son tour durant la haute saison; du restaurant et des chambres, vous pouvez admirer le célèbre rocher Percé.

Chandler

Hôtel Explorateur
$$
≡⛄🍴🛏@
40 boul. René-Lévesque E. (route 132)
☎ 418-689-3355 ou 888-860-3355
www.hotelexplorateur.com

L'Hôtel Explorateur est pour l'instant un simple petit motel de bord de route. Par contre, au courant de l'année 2008, le propriétaire prévoit reconstruire entièrement les installations et ouvrir un nouvel hôtel avec un spa et un centre d'information et de réservation touristique, notamment pour les motoneigistes car la piste de motoneige qui traverse la Gaspésie aboutit à Chandler. Une belle initiative locale!

Pabos Mills

Motel Fraser
$$
≡⛄🛏
325 route 132
☎ 418-689-2281 ou 800-463-1404
www.touriste.net/motelfraser

Le Motel Fraser offre un bon rapport qualité/prix.

Port-Daniel–Gascons

Bleu sur Mer
$$$$-$$$$$ pdj
≡⛄🛏@
504 route 132
☎ 418-396-2538
www.bleusurmer.com

Le gîte Bleu sur Mer, une splendide maison située directement sur le barachois de Port-Daniel–Gascons, compte trois chambres offrant un confort total. De plus, un projet prévoit la création de deux suites complètes sous les combles. Le lieu est en tout point incroyable: il y a même un héliport sur place! Les salles de bain sont modernes à souhait et les petits déjeuners délicieux et créatifs. L'ambiance générale, très détendue, plutôt branchée et même sensuelle, se révèle d'un goût irréprochable!

Circuit C: La baie des Chaleurs et la Matapédia

Paspébiac

Auberge du Parc
$$$
◎ ≋ ⍥ ⍟)))
début fév à fin nov
68 boul. Gérard-D.-Lévesque O.
☎418-752-3355 ou 800-463-0890
▤ 418-752-6406
www.aubergeduparc.com
L'Auberge du Parc est installée dans un manoir qui fut érigé par l'entreprise Robin au XIXᵉ siècle, au centre d'un bois, dans un cadre parfait pour la détente. Bains thermomasseurs, enveloppements d'algues, massages thérapeutiques, pressothérapie, ainsi qu'une piscine d'eau de mer agrémenteront votre séjour.

New Carlisle

Auberge des Commandants
$$-$$$ *pdj*
⍟))) @
104 boul. Gérard-D.-Lévesque
☎418-752-1000 ou 877-266-3355
www.hoteldescommandants.com
L'Auberge des Commandants offre un hébergement de qualité dans des unités de très bon confort, mais sans grand cachet.

Manoir Hamilton
$$-$$$ *pdj*
115 boul. Gérard-D.-Lévesque
☎418-752-6498 ou 866-542-6498
www.manoirhamilton.com
Le Manoir Hamilton, une magnifique demeure bourgeoise du XIXᵉ siècle

(voir p 138), propose cinq chambres qui ont beaucoup de cachet et de confort. Tous les meubles sont effectivement d'époque. Le petit déjeuner est sublime, et les hôtes s'avèrent très sympathiques.

Bonaventure

Camping Plage Beaubassin
$
début juin à mi-sept
154 rue Beaubassin
☎418-534-2313
En bordure de la baie des Chaleurs, sur une petite presqu'île, le Camping Plage Beaubassin est pourvu de 160 emplacements ainsi que d'une plage surveillée. Une laverie, une salle communautaire et un petit magasin font partie des installations.

Cime Aventure
$-$$$
◕ ⍟
mi-juin à fin sept
200 ch. Athanase-Arsenault
☎418-534-2333 ou 800-790-2463
www.cimeaventure.com
Plusieurs possibilités d'hébergement s'offrent à vous chez Cime Aventure. Vous pouvez opter pour le simple camping, avec votre propre tente, mais il est aussi possible de louer une yourte, un tipi ou un des cinq «écologis», offerts avec ou sans cuisinette. Bâtis selon le principe qui stipule qu'il faut vivre dans la nature sans la déranger, les cinq écologis sont des structures surélevées sur pilotis, question de ne pas gêner la végétation ou les animaux, qui peuvent

ainsi se déplacer sans problème. Un escalier mène à chaque unité, au pied duquel est situé un rond de feu pour les soirées fraîches. Un petit coin de forêt privé, en somme. Exotique et luxueux à la fois. Un excellent petit restaurant se trouve aussi sur place, qui se transforme en bar le soir et met à l'affiche quelques spectacles les fins de semaine, surtout de groupes de la relève musicale québécoise.

Riôtel Château Blanc
$$$
≡ ◎ ⍟ ⍥ @
98 av. de Port-Royal
☎418-534-3336 ou 877-534-3336
www.riotel.com
Le Riôtel Château Blanc propose des chambres correctes à un prix très raisonnable. L'hôtel est situé directement en bordure de la baie des Chaleurs, et la plupart des chambres disposent donc d'une très belle vue.

Maria

Gîte du Patrimoine
$$ *pdj*
bp/bc @
759 boul. Perron
☎418-759-3743
Le Gîte du Patrimoine est aménagé dans une belle maison dont l'intérieur est fort majoritairement «boisé» et dont la plupart des surfaces sont cirées! Les sympathiques propriétaires élèvent des chevaux de course sur leur grand terrain en retrait de la route. Quatre chambres agréables sont proposées ici.

Carleton-sur-Mer

Camping Carleton
$
début-juin à fin sept
banc de Larocque
☎418-364-3992
Camping peu ombragé et très exposé au vent mais idéalement situé sur une presqu'île bordée de plages, avec vue sur la baie des Chaleurs et le mont Saint-Joseph. Quelque 280 grands emplacements sont disponibles, dont la moitié pour les véhicules récréatifs. Jeux pour enfants, laverie, Internet (une partie du camping desservie en Wi-Fi). Des travaux de rénovation des bâtiments sanitaires devraient avoir été effectués juste à temps pour l'ouverture de la saison 2008.

Gîte Le Flâneur B&B
$$ pdj
@
470 boul. Perron
☎418-364-2210 ou 866-364-2210
www.giteleflaneur.ca
Situé en plein centre de la petite ville de Carleton-sur-Mer mais sur un grand terrain un peu en retrait de l'agitation, ce gîte propose cinq chambres sympathiques et sans prétention. Une magnifique terrasse à l'avant permet de se reposer dans un hamac ou un fauteuil suspendu en osier. Le gîte est aussi associé à la petite entreprise touristique **Le Sémaphore** (voir p 143), qui organise des excursions minéralogiques dans l'arrière-pays gaspésien.

Aqua-Mer Thalasso
$$-$$$ pdj
Ψ ≈ @ ₩
début mai à début nov
868 boul. Perron
☎418-364-7055 ou 800-463-0867
▤418-364-7351
www.aquamer.ca
Aqua-Mer Thalasso, situé dans un cadre enchanteur, est un centre de thalassothérapie. On y propose plusieurs forfaits-traitements d'une semaine, dont une cure de remise en forme qui comprend cinq traitements par jour.

Hostellerie Baie Bleue
$$-$$$
482 boul. Perron
☎418-364-3355 ou 800-463-9099
www.baiebleue.com
L'Hostellerie Baie Bleue compte une centaine de chambres, toutes bien entretenues et à la décoration moderne. Un projet de plusieurs millions de dollars prévoit l'agrandissement du lieu et la création d'un centre de congrès.

Manoir Belle Plage
$$-$$$
≡ @ ₩ ≋ @
474 boul. Perron
☎418-364-3388 ou 800-463-0780
www.manoirbelleplage.com
Hôtel tout neuf au cœur de la petite ville de Carleton-sur-Mer, le Manoir Belle Plage propose de très belles chambres avec caractère, ainsi que cinq suites de grand luxe. Le restaurant de l'hôtel, **Le Courlieu** (voir p 160), est tout à fait sublime.

Chalets de la Baie
$$$
☙
209 rue du Quai
☎418-364-7810

Construits non loin de la plage de Carleton-sur-Mer, les Chalets de la Baie conviendront tout à fait aux personnes qui recherchent l'essentiel du confort et une situation très centrale.

Pointe-à-la-Garde

Auberge de jeunesse / Château Bahia de Pointe-à-la-Garde
$ pdj
bp/bc ₩ @
152 boul. Perron
☎/▤418-788-2048
www.hihostels.ca/quebec
L'auberge de jeunesse et le Château Bahia de Pointe-à-la-Garde se trouvent en retrait de la route, à mi-chemin entre Carleton-sur-Mer et Matapédia; il s'agit d'un lieu de détente par excellence. Des mets régionaux de qualité sont servis, tels que saumon frais et jambon à l'érable, tous à prix modique. Vous avez le choix de dormir à l'auberge de jeunesse (en dortoir) ou au «château» situé derrière (chambres privées).

Pointe-à-la-Croix

Gîte et camping La Maison Verte du Parc Gaspésien
$ (camping)
$$ pdj (gîte)
bp/bc ≡ @
216 ch. de la Petite-Rivière-du-Loup
☎418-788-2342 ou 866-788-2342
Le gîte est aménagé dans une grande maison verte en bois. Les cinq chambres sont très sympathiques et confortables, et les deux unités qui se trouvent

au sous-sol peuvent être jumelées pour se transformer en un petit appartement avec salon privé. Les propriétaires sont très gentils. Un grand terrain de camping est aussi proposé à l'arrière, où plusieurs emplacements sont situés en pleine forêt. De Pointe-à-la-Croix, nous sommes à deux minutes du Nouveau-Brunswick.

Causapscal

Camping de Causapscal
$
≋

début juin à début septembre
601 route 132 O.
☎418-756-5621
🖷418-756-3344
Le Camping de Causapscal a aménagé 65 emplacements pour tentes et véhicules récréatifs.

Motel du Vallon
$$
●🐾🛏≋

609 route 132 O.
☎418-756-3433 ou 866-519-3433
🖷418-756-5333
www.motelduvallon.com
Le Motel du Vallon compte 16 chambres dans un site luxuriant.

Auberge La Coulée Douce
$$
🍽≡@

21 rue Boudreau
☎418-756-5270 ou 888-756-5270
🖷418-756-5271
www.lacouleedouce.com
L'Auberge La Coulée Douce est ouverte du printemps à l'automne, de même qu'en hiver selon l'affluence (tout comme sa salle à manger sur réservation). Cette ancienne demeure de curé a été transformée en une sympathique petite auberge

familiale, au centre de la vallée de la Matapédia, qui propose des chambres chaleureusement garnies de vieux meubles. Location de chalets.

Sayabec

Auberge du Lac Malcom
$-$$$
≡🍽

123 route du Lac-Malcom (à droite à partir de la route 132)
☎418-536-3322 ou 866-536-3322
www.aubergedulacmalcom.com
L'Auberge du Lac Malcom est située sur les rives d'un petit lac privé, et la vue depuis la terrasse, où l'on peut prendre le petit déjeuner, est magnifique. L'établissement propose huit chambres qui, sans être luxueuses, offrent tout le confort recherché. Le petit restaurant sert quant à lui des plats simples mais délicieux. Il s'agit là d'un endroit calme et reposant où l'on se sent bien, surtout après plusieurs jours de route. Un terrain de camping est aussi attenant à l'auberge.

Sainte-Paule

Auberge de la Pente Abrupte
$$$
≡🍽

40 ch. Sayabec (à droite à partir de la route 132)
☎418-737-9150 ou 877-737-9150
www.aubergepenteabrupte.com
Établie dans une érablière en pleine nature, La Pente Abrupte est une belle auberge moderne où il est possible de planifier plusieurs activités, entres autres la motoneige. Le restaurant sert des plats

traditionnels québécois à base de produits d'érable.

Padoue

Gîte La Villa du Vieux Clocher
$$ pdj
≡●@

179 rue Beaulieu
☎418-775-9654
www.gitelevieuxclocher.com
Il est étonnant de découvrir semblable témoin de l'histoire et du patrimoine québécois au fond d'un rang de l'arrière-pays gaspésien. Mais c'est exactement l'ambiance qu'on trouve en entrant dans le Gîte La Villa du Vieux Clocher, aménagé dans un ancien presbytère transformé en couvent pour sœurs dans les années 1950 et 1960. La totalité du mobilier date des années 1920 et 1930. Chaleureux et sympathique!

Restaurants

Une initiative particulière en Gaspésie consiste en un label intitulé **Gaspésie Gourmande**. Vous trouverez cette étiquette sur la porte de plusieurs restaurateurs et producteurs alimentaires locaux. En plus de mettre en valeur les produits régionaux et de soutenir l'économie locale, cette désignation est garante d'une qualité et d'une fraîcheur imbattable. En somme, une belle initiative de solidarité régionale, marquée par le sceau de la mer, omniprésente partout, du paysage à l'assiette!

Gaspésie – Restaurants

Vous pouvez par ailleurs vous procurer le magazine *Gaspésie Gourmande* dans la plupart des kiosques à journaux du Québec ou le commander par Internet *(www.gaspesiegourmande. com)*.

Circuit A: La Haute-Gaspésie

Sainte-Flavie

Centre d'Art Marcel Gagnon
$$
564 route de la Mer
☎418-775-2829
www.centredart.net
En bordure de la route 132, le restaurant du **Centre d'Art Marcel Gagnon** (voir p 144) propose un menu fort simple à prix abordable.

Motel Le Gaspésiana
$$
460 route de la Mer
☎418-775-7233
www.gapesiana.com
Le **Motel Le Gaspésiana** (voir p 144) est surtout réputé pour son fameux brunch du dimanche. Le menu, très varié, est aussi bien composé de plats de fruits de mer et de poisson que de plats de viande.

Capitaine Homard
$$-$$$
180 route de la Mer
☎418-775-8046
www.capitainehomard.com
Ouvert depuis une quarantaine d'années, Capitaine Homard affiche une délicieuse carte qui offre un bon choix de poissons et de crustacés: bourgots (buccins com-

muns), crevettes, pétoncles, moules, saumon, crabe, morue et, bien sûr, homard se déclinent sous plusieurs formes. Les carnivores purs et durs peuvent jeter leur dévolu sur le sempiternel hamburger ou les ailes de poulet. Les convives profitent d'un cadre agréable, ainsi que d'un service aimable et attentionné. Halte idéale pour calmer une petite faim ou satisfaire les gros appétits. Menu pour enfants.

Grand-Métis

Café-jardin
$-$$
Jardins de Métis
200 route 132
☎418-775-2221
www.jardinsmetis.com
Le Café-jardin des **Jardins de Métis** (voir p 111) sert des soupes, des salades, des sandwichs et quelques plats élaborés à partir de produits du terroir.

Métis-sur-Mer

Le Goéland gourmand
$$-$$$
fin juin à fin oct
Auberge Métis-sur-Mer
1301 route 132
☎418-936-3563
www.aubergemetissurmer.qc.ca
Si vous avez envie de vous offrir d'excellents plats de fruits de mer, optez pour la salle à manger de l'**Auberge Métis-sur-Mer** (voir p 145).

Matane

Voir carte p 146.

Restaurant Chez Ta Mère
$-$$
50 av. D'Amours
☎418-560-8876
Ce petit restaurant du centre-ville propose des plats simples d'inspiration internationale ainsi que des tapas. L'ambiance est amusante et décontractée.

La Table du Capitaine Gourmand
$$-$$$
Riôtel Matane
260 rue du Barachois
☎418-562-3131
www.riotel.com
Le restaurant du **Riôtel Matane** (voir p 145) attire une clientèle friande de poissons et de fruits de mer frais, toujours servis en grosses portions. Il dispose d'un vivier à homards. L'établissement est parsemé d'objets hétéroclites tels qu'un coffre au trésor et un casier à homards. La pizza aux fruits de mer est très prisée et le service sympathique.

Le Vieux Rafiot
$$-$$$
1415 av. du Phare O., en bordure de la route 132
☎418-562-8080
Le restaurant Le Vieux Rafiot attire beaucoup de visiteurs grâce à sa grande salle à manger, divisée en trois parties par des cloisons percées de hublots et ornée de tableaux d'artistes locaux. En plus de présenter une décoration originale, il propose des plats variés, pour la plupart très bons.

Réserve faunique de Matane

Auberge de montagne des Chic-Chocs
repas compris dans le forfait
fermé de début avr à mi-juin et de mi-oct à fin déc
à 55 km au sud de Cap-Chat
☎ 800-665-3091 (pour réservation)
www.sepaq.com
La table de l'**Auberge de montagne des Chic-Chocs** (voir p 147) est composée de mets simples, raffinés et en accord avec les lieux, c'est-à-dire santé! Les produits régionaux comme le poisson, le canard, le caribou, l'orignal et le cerf de Virginie (chevreuil), sont généralement mis à l'honneur. Il est aussi possible de demander une boîte à lunch pour votre journée en forêt.

Cap-Chat

Bistro Chez Valmont
$-$$
mai à sept
10 Notre-Dame E. (route 132)
☎ 418-786-1355
www.valmontpleinair.com
Ce sympathique et chaleureux bistro propose un menu en constant changement. La cuisine est simple et essentiellement régionale. Des spectacles y sont présentés à l'occasion. On y trouve un accès à Internet, une machine à espresso (rare dans la région!), une bonne sélection de bières québécoises et d'importation ainsi qu'une belle terrasse. Le bistro dispose de grandes verrières donnant directement sur le fleuve.

Le Bistro Chez Valmont est aussi le point de rencontre des participants aux activités de **Valmont Plein Air** (voir p 117), entre autres de ceux qui se sont inscrits à la descente de la rivière Cap-Chat en kayak. Ce petit café sert en outre de bureau d'accueil et de point de départ de la navette pour la magnifique **Auberge de montagne des Chic-Chocs** (voir p 147): même si le bistro est fermé d'octobre à avril, le bureau d'accueil demeure ouvert. Une petite boutique d'équipement de plein air se trouve aussi sur place.

Fleur de Lys
$$-$$$$
184 route 132 E.
☎ 418-786-5518
www.motelfleurdelys.com
Le Fleur de Lys vous invite à savourer une gastronomie typique du Québec. L'accueil est chaleureux.

Parc national de la Gaspésie

Gîte du Mont-Albert
$$$$
☎ 418-763-2288 ou 866-727-2427
www.sepaq.com
Au Gîte du Mont-Albert, il faut absolument vous laisser tenter par les fruits de mer, préparés de façon inventive. Durant le mois de septembre, on y célèbre le Festival du gibier. Vous aurez alors l'occasion de goûter des viandes aussi peu communes que celles de pintade, de bison et de perdrix.

Mont-Louis

La Broue dans l'Toupet
$-$$
toute l'année
20 1ʳᵉ Avenue O. (route 132)
☎ 418-797-2008
Ce bistro d'un petit village de la Haute-Gaspésie s'illustre par la créativité de son menu, qui change chaque semaine. La cuisine d'inspiration régionale est simple mais très bonne, et la salle à manger est chaleureuse à souhait avec ses recoins intimes et son ambiance feutrée. Le bistro sert aussi du café équitable et est l'un des seuls établissements à proposer ce type de café en Gaspésie. On ne s'attend pas à retrouver ce genre d'établissement dans un hameau gaspésien comme Mont-Louis.

Circuit B: La Pointe

Pointe-à-la-Frégate

L'Étoile du Nord
$$-$$$
1 ch. du Pêcheur
☎ 418-395-2966
www.etoiledunord.net
Le restaurant de l'auberge **L'Étoile du Nord** (voir p 148) se distingue en servant de succulents plats à base de fruits de mer, de poisson et de grillades, dans une salle à manger offrant une vue à couper le souffle. L'assiette du pêcheur et la bouillabaisse constituent des incontournables. Le service s'avère sympathique, et les produits sont

de provenance essentiellement locale.

L'Anse-au-Griffon

Le Café de l'Anse
$-$$
Centre culturel Le Griffon
557 boul. du Griffon
☎418-892-0115
www.lanseaugriffon.ca
Le Café de l'Anse loge
à l'intérieur du Centre
culturel Le Griffon, qui
offre toutes sortes de services à la communauté.
Ce petit café sympathique
permet de déguster un
bon espresso sur une ter-
rasse en bord de mer avec
une vue sublime. Un petit
menu du jour en semaine
propose des mets pré-
parés à partir de produits
locaux. Une galerie atte-
nante présente les toiles
d'un aquarelliste local, et
des concerts populaires
sont à l'affiche à l'occasion. Bonne sélection de
bières. Accès à Internet.

Cap-aux-Os

Resto/Bistro Aube Aventure
$-$$
1986 boul. Grande-Grève
☎418-892-0004
www.aubeaventure.com
L'entreprise de plein air
Aube Aventure (voir p 133)
compte aussi un petit
resto dont le menu affiche
de petits plats de cuisine
du terroir, simples mais
délicieux. On peut aussi
savourer une bière pres-
sion de microbrasserie
ou un espresso à la ter-
rasse. L'ambiance est très
amicale.

Gaspé

Voir carte p 149.

Le Brise Bise
$-$$
135 rue de la Reine
☎418-368-1456
www.brisebise.ca
Le Brise Bise est probablement le bistro-bar le plus
sympathique de Gaspé.
On y sert des saucisses,
des fruits de mer, des
salades et des sandwichs.
Le choix de bières et de
cafés est varié et le cinq
à sept agréable. Des spectacles sont présentés tout
l'été, et l'on y danse en fin
de soirée.

Restaurant Bar Latini
$$
35 boul. de York E.
☎418-368-7447
Si vous comptez visiter
le parc national Forillon
pendant la journée,
arrêtez-vous au Latini, qui
prépare des plats pour
emporter. Des pâtes fraî-
ches, des salades et de la
soupe maison figurent au
menu.

Brûlerie du Café des Artistes
$$-$$$
101 rue de la Reine
☎418-368-3366
Les propriétaires de la
Brûlerie du Café des
Artistes, eux-mêmes
artistes, offrent un concept
tout à fait sympa. Dans ce
centre d'art aux poutres
apparentes, vous pourrez,
à votre aise, prendre le
temps de prendre un bon
repas en table d'hôte, pour
ensuite aller admirer les
œuvres de divers artistes.
Les glaces et les sorbets

maison sont excellents.
Café équitable.

Maison William Wakeham
$$-$$$$
186 rue de la Reine
☎418-368-5537
www.maisonwakeham.ca
La table de la **Maison
William Wakeham** (voir
p 149) est probablement
la meilleure de Gaspé.
Le menu est inventif et la
carte des vins impressionnante, le tout pour un prix
très intéressant. Le restaurant est ouvert le midi et
le soir.

Fort Prével

Auberge Fort-Prével
$$$-$$$$
2053 boul. Douglas
☎418-368-2281 ou 888-377-3835
www.sepaq.com
Dans une ambiance histo-
rique (voir p 128), on peut
savourer ici une délicieuse
cuisine française et qué-
bécoise. À l'intérieur de
la vaste salle à manger,
on déguste de petits plats
apprêtés et présentés
avec raffinement. Au
menu figurent des plats
de poisson et de fruits de
mer, bien sûr, mais aussi
toutes sortes de spécialités
à faire pâlir d'envie tous
les gourmets.

Percé

Voir carte p 151.

Riôtel Percé
$$-$$$
10 ch. de l'Auberge
☎418-782-2166
www.riotel.com

Le restaurant du **Riôtel Percé** (voir p 152) offre un menu de déjeuner et une table d'hôte. La carte se compose de plats de fruits de mer, de salades et de brochettes. La cuisine s'avère très satisfaisante.

Auberge au Pirate 1775
$$-$$$
169 route 132
☎418-782-5055
www.quebecweb.com/
aubergeaupirate1775
Le restaurant de l'**Auberge au Pirate 1775** (voir p 152) propose sa cuisine composée de produits et saveurs de la région dans une salle à manger offrant une magnifique vue sur la mer.

La Maison du Pêcheur
$$$-$$$$
début juin à mi-oct
155 Place du Quai
☎418-782-5331
La Maison du Pêcheur se trouve en plein centre du village. Elle regroupe deux restaurants en un. Le rez-de-chaussée abrite une crêperie donnant sur la mer, qui sert aussi le petit déjeuner, tandis que l'étage est aménagé pour recevoir les gens à dîner. Les prix sont un peu élevés, mais tout y est de première qualité.

La Normandie
$$$-$$$$
juin à oct
221 route 132 O.
☎418-782-2112
www.normandieperce.com
Considéré par plusieurs comme l'une des meilleures tables de Percé, le restaurant La Normandie sert des mets

savoureux dans un lieu tout à fait charmant. On dit beaucoup de bien du feuilleté de homard au champagne et des pétoncles à l'ail, au miel et aux poireaux. Un grand choix de vins est proposé ici.

Auberge du Gargantua
$$$$
juin à sept
222 rue des Failles
☎418-782-2852
L'**Auberge du Gargantua** (voir p 150) présente un décor qui rappelle la vieille France campagnarde, d'où sont issus les propriétaires. De la salle à manger, on a une vue superbe sur les montagnes environnantes, et il serait sage d'arriver assez tôt pour en bénéficier. Les plats sont tous gargantuesques et savoureux, incluant généralement une entrée de bigorneaux, une assiette de crudités puis un potage. Enfin, on choisit son plat principal sur une longue liste affichant aussi bien du saumon et du crabe des neiges que du gibier.

Chandler

La Marina
$$-$$$
500 rue Ernest-Whittom
☎418-689-7666
www.restobarmarina.com
La Marina affiche un décor rappelant celui d'un navire de haute mer tellement le lieu a les pieds dans l'eau! Au menu, fruits de mer et poissons, et une belle terrasse accueillante les jours d'été. Le service est très amical.

Circuit C: La baie des Chaleurs et la Matapédia

Bonaventure

Café Acadien
$$-$$$
fin juin à début sept
168 rue Beaubassin
☎418-534-4276
Le Café Acadien sert de bons petits plats dans un cadre charmant. Cet établissement est très populaire auprès des résidants et des touristes, ce qui explique peut-être les prix un peu élevés.

New Richmond

Les Têtes Heureuses
$-$$
104 ch. Cyr
☎418-392-6733
Ce café-bistro vous charmera tant par son atmosphère que par son menu. Vous y trouverez une foule d'entrées, de croissants, de *bagels*, de sandwichs chauds, de plats de pâtes, ou de riz et autres quiches, tout aussi exquis les uns que les autres. Le pain de ménage et les desserts maison sont délicieux. On propose un très grand choix de bières importées et de bières de microbrasseries.

Carleton-sur-Mer

Bistro Le Pic Assiette
$$
681 boul. Perron
☎418-364-2211
Le menu de ce petit bistro est composé essentiellement de tapas et d'autres petites bouchées, généralement préparées à partir

Gaspésie - Restaurants - La baie des Chaleurs et la Matapédia de produits régionaux. L'ambiance est décontractée et la vue depuis la magnifique terrasse à couper le souffle.

Le Marin d'Eau Douce
$$-$$$
215 route du Quai
☎418-364-7602
www.marindeaudouce.com
Le chef d'origine marocaine du Marin d'Eau Douce concocte dans sa cuisine des petits plats de fine cuisine européenne, mais aussi exotique, comme des tajines de poisson et d'autres mets du Maghreb à base d'agneau. Le lieu est charmant et très chaleureux.

Le Courlieu
$$-$$$
Manoir Belle Plage
474 boul. Perron
☎418-364-3388
www.manoirbelleplage.com
Le restaurant du **Manoir Belle Plage** (voir p 154) propose quasi exclusivement des produits du terroir gaspésien, et ce, dans une ambiance chic. Au menu: grillades, poissons et fruits de mer. En fin de repas, goûtez le «vodka espresso du quai». Un délice!

Causapscal

Auberge La Coulée Douce
$$-$$$
21 rue Boudreau
☎418-756-5270
www.lacouleedouce.com
Le restaurant de l'**Auberge La Coulée Douce** (voir p 155) affiche sur son menu des mets délicieux tels que la bouillabaisse gaspésienne et de nombreux plats à base de saumon de l'Atlantique frais. Le service est sympathique.

Sorties

■ Activités culturelles

Petite-Vallée

Théâtre de la Vieille Forge
4 Longue-Pointe
☎418-393-2222
www.festivalenchanson.com
Le Théâtre de la Vieille Forge propose des pièces à saveur gaspésienne ou québécoise interprétées par des comédiens locaux. De plus, les humoristes et les chanteurs professionnels en tournée y donnent des spectacles tout l'été.

Gaspé

Cinéma Baker
Hôtel des Commandants
178 rue de la Reine
☎418-368-3355 ou 800-462-3355
www.hoteldescommandants.com
L'**Hôtel des Commandants** (voir p 150) possède un petit cinéma de trois salles où les nouveautés cinématographiques relativement populaires sont diffusées.

L'Anse-à-Beaufils

La Vieille Usine de L'Anse-à-Beaufils
55 rue à Bonfils
☎418-782-2277
www.lavieilleusine.qc.ca
Le site de La Vieille Usine est multivocationnel et comprend une belle salle de spectacle où sont habituellement présentés des pièces de théâtre ainsi que quelques concerts pendant la belle saison. Un petit café-bistro attenant à la salle principale sert aussi de petite scène pour les artistes régionaux. Un studio d'enregistrement se trouve sur place, ainsi que deux boutiques, dont une qui vend des instruments de musique artisanaux de très grande qualité.

Carleton-sur-Mer

Quai des Arts
774 boul. Perron
☎418-364-6822
www.carletonsurmer.com/culture
Le Quai des Arts est un centre multidisciplinaire qui participe au développement des artistes locaux et régionaux, ainsi qu'un lieu de diffusion des arts visuels et de la scène. Une belle salle ouvre ses portes ici toute l'année pour présenter divers spectacles (contes, poésie, etc.), concerts et autres événements culturels.

■ Bars et discothèques

Matane

Billbard
366 av. St-Jérôme
☎418-562-3227
Au Billbard, le bar à la mode de Matane, vous entendrez des airs de jazz et de blues. On y sert de l'espresso, des bières de microbrasseries et quelques plats de saucisses européennes. Terrasse.

Le Vieux Loup de Mer
389 av. St-Jérôme
☎418-562-2577
Le Vieux Loup de Mer est un bar très couru à

Matane. On y reçoit des chansonniers les fins de semaine.

Sainte-Anne-des-Monts

Pub Chez Bass
170 1ʳᵉ Avenue O.
☎418-763-2613
Depuis de nombreuses années, Chez Bass est le rendez-vous d'une clientèle éclectique, tant locale que touristique. Bonne adresse pour discuter tout en prenant un verre. Un restaurant, une galerie d'art présentant les œuvres d'artistes locaux et des tables de billard se trouvent également sur place. Cinq chambres sont aussi disponibles pour la nuit.

Gaspé

La Voûte
114 rue de la Reine
☎418-368-1219
Le bar La Voûte accueille surtout une clientèle étudiante. Des chansonniers s'y produisent régulièrement.

Bonaventure

Le Fou du Village
119 av. Grand-Pré
☎418-534-4567
Situé au cœur de Bonaventure, Le Fou du Village propose des bières de microbrasseries québécoises, comme l'excellente Barberie, de la ville de Québec, et présente des concerts variés chaque fin de semaine. Une belle terrasse complète le décor.

■ Fêtes et festivals

Juin

Organisé par les **Jardins de Métis** (voir p 111), le **Festival international de jardins** (*200 route 132, Grand-Métis,* ☎*418-775-2222, www. jardinsmetis.com*) a pour but la création de jardins contemporains. Plusieurs artistes internationaux de renom, dont les œuvres finales sont exposées tout l'été, y participent chaque année.

Tous les ans, le **Festival en chanson de Petite-Vallée** (&; *fin juin; Petite-Vallée,* ☎ *418-393-2394, www. festivalenchanson.com),* parrainé par un musicien québécois reconnu, présente une belle brochette d'artistes de la relève.

Juillet

L'**International Country de Matane** *(fin juil; Matane,* ☎ *418-562-6821, www. festivalcountrydematane. qc.ca)* consiste en un petit festival mettant en vedette la musique country de langue française.

Le **Festival du Vol Libre** *(Mont-St-Pierre,* ☎*418-797-2222, www.mont-saint-pierre. ca)* de Mont-Saint-Pierre souligne la vocation sportive de ce hameau. Tout l'été, les amateurs de vol libre accourent de partout pour se lancer au-dessus de la baie, mais, à la fin de juillet, lors de cet événement, leur nombre est particulièrement élevé et les activités ne manquent pas.

Août

Sur le site d'**Exploramer** (voir p 114), le **Symposium de bois flotté** *(début août; Ste-Anne-des-Monts,* ☎ *418-763-3811, www. symposiumboisflotte.blogspot. com)* présente les œuvres de plusieurs artistes sculpteurs du Québec et d'ailleurs, créées à base de bois de grève.

Le **Festival International Maximum Blues** *(début août, plage municipale de Carleton-sur-Mer,* ☎ *418-364-6008, www.maximumblues.net)* de Carleton-sur-Mer présente une belle variété de spectacles de musiciens de blues de renommée locale et internationale, sur une scène installée sur la plage municipale de Carleton.

Octobre

La Virée, Festival de musique traditionnelle *(début oct; 774 boul. Perron, Carleton-sur-Mer,* ☎ *418-364-6822 poste 354, www.carletonsurmer. com/culture)* présente des spectacles de musique traditionnelle du Québec, mais aussi d'ailleurs dans le monde. Chanteurs, danseurs, violoneux, «tapeux de pied», conteurs, artisans et artistes se donnent rendez-vous pour perpétuer la tradition d'un passé pas si lointain. Marché public et activités pour toute la famille font aussi partie des célébrations.

Gaspésie - Sorties

Achats

■ **Artisanat, brocante et souvenirs**

Grand-Métis

La boutique des Ateliers Plein Soleil
Jardins de Métis
200 route 132
☎418-775-2222
www.economusees.com
En plus d'abriter un économusée du tissage, cette boutique propose entre autres un assortiment de nappes, de napperons et de serviettes de table tissés à la main, des herbes salées, du miel de la région et même du ketchup maison.

L'Anse-au-Griffon

La Morue Verte
Manoir Le Boutillier
578 boul. du Griffon
☎418-892-5150
www.lanseaugriffon.ca
Cette belle boutique propose des produits du terroir et de l'artisanat local inspiré de la mer.

Percé

En raison de la situation très centrale de la **Place du Quai**, vous ne pourrez pas la manquer. Regroupement de plus de 30 commerces, elle compte de nombreux restaurants, des boutiques d'artisanat, une laverie et un comptoir de la Société des alcools du Québec.

L'Anse-à-Beaufils

Atelier Varech Ayotte
677 route 132 O.
☎418-782-2920
À l'œuvre depuis plus de 50 ans, Louise-Hélène Ayotte est une artiste peintre qui qualifie son style d'«ectoplasmique abstrait». Vous pouvez la visiter dans son atelier-galerie, où vous découvrirez ses toiles aux couleurs éclatantes.

Bonaventure

Atelier-Boutique Verre et Bulles
95G av. Port-Royal
☎418-534-4220
www.verreetbulles.com
Très beaux bijoux et œuvres de verre thermoformé réalisés sur place, dans l'atelier qui occupe par ailleurs la plus grande partie du lieu.

Les Ateliers du Funambule
134 av. Grand-Pré
☎418-534-0014
www.ateliersdufunambule.com
On trouve ici un bon assortiment de produits d'artisanat local, ainsi qu'un atelier où vous pouvez concevoir vous-même votre masque ou votre bijou. Le service est très sympathique. Petit café et galerie d'art sur place.

Carleton-sur-Mer

Le Serpent à Plumes
756 boul. Perron
☎418-364-2010
Le Serpent à Plumes dispose d'un magnifique éventail d'artisanat régional. La boutique regorge de produits allant de la poterie aux bijoux,

en passant par une petite sélection de denrées locales non périssables. On y trouve de très jolis médaillons en verre moulé. Une belle adresse!

Escuminac

La Savonnerie du Village
36 route d'Escuminac Flats
☎418-788-0199
La Savonnerie du Village propose ses produits à base de lait de chèvre frais. On peut aussi visiter les lieux et découvrir le processus de fabrication de leur savon, très doux pour la peau.

Amqui

Savonnerie Olivier
209 boul. St-Benoît O.
☎418-629-6100
www.savonolivier.com
La Savonnerie Olivier vend du savon doux à base d'huile d'olive, de cire d'abeille et de glycérine. Il en existe pour tous les types de peaux.

■ **Plein air**

Sainte-Anne-des-Monts

Boutique Aventure Plein Air
38 boul. Sainte-Anne E.
☎418-763-7588
Cette petite boutique offre une bonne gamme de matériel et d'équipement de qualité pour la plupart des activités de plein air praticables en Gaspésie, de la randonnée en montagne à la chasse à l'arc!

Îles de la Madeleine

Île Brion

Île de la Grande Entrée

La Grosse Île

Île aux Loups

Île du Havre aux Maisons

Île du Cap aux Meules

Île du Havre Aubert

Île d'Entrée

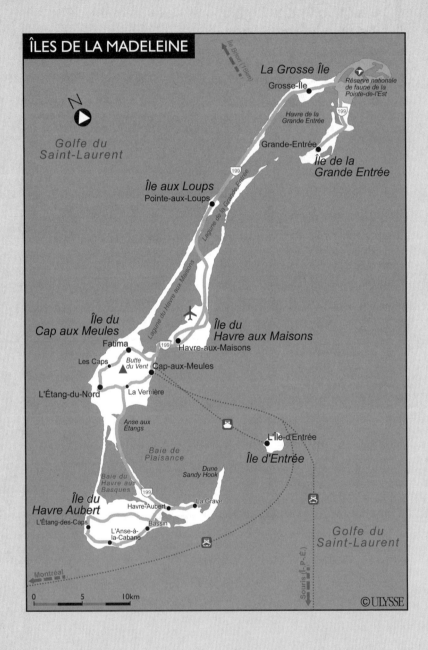

ÎLES DE LA MADELEINE

La Grosse Île

Grosse-Île

Réserve nationale
de faune de la
Pointe-de-l'Est

Havre de la
Grande Entrée

199

Grande-Entrée

Île de la
Grande Entrée

Golfe du
Saint-Laurent

199

Île aux Loups

Pointe-aux-Loups

Lagune de la Grande Entrée

Lagune du Havre aux Maisons

Île du
Cap aux Meules

Île du
Havre aux Maisons

Fatima

Les Caps

Butte
du Vent

199

Havre-aux-Maisons

Cap-aux-Meules

L'Étang-du-Nord

La Vernière

Anse aux
Étangs

L'Île-d'Entrée

Baie de
Plaisance

Île d'Entrée

Baie du
Havre aux
Basques

Dune
Sandy Hook

199

Île du
Havre Aubert

Havre-Aubert

La Grave

L'Étang-des-Caps

Bassin

L'Anse-à-
la-Cabane

Golfe du
Saint-Laurent

Montréal

Souris (Î.-P.-É.)

0   5   10km

©ULYSSE

É mergeant du golfe du Saint-Laurent à plus de 200 km des côtes de la péninsule gaspésienne, les Îles de la Madeleine séduisent. Balayées par les vents du large, elles deviennent une destination coup de cœur pour tous les voyageurs qui la découvrent. Ici, le blond des dunes et des longues plages sauvages se marie au rouge des falaises de grès et au bleu de la mer. Quelques jolies bourgades, aux maisons souvent peintes de vives couleurs, caractérisent le paysage madelinot. D'ailleurs, les pittoresques maisons des îles ont une histoire semblable à celle de leurs occupants: elles se sont éparpillées au hasard du paysage comme les Acadiens.

L'archipel est composé d'une douzaine d'îles. Sept sont habitées, mais seulement six sont reliées entre elles, formant un hameçon de près de 100 km: l'île de la Grande Entrée, la Grosse Île, l'île aux Loups, l'île du Havre aux Maisons, l'île du Cap aux Meules, l'île du Havre Aubert et l'île d'Entrée. Parmi celles-ci, seule l'île d'Entrée, où vivent quelques familles d'origine écossaise et irlandaise, n'est pas reliée par voie terrestre au reste de l'archipel.

Depuis toujours tournés vers la mer, les quelque 13 000 Madelinots et Madeliniennes qui habitent l'archipel aujourd'hui vivent encore essentiellement de la pêche: au homard, bien sûr, mais aussi au crabe des neiges, aux pétoncles, à la morue, au flétan, au maquereau, au hareng et à plusieurs autres mollusques. Toutefois, depuis quelques années, l'industrie touristique participe avantageusement à l'essor économique des insulaires.

D'abord habitées sporadiquement par les Micmacs, surnommés les «Indiens de la mer», les Îles ont longtemps été un lieu d'arrêt pour les pêcheurs étrangers. Dès le XVᵉ siècle, elles étaient régulièrement visitées par des chasseurs de morses et de phoques, ainsi que par des pêcheurs et des baleiniers principalement d'origine bretonne ou basque.

En 1534, Jacques Cartier y fit escale lors de sa première expédition en Amérique du Nord. Dans son journal de bord, il baptisa les Îles «les Araynes», du mot latin qui désigne le sable, *arena*. En 1629, Samuel de Champlain identifie l'île du Havre Aubert sur sa carte de l'Amérique du Nord sous l'appellation «La Magdeleine». Il distingue des autres îles de l'archipel, qu'il nomme «Ramea». Quant au nom des Îles de la Madeleine, il aurait été attribué à l'archipel en 1663 par François Doublet, originaire de Honfleur, alors concessionnaire des Îles, en l'honneur de son épouse Madeleine Fontaine.

Sous le Régime français, les Îles passent entre plusieurs mains, mais l'occupation permanente de l'archipel ne débuta qu'après 1755, lorsque quelques familles acadiennes vinrent s'y réfugier après avoir échappé au Grand Dérangement. Le véritable peuplement des Îles s'amorça toutefois en 1792, lorsque 250 autres Acadiens viendront s'y installer, fuyant Saint-Pierre-et-Miquelon et la Révolution française, avec à leur tête le père Jean-Baptiste Allain.

À la suite de la Conquête, les Îles de la Madeleine sont annexées à la province de Terre-Neuve, avant d'être intégrées au Bas-Canada (le Québec) en 1774. Quelques années plus tard, en 1798, le roi George III accorda le titre de seigneur des Îles de la Madeleine à l'amiral Isaac Coffin, amorçant ainsi une période sombre pour les habitants de l'archipel. Lui et sa famille y régnèrent en effet en despotes, obligeant les Madelinots à payer des rentes sur les terres qu'ils avaient eux-mêmes défrichées.

Îles de la Madeleine - Introduction

C'est alors que plusieurs décidèrent de quitter les Îles au profit de la Côte-Nord. C'est d'ailleurs par ce mouvement migratoire que furent fondés les villages de Blanc-Sablon (1854), Havre-Saint-Pierre (1857), Natashquan (1855) et Sept-Îles (1872). L'émigration s'est poursuivie jusqu'à ce qu'une loi du Québec permît aux Madelinots de racheter leurs terres en 1895.

Quoique officiellement rattachée au Québec, la quasi-totalité des Îles est encore aujourd'hui davantage liée à l'Acadie: d'abord de par sa situation géographique, puis sa population, sa langue, son histoire, ses coutumes, sa musique et son rythme de vie, qui sont incontestablement imprégnés de l'accent acadien.

Grâce aux eaux du golfe du Saint-Laurent qui les entourent, les Îles de la Madeleine bénéficient d'un climat maritime doux et tempéré, et parmi toutes les régions du Québec c'est aux Îles que l'on compte le moins de jours de gel par année. La température de l'eau atteint 18°C en août, des températures supérieures à celles mesurées le long des berges du Saint-Laurent. Cela s'explique par le fait que l'archipel repose sur le sommet d'un plateau marin peu profond (il n'atteint jamais plus de 80 m): le plateau Madelinien. L'été est frais et sans canicule, et la belle saison s'étend jusqu'en septembre, alors qu'il est encore très agréable de se baigner. D'ailleurs, pour ceux qui recherchent le calme, loin des hordes de touristes, septembre est sans contredit l'un des plus beaux mois pour se rendre aux Îles.

Et puis il y a le vent; constant, parfois impitoyable. Vous vous surprendrez malgré tout à apprécier ses caresses. Car le vent des Îles vous enlace plus souvent qu'il ne vous décoiffe. Son omniprésence et sa vitesse, qui varie en moyenne de 17 km/h à 40 km/h, contribuent à faire des Îles un paradis des sports de voile et de glisse.

Comme vous le diront les Madelinots: *Aux Îles, c'n'est pas pareil!*. On ne repart pas des Îles indifférent. On y revient!

Accès et déplacements

■ En avion

Air Canada Jazz
☎ 888-247-2262
www.aircanada.com

Pascan Aviation
☎ 888-313-8777
www.pascan.com
Ces deux compagnies proposent des vols quotidiens vers l'**Aéroport des Îles-de-la-Madeleine** *(210 ch. de l'Aéroport, Havre-aux-Maisons,* ☎ *418-986-3785)* au départ de Québec ou de Montréal. La plupart des vols faisant escale à Québec ou à Gaspé selon le cas, il faut compter environ 4h pour le voyage.

■ En voiture et en traversier

Environ 1 420 km de route séparent Montréal de Souris (Île-du-Prince-

Édouard), d'où le traversier mène à Cap-aux-Meules en 5h. Voici deux façons de se rendre à Souris:

1) La **route 185** dans le Bas-Saint-Laurent (à partir de Rivière-du-Loup) est la plus rapide: à partir de Rivière-du-Loup, il faut prendre la route 185 vers Dégelis, qui devient l'autoroute 2 (Transcanadienne Est) au Nouveau-Brunswick. On passe par Edmundston, Fredericton puis Moncton, d'où l'on prend l'autoroute 15 jusqu'à Shediac et, plus loin, la route 16 qui mène au pont de la Confédération.

2) La **route 132** à travers la vallée de la Matapédia (Gaspésie) est la plus jolie: de Rivière-du-Loup, il faut prendre la route 132 jusqu'à Pointe-à-la-Croix. Après avoir traversé le pont de Pointe-à-la-Croix, on se retrouve sur la route 11, au Nouveau-Brunswick. On la suit de Campbellton jusqu'à Bathurst, puis on prend la route 8 jusqu'à Miramichi, de nouveau la route 11 jusqu'à Shediac, et enfin les routes 15 et 16 vers le pont de la Confédération.

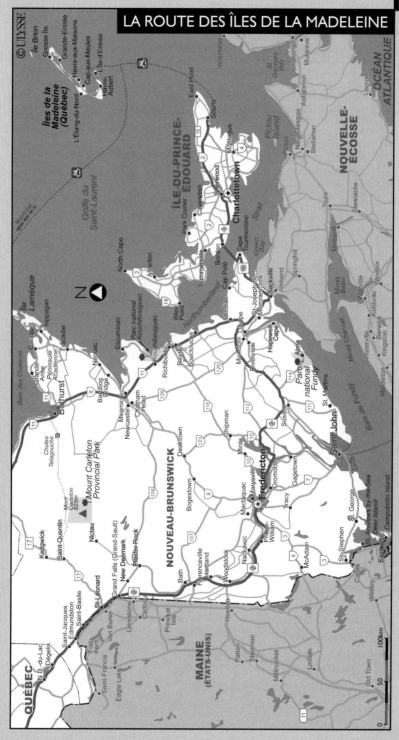

LA ROUTE DES ÎLES DE LA MADELEINE

© ULYSSE

QUÉBEC

MAINE (ÉTATS-UNIS)

NOUVEAU-BRUNSWICK

ÎLE-DU-PRINCE-ÉDOUARD

NOUVELLE-ÉCOSSE

Îles de la Madeleine (Québec)

Île Brion

Grosse-Île
Grande-Entrée
Havre-aux-Maisons
Île-d'Entrée
Cap-aux-Meules
L'Étang-du-Nord
Havre-Aubert

Golfe du Saint-Laurent

Montréal

Île Lamèque
Île Shippagan

Gaspé

Péninsule Acadienne
Grande-Anse
Caraquet
Tracadie
Néguac

Baie des Chaleurs

Bathurst

Chutes Tétagouche

Mont Carleton 825m
Mount Carleton Provincial Park

Kedgwick
Saint-Quentin
Nictau

Saint-Jacques
Edmundston
Saint-Basile
St-Léonard
Grand Falls (Grand-Sault)
New Denmark
Plaster Rock

N.-D.-du-Lac
Dégelis
Fort Kent
Van Buren
Saint-Francis
Eagle Lake
Limestone
Caribou
Presque Isle
Houlton
Patten
Sherman
Millinocket
Lincoln
Old Town

Bath
Florenceville
Hartland
Woodstock
Nackawic
Prince-William
McAdam

Bogestown
Maysville
Mactaquac
Tracy

Fredericton
Oromocto
Gagetown

St. Stephen
St. George
Calais
Wesley
St Andrews by-the-Sea
Deer Island
Eastport
Campobello Island

Baie de Fundy

Saint John
St. Martins
Parc national Fundy
Hopewell Cape
Riverview
Moncton
Dieppe
Sussex

Minto
Chipman
Deaktown
Newcastle
Chatham Head
Miramichi
Bartibog Bridge
Escuminac
Kouchibouguac
Parc national Kouchibouguac
Richibucto
Rexton
Buctouche
Shediac
St-Joseph-de-Memramcook
Sackville
Amherst

Baie Verte
West Point
North Cape
Alberton
Tignish
Park Corner
Cavendish
Summerside
Borden
Cap Pelé
Cape Tourmentine

Charlottetown
Montague
Souris
East Point

Northumberland Strait
Green Bay

Pictou Island
Inverness
Pictou
Stellarton
New Glasgow
Antigonish
Mulgrave

St. Georges Bay
Hastings

Springhill
Truro
Stewiacke
Maitland
Windsor
Middleton
Kentville
Berwick
Kingston
Waterville

Minas Basin
Minas Channel

OCÉAN ATLANTIQUE

0   50   100km

Sur le pouce

Vous êtes aux Îles sans voiture, le vent calme vos ardeurs de cycliste ou vous cherchez un moyen original de rencontrer des Madelinots? Eh bien, voyagez sur le pouce. Vous n'attendrez certainement pas plus de 5 min car l'accueil légendaire des Madelinots c'est aussi ça. Et qui sait, on vous invitera peut-être à prendre un repas en famille!

Ces parcours mènent tous deux au bout de la route 16, où se trouve le **pont de la Confédération** *(voiture 41,50$ aller-retour, payable au retour; il est interdit aux piétons et aux cyclistes d'y circuler, mais un service de navette est offert)*, qui conduit à l'Île-du-Prince-Édouard. Pour atteindre Souris, d'où le traversier *N.M. Madeleine* part vers les Îles, il faut d'abord suivre la route 1 de Borden à Charlottetown, puis la route 2.

C'est le groupe CTMA qui assure la liaison entre Souris et les Îles de la Madeleine. Il est en tout temps fortement conseillé de réserver, surtout en haute saison (début juillet à fin août). Sinon, mieux vaut arriver au quai plusieurs heures avant le départ.

Traversier *N.M. Madeleine*
Groupe CTMA
1er avril au 31 janvier
43,25$/personne, plus 80,50$/voiture, 28$/moto et 10,25$/vélo
☎418-986-3278 ou 888-986-3278
▤418-986-5101
www.ctma.ca

Location de voitures

Vous pouvez louer une voiture aux adresses suivantes:

Hertz
210 ch. de l'Aéroport
Havre-aux-Maisons
☎418-969-4229 ou 888-818-4537
357 ch. Principal
Cap-aux-Meules
☎418-986-6565 ou 888-818-4537
www.hertz.ca
Hertz fait aussi location de motos et de scooters.

Location d'autos Nadine Leblanc
188 ch. de l'Aéroport
Havre-aux-Maisons
☎418-969-9006

Cap-aux-Meules Honda
1-1090 ch. de La Vernière
Cap-aux-Meules
☎418-986-4085
www.capauxmeuleshonda.com
Location de voitures d'occasion. Sièges de sécurité pour enfants disponibles.

■ En bateau

CTMA Vacancier
☎418-986-3278 ou 888-986-3278
www.ctma.ca
CTMA Vacancier propose une croisière thématique hebdomadaire au départ de Montréal. Les tarifs varient selon le forfait choisi (type de cabine, avec ou sans salle de bain, etc.). C'est une belle façon de se mettre au rythme des Îles, en descendant le mythique fleuve Saint-Laurent. On réalise alors pleinement que l'archipel est perdu dans le golfe. Il est possible de s'embarquer aussi à Chandler, en Gaspésie.

■ En autocar

L'autocar constitue une manière économique de se rendre aux Îles durant la haute saison. **Voyage Vasco** *(357 ch. Principal, Cap-aux-Meules, ☎418-986-6565 ou 888-818-4537, www.ilesdelamadeleine. com/vasco)* organise quelques départs en juillet et août en partance de Montréal, Québec et Rivière-du-Loup. Il vous en coûtera environ 300$ aller-retour incluant la traversée, pour un trajet de plus de 16h.

Aux Îles, on trie les déchets

On pourrait les qualifier de précurseurs, car voilà maintenant 10 ans que les Madelinots ont adopté le système de tri à trois voies: recyclage, compostage et élimination. L'exiguïté et la fragilité du territoire ont incité à l'action, et en tant que visiteur, vous devez être sensible à cette problématique. Il est donc tout à votre honneur d'adhérer à ce système. C'est simple: il suffit de connaître le code de couleurs des bacs que vous trouverez dans la plupart des établissements et lieux publics: brun pour le compostable (le composte ainsi produit est ensuite redistribué gratuitement aux Madelinots), vert pour le recyclable et noir pour les déchets.

Renseignements utiles

■ Heure

N'oubliez pas d'avancer l'heure. Les Madelinots vivent à l'**heure normale de l'Atlantique**, soit une heure de plus qu'ailleurs au Québec.

■ Médias

L'hebdomadaire local, *Le Radar*, est disponible en kiosque le vendredi matin.

Diffusion communautaire des Îles: CFIM-FM (92,7).

■ Renseignements touristiques

Tourisme Îles de la Madeleine
fin juin à fin août tlj 7h à 21h, sept tlj 9h à 20h, reste de l'année tlj 9h à 17h
128 ch. Principal
Cap-aux-Meules, QC, G4T 1C5
☎ 418-986-2245 ou 877-624-4437
▤ 418-986-2327
www.tourismeilesdelamadeleine.com
Le bureau d'information touristique est situé sur le quai de Cap-aux-Meules, à la sortie du traversier. En plus des renseignements sur les attraits et les activités des Îles, vous pourrez y consulter le menu de chacun des restaurants de l'archipel. Un service fort utile pour qui veut planifier efficacement ses sorties.

Arrimage, la Corporation culturelle des Îles de la Madeleine
1349 ch. de La Vernière
L'Étang-du-Nord
☎ 418-986-3083
www.arrimage-im.qc.ca
Pour toute l'information concernant les arts et la culture (arts de la scène, cinéma, arts visuels, arts littéraires, etc.), vous pouvez vous rendre au bureau d'Arrimage (voisin de l'**église Saint-Pierre de La Vernière**, voir p 170). Centre névralgique de la culture locale, vous pouvez par ailleurs y acheter des CD de musiciens des îles ainsi que certaines publications touchant à l'histoire et au patrimoine madelinien.

■ Santé

Hôpital de l'Archipel
430 ch. Principal
Cap-aux-Meules
☎ 418-986-2121

CLSC Old Harry
route 199, site 5
Grande-Entrée
☎ 418-985-2572

Attraits touristiques

Le circuit que nous vous proposons vous entraîne à la découverte de chacune des îles. Même si le territoire à parcourir peut vous sembler petit, ne vous y méprenez

Îles de la Madeleine — Attraits touristiques

pas. Les splendeurs des Îles sont disséminées d'un bout à l'autre de l'archipel, et pour les découvrir il faut oser explorer le territoire. Et la bonne façon de le faire c'est de prendre son temps, le temps des Madelinots. Car les Îles se vivent plus qu'elles ne se visitent; c'est alors que l'émerveillement vous surprend au détour.

Île du Cap aux Meules
★

▲ p 186   ◑ p 188   ↴ p 190   ◼ p 191

L'île centrale, composée des villages de **Fatima**, de **L'Étang-du-Nord** et de **Cap-aux-Meules**, constitue depuis 50 ans le cœur de l'activité économique locale. Les maisons qui y sont bâties affichent souvent de belles couleurs vives. D'ailleurs, certains racontent que, grâce à ces coloris, les marins pouvaient apercevoir leurs maisons depuis la mer.

Le village de Cap-aux-Meules est la seule agglomération urbaine des Îles et concentre la plupart des services et bureaux administratifs de l'archipel. En plus des traversiers menant à Souris et à l'île d'Entrée, le port de Cap-aux-Meules accueille de nombreux bateaux de pêche côtière et hauturière. En saison estivale, sa marina abrite les voiliers de passage aux Îles. Vous pouvez gravir le cap qui surplombe le port grâce à un escalier qui mène à un belvédère. C'est d'ailleurs la présence de pierre à meule dans ce cap qui a inspiré le nom de la ville et de l'île. Au pied de ce cap débute le **Sentier du littoral de Cap-aux-Meules**, un sentier asphalté qui, sur 2 km, vous fait découvrir le côté insoupçonnée de cette localité: des falaises de grès rouge et deux charmantes petites plages.

De la route 199 Sud, prenez à gauche la route panoramique du **chemin Gros-Cap ★ ★** : vous longerez la baie de Plaisance et découvrirez des paysages splendides. Si vous avez un peu de temps, allez au restaurant La Factrie des **Pêcheries Gros-Cap** (521 ch. Gros-Cap,

L'Étang-du-Nord, ☎418-986-2710), d'où vous pourrez observer les préposés à la transformation du poisson.

De l'autre côté du chemin, un arrêt s'impose à la **Galerie d'art Espace Bleu** (518 ch. Gros-Cap, L'Étang-du-Nord, ☎418-986-4361). On y expose, dans une ancienne école de rang, les œuvres contemporaines de plusieurs artistes madelinots. Voisine de la galerie d'art, la charcuterie artisanale **Les Cochons Tout Ronds** (voir p 192) vaut le détour.

En poursuivant votre chemin, vous arriverez à l'intersection avec la route 199. Tournez à gauche.

Chemin faisant, remarquez la splendide **église Saint-Pierre de La Vernière ★** (1329 ch. de La Vernière, L'Étang-du-Nord, ☎418-986-2410). Classée monument historique en 1992, elle est une des plus imposantes églises de bois en Amérique du Nord. Datant de 1875, l'église fut plusieurs fois reconstruite, notamment en raison de la foudre qui l'avait frappée. Une légende raconte que le bois utilisé à l'époque était maudit; il provenait d'une cargaison échouée sur laquelle le capitaine avait jeté un sort. Les Madelinots décidèrent donc de faire bénir le bois, et l'église fut par la suite protégée des flammes.

Poursuivez sur la route 199 et empruntez le premier chemin à droite, soit le chemin de l'Église. Tournez ensuite à gauche dans le chemin Cormier, puis à droite dans le chemin de la Butte-du-Vent, qui mène au pied de la **Butte du Vent ★ ★ ★** *(Fatima).* Vous trouverez ici un stationnement où garer votre voiture. Ne craignez pas le petit effort physique que demande la montée, puisqu'au sommet vous attendent le légendaire vent des Îles et un panorama saisissant de l'archipel et du golfe du Saint-Laurent. C'est parmi ces buttes et vallons que l'entreprise **Vert et Mer** (☎418-986-3555 ou 866-986-3555, *www.vertetmer.com)* a établi son «écolodge», un campement de yourtes (tentes d'origine mongole) ouvert toute l'année alliant confort, rusticité et le privilège d'un contact unique avec la nature (voir p 186).

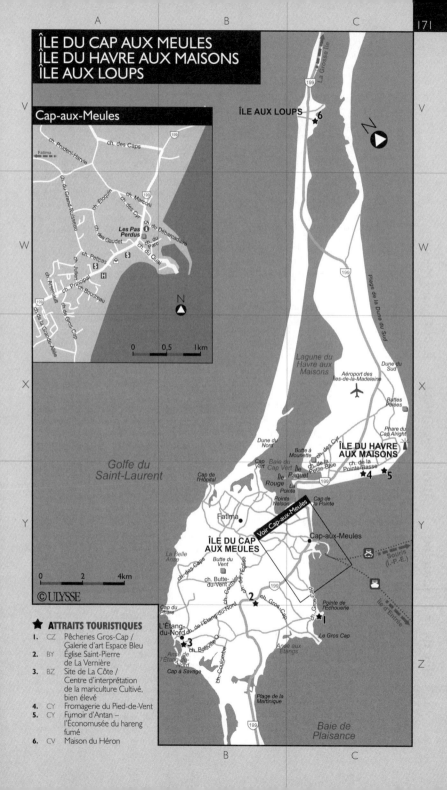

ÎLE DU CAP AUX MEULES
ÎLE DU HAVRE AUX MAISONS
ÎLE AUX LOUPS

Cap-aux-Meules

ch. Prudent-Harvie
ch. des Caps
Fatima
ch. du Grand-Ruisseau
ch. Écurin
ch. Marconi
ch. des Cyr
ch. du Débarcadère
Les Pas Perdus
ch. du Parc
ch. du Quai
ch. Petipas
ch. Julien
ch. Principal
ch. Boudreau
ch. Arsenault
ch. de Gros-Cap
ch. de la Grande-Allée

0   0,5   1km

N

ÎLE AUX LOUPS ★ 6

La Grosse Île

199

N

Plage de la Dune du Sud

199

Lagune du Havre aux Maisons

Dune du Sud

Aéroport des Îles-de-la-Madeleine

Buttes Pelées

Phare du Cap Alright

Golfe du Saint-Laurent

Dune du Nord

Butte à Mounette

ch. des Cyr

ÎLE DU HAVRE AUX MAISONS

Cap Vert

Baie du Cap Vert

Île Paquet

ch. de la Petite-Baie

ch. de la Pointe-Basse

Île Rouge

La Pointe

199

★ 4   ★ 5

Cap de l'Hôpital

Pointe Nelson

Cap de la Pointe

Fatima

Voir Cap-aux-Meules

Cap-aux-Meules

0   2   4km

©ULYSSE

ÎLE DU CAP AUX MEULES

La Belle Anse

Butte du Vent

ch. des Caps

ch. Butte-du-Vent

ch. du Cimetière

Église

ch. de l'Étang-du-Nord

Souris (Î.-P.-É.)

Île d'Entrée

2 ★

ch. Gros-Cap

199

Cap du Phare

L'Étang-du-Nord

★ 3

ch. Boisville O.

ch. Coulombe

Anse de l'Étang du Nord

Cap à Savage

Anse aux Étangs

Pointe de l'Échouerie

ch. de Gros-Cap

1

Le Gros Cap

Plage de la Martinique

199

Baie de Plaisance

★ ATTRAITS TOURISTIQUES

1. CZ   Pêcheries Gros-Cap /
        Galerie d'art Espace Bleu
2. BY   Église Saint-Pierre
        de La Vernière
3. BZ   Site de La Côte /
        Centre d'interprétation
        de la mariculture Cultivé,
        bien élevé
4. CY   Fromagerie du Pied-de-Vent
5. CY   Fumoir d'Antan –
        l'Économusée du hareng
        fumé
6. CV   Maison du Héron

L'électricité

Hydro-Québec exploite une centrale thermique qui approvisionne en électricité l'ensemble de l'archipel, à l'exception de l'île d'Entrée, qui dispose de sa propre centrale. Il s'agit de la plus grande centrale à moteur diésel au Québec *(visites guidées gratuites fin juin à fin août lun-ven 9h, 10h, 11h, 13h30, 14h30 et 15h30, réservations recommandées; 1034 ch. de La Vernière, face au centre commercial Place des Îles, L'Étang-du-Nord, ☎418-986-7276)*. Les hydrocarbures qui approvisionnent la centrale sont acheminés par bateau. Même s'il s'agit là d'un mode de production plus polluant et plus coûteux que l'hydroélectricité, les Madelinots bénéficient des mêmes tarifs qu'ailleurs au Québec. C'est pourquoi Hydro-Québec tend à vouloir diversifier son mode de production et garde un œil attentif sur le potentiel éolien de l'archipel, une ressource incontestable qui pourrait éventuellement être exploitée.

Revenez à l'intersection avec la route 199 et tournez à droite. Un kilomètre plus loin, la route change de nom pour devenir le chemin de l'Étang-du-Nord, que vous suivrez jusqu'au bout pour atteindre le **site de La Côte** ★ ★ *(499 ch. Boisville O., L'Étang-du-Nord, ☎418-986-5085)*, face à l'anse de l'Étang du Nord et à son joli petit port de pêche. Le site est soigneusement aménagé et accueille, par beau temps, bon nombre de visiteurs venus pour pique-niquer ou flâner sur le quai. De charmantes boutiques l'agrémentent, comme la boutique de cerfs-volants **Au Gré du Vent** (voir p 192). Profitez-en aussi pour prendre part aux visites commentées du **Centre d'interprétation de la mariculture Cultivé, bien élevé** *(entrée libre; mi-juin à mi-sept tlj 9h à 20h; 499 ch. Boisville O., L'Étang-du-Nord, ☎418-986-4206)* pour connaître les techniques d'élevage de mollusques aux Îles. Ici moules, pétoncles, myes et deux espèces en développement, l'huître et l'oursin, sont à l'honneur. Des reportages vidéo, un aquarium où vous pourrez observer ces mollusques dans leur habitat naturel et une dégustation viennent en outre agrémenter la visite.

Pour les adeptes du grand air, le **sentier de l'Anse de l'Étang-du-Nord** part du site de la Côte, longe les falaises sur 1 km et mène au phare de l'Étang-du-Nord, sur le cap Hérissé. Du haut de ces escarpements rocheux, vous contemplerez l'impressionnant spectacle de la mer se fracassant sans relâche sur les côtes madeliniennes.

Quelques kilomètres plus loin, les magnifiques **falaises de la Belle Anse** ★ ★ ★ offrent aussi une vue imprenable sur la mer. Accessible par le chemin Belle-Anse, le site est particulièrement séduisant en fin de journée pour le spectacle du soleil couchant. De là débute également la jolie **piste cyclo-pédestre de la Belle-Anse**, qui fait 3,6 km de long, tantôt bordée d'arbres, tantôt ouverte sur la mer.

Revenez sur vos pas jusqu'à L'Étang-du-Nord et au site de La Côte. Empruntez le chemin Boisville Ouest, puis tournez à droite dans le chemin Molaison, au bout duquel vous atteindrez le chemin Coulombe. Tournez enfin à droite pour vous rendre à la plage de la dune de l'Ouest.

La **plage de la Dune de l'Ouest** ★ ★ est également connue sous le nom de **plage du Corfu** en raison du navire *Corfu Island* qui y a fait naufrage en 1963. Impossibles à extraire du sable, ses vestiges y sont toujours visibles. S'étendant sur 8,7 km, cette magnifique plage est idéale pour marcher ou se baigner dans les eaux qui la bordent. Mais attention aux courants marins quand les vents sont forts. Derrière la dune, dans une ancienne «usine à poisson», les jeunes propriétaires de la **Microbrasserie À l'Abri de la Tempête** (voir p 190) vous font visiter leurs installations.

Reprenez le chemin Coulombe, puis suivez le chemin Chiasson jusqu'à la jonction avec la route 199, que vous emprunterez vers le sud en direction de Havre-Aubert (la route 199 longe la baie du Havre aux Basques jusqu'à l'île du Havre Aubert).

Sur la route 199, deux haltes donnent accès à la **plage du Havre-aux-Basques**, idéale pour les enfants car l'eau demeure peu profonde sur une bonne distance. Petit secret: l'autre extrémité de la plage, face à Portage-du-Cap, est un site de prédilection pour la cueillette de «dollars de sable» (coquillages).

La baie du Havre aux Basques est un immense plan d'eau peu profond, idéal pour la pratique des sports de voile et de glisse. Il est depuis toujours l'endroit privilégié par les véliplanchistes et de plus en plus par les *kitesurfers*. On a aménagé une halte pour accueillir ces sportifs aux abords immédiats de la route 199, quelques minutes avant d'atteindre l'île du

Havre Aubert: le **parc Fred-Jomphe**. Pour les passants, le spectacle de ces voiles colorées projetées par le vent sur fond de ciel bleu est saisissant.

Île du Havre Aubert
★ ★ ★

▲ *p 186*   🍴 *p 188*   ➷ *p 190*   ▯ *p 191*

L'île du Havre Aubert a su garder un charme bien pittoresque. C'est ici que débuta le véritable peuplement permanent de l'archipel, avec l'arrivée de quelques familles acadiennes au début des années 1760.

L'île est composée de deux localités principales: Havre-Aubert à l'est et Bassin à l'ouest. **Havre-Aubert** est le premier arrêt sur cette île. Son attrait majeur est sans conteste le **Site historique de La Grave ★ ★ ★**, petit quartier d'art et d'artisanat qui s'est développé sur la grève où jadis pêcheurs et marchands se donnaient rendez-vous pour le débarquement des prises.

Le sable et les dunes des Îles

Les minuscules petits grains de sable qui composent les plages des Îles proviennent de l'érosion des falaises de grès rouges. Balayé par les vagues et lavé par l'eau salée, le grès rouge perd sa pellicule d'oxyde de fer avant d'être déposé sur les côtes pour former les dunes blondes que l'on connaît.

Fixées grâce à l'ammophile (plante essentielle à l'équilibre écologique de l'archipel), ces dunes sont primordiales aux îles puisqu'elles offrent une protection naturelle contre les vents violents et les vagues qui endommagent les routes, les chemins et les maisons situées en bordure de mer. Elles sont pourtant mises à mal depuis des années par les vagues et l'érosion naturelle, mais aussi par le piétinement et le passage répété de véhicules motorisés. Pour les préserver et pour protéger durablement les Îles, respectez les chemins balisés par l'organisme **Attention Frag'îles** (*www.attentionfragiles.org*), qui œuvre depuis 1988 à la protection et à la mise en valeur du patrimoine naturel madelinot. De même, garez votre voiture dans les stationnements indiqués, et si vous voulez jouir d'une belle tranquillité sur la plage, il vous suffira de marcher pendant une dizaine de minutes pour trouver un endroit tout à fait isolé.

Îles de la Madeleine – Attraits touristiques – Île du Havre Aubert

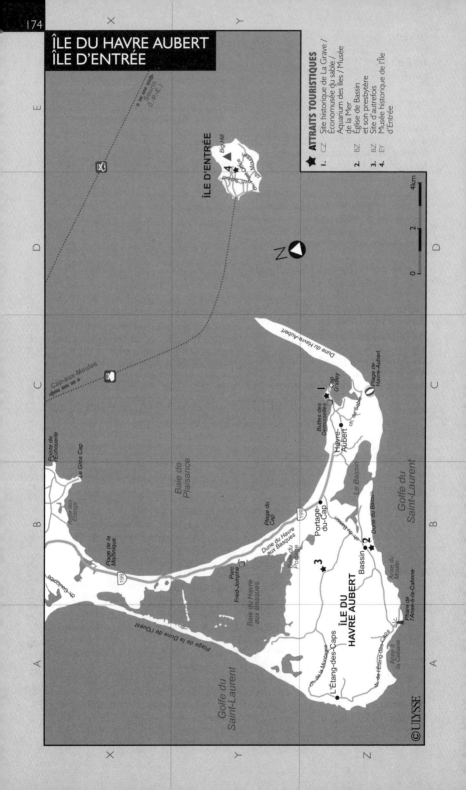

ÎLE DU HAVRE AUBERT
ÎLE D'ENTRÉE

ATTRAITS TOURISTIQUES

1. CZ Site historique de La Grave /
      Économusée du sable /
      Aquarium des Îles / Musée
      de la Mer
2. BZ Église de Bassin
      et son presbytère
3. BZ Site d'autrefois
4. EY Musée historique de l'Île
      d'Entrée

ÎLE D'ENTRÉE

Bo Hill

ÎLE DU
HAVRE AUBERT

©ULYSSE

Golfe du Saint-Laurent

Golfe du Saint-Laurent

Baie de Plaisance

Cap-aux-Meules

Souris (Î.-P.-É.)

La Grave tire son charme de ses bâtiments traditionnels revêtus de bardeaux de cèdre qui abritaient des magasins, des entrepôts et des salines. Boutiques et cafés s'y succèdent, et vous y passerez, même pendant les jours de pluie, d'excellents moments.

Premier arrêt sur le site de La Grave, l'**Économusée du sable** ★ ★ *(tlj 10h à 21h; 907 route 199, Havre-Aubert, ☎ 418-937-2917, www.artisansdusable.com)* permet de comprendre comment les Artisans du sable arrivent à sculpter et à façonner cette matière jusqu'à en faire des œuvres uniques, plus remarquables les unes que les autres.

Si vous désirez explorer le monde fascinant de la vie marine, la visite de l'**Aquarium des Îles** ★ *(5$; juin à août tlj 10h à 18h, sept tlj 10h à 17h; 982 route 199, Havre-Aubert, ☎ 418-937-2277, www.ilesdelamadeleine.com/aquarium)* s'impose. Vous aurez alors tout le loisir d'observer un grand nombre d'espèces marines locales, fournies chaque année par les pêcheurs madelinots, notamment des phoques du Groenland. Expositions temporaires, activités de jour pour les enfants (sur réservation) et bassin tactile.

L'exposition permanente *Laboureurs du Golfe* du **Musée de la Mer** ★ *(5$; mi-juin à mi-sept lun-ven 9h à 18h, sam-dim 10h à 18h; 1023 route 199, Havre-Aubert, ☎ 418-937-5711)* retrace l'histoire du peuplement des Îles et de la relation unissant le destin des Madelinots à la mer. Toute l'année, des expositions temporaires s'y succèdent.

Les **buttes des Demoiselles**, qui s'élèvent au loin, offrent un panorama bucolique idéal pour faire un pique-nique. Elles sont accessibles par un chemin de gravier à partir du chemin d'En Haut.

En quittant La Grave, suivez le chemin du Sable jusqu'à la **dune du Havre-Aubert** ★ ★ ★, que les Madelinots nomment communément la **dune Sandy Hook** ou la **dune du Bout du Banc**. Vous devrez marcher pendant 2h30 pour en atteindre

l'extrémité (12 km), mais il s'agit là d'une excursion unique, et vos efforts seront grandement récompensés par une incomparable impression d'avoir atteint le bout du monde.

Reprenez la route 199 vers l'ouest jusqu'au chemin du Bassin pour vous rendre à Bassin.

En suivant la route qui longe la mer et mène à **Bassin**, vous jouirez d'une superbe vue sur le golfe du Saint-Laurent. Vous passerez devant l'**église de Bassin et son presbytère**, le plus ancien ensemble architectural église-presbytère de l'archipel. Notez la toiture mansardée raffinée du presbytère. Vous apercevrez ensuite le **phare de l'Anse-à-la-Cabane** ★ ★ ★ *(ch. du Phare, Bassin)*, érigé dans un décor saisissant, d'où l'on peut admirer l'anse, le port de pêche et le littoral.

Poursuivez par le chemin du Bassin, qui devient ensuite chemin de l'Étang-des-Caps.

Vous atteindrez ensuite le hameau de **L'Étang-des-Caps**, d'où vous pourrez apercevoir, par temps clair, la petite île du Corps-Mort. C'est autour de cette île que le **Centre nautique de l'Istorlet** (voir p 184) propose des sorties en canot pneumatique pour plonger en apnée avec les phoques. Un peu plus loin se trouve l'extrémité sud de la magnifique **plage de la Dune de l'Ouest** (voir p 172).

Poursuivez votre route par le chemin de la Montagne à travers la forêt et rendezvous au **Site d'autrefois** *(10$; juin à août tlj 9h à 17h, sept tlj 10h à 16h; 3106 ch. de la Montagne, Bassin, ☎ 418-937-5733, www.ilesdelamadeleine.com/autrefois)*. Dans ce «village d'antan» reconstitué, un ancien pêcheur vous racontera, en histoires et en chansons, la vie traditionnelle des Madelinots d'autrefois. De beaux moments pour toute la famille.

Tournez à droite pour rejoindre le chemin du Bassin. Retournez sur l'île du Cap aux Meules en reprenant la route 199, qui se rend jusqu'à l'île du Havre aux Maisons.

Îles de la Madeleine – Attraits touristiques – Île du Havre aux Maisons

Île du Havre aux Maisons
★ ★ ★

▲ *p 187* ⊕ *p 189* ⤴ *p 190* ❚ *p 191*

Voir carte p 171.

L'île du Havre aux Maisons, très dénudée, est l'une des plus mignonnes de l'archipel. Sur ses buttes et vallons verdoyants se sont déposées, çà et là, de jolies maisons le long de routes sinueuses. Portant le même nom que l'île, le village de **Havre-aux-Maisons** est sa principale agglomération.

Aussitôt que vous aurez franchi le pont qui relie les îles du Cap aux Meules et du Havre aux Maisons, vous verrez sur votre gauche **La Pointe**. Avec sa marina et ses infrastructures de pêche, ce site a longtemps été un lieu de commerce et d'échanges relié à la pêche. Aujourd'hui, son petit quai accueille le bateau à fond vitré des **Excursions de la lagune** (voir p 184). La Pointe abrite également un centre de traitement des moules bleues cultivées à même la lagune du Havre aux Maisons. La moule d'élevage, que vous pouvez vous procurer dans les poissonneries et les supermarchés des Îles, est exempte de sable puisqu'elle est élevée en suspension dans l'eau; d'où son intérêt par rapport à la moule sauvage.

Face à La Pointe, dans la baie, s'élève la petite **île Paquet**, communément connue sous le nom de l'**île aux Cochons**, une appellation qui fait référence à l'époque où les Madelinots y envoyaient paître leurs cochons. Aujourd'hui, l'île est visitée par une multitude d'oiseaux tels que la sterne, le goéland et le héron.

De la route 199, tournez à gauche dans le chemin de la Petite-Baie, puis dans le chemin des Cyr, et offrez-vous le plaisir d'une promenade autour de la **butte à Mounette ★ ★**. Grimpez-y au coucher du soleil pour une vue à couper le souffle.

Revenez sur la route 199 pour rejoindre le chemin de la Pointe-Basse, qui borde la baie de Plaisance et révèle de fort beaux points de vue. Ne manquez pas de vous arrêter à la **Fromagerie du Pied-de-Vent** *(lun-ven 8h à 17h, sam-dim 8h à 16h30; 149 ch. de la Pointe-Basse, Havre-aux-Maisons,* ☎*418-969-9292)*. Ici, les fromages sont faits à partir de lait cru issu d'un seul troupeau laitier nourri de fourrages des Îles. L'expression «pied-de-vent» est utilisée aux Îles pour désigner les rayons du soleil qui percent à travers les nuages.

Tournez dans le chemin du Quai pour aller admirer le charmant petit havre de Pointe-Basse. Le plaisir d'une balade sur ce modeste quai tient en grande partie aux conversations colorées que vous pourrez avoir avec les pêcheurs qui y débarquent. La langue mélodieuse des Madelinots est teintée de termes marins et d'expressions issues tout droit du vieux français. Mais saviez-vous que l'accent particulier des Madelinots varie d'une île à l'autre? Aux Îles, on reconnaît les gens à leur accent, et celui des habitants de Havre-aux-Maisons a ceci de particulier que les *r* ne sont pas prononcés. L'histoire raconte que ceux-ci voulaient ainsi montrer leur désobéissance au roi, alors que, par exemple, les habitants de Havre-Aubert, fidèles royalistes, se faisaient un honneur d'accentuer la prononciation du *r* en le roulant exagérément.

Si malheureusement vous n'apercevez pas de pêcheurs avec qui causer, entrez au **Fumoir d'Antan – l'Économusée du hareng fumé** *(27 ch. du Quai, Havre-aux-Maisons,* ☎*418-969-4907)*. Vous y rencontrerez Benoît Arseneau (fils de Benoît, donc mieux connu sous le nom de «Ben à Ben»), qui se fera un plaisir de vous raconter comment sa famille fume le poisson depuis trois générations. Vous pourrez du même coup en profiter pour savourer son accent typique de l'île. La spécialité des Arseneau est le hareng, mais leur maquereau fumé est particulièrement délicieux.

Reprenez le chemin de la Pointe-Basse jusqu'au **phare du Cap Alright ★ ★ ★**, où une halte, derrière la Butte Ronde, incite à explorer à pied les splendeurs de ce lieu qui offre une vue à couper le souffle. Remarquez l'imposant escarpement rocheux où se mêlent l'argile, le

La précieuse eau potable

L'unique source d'eau potable aux Îles provient de la nappe phréatique. C'est d'ailleurs le seul endroit au Québec où la totalité de l'eau potable vient d'une nappe phréatique. L'eau de pluie et de la fonte des neiges y est dirigée afin de la régénérer.

Mais le nombre limité de puits municipaux peine à fournir une quantité suffisante d'eau en période estivale, alors que la population des Îles quadruple et que les usines de transformation de poisson s'activent. Pour palier cette situation, la municipalité a dû mettre sur pied un programme d'économie d'eau potable. Alors, pensez-y avant de prendre une «xième» douche…

calcaire et le gypse. L'érosion, véritable menace pour l'archipel, a forcé la fermeture de la route à cet endroit. Il vous faudra donc emprunter le chemin des Buttes puis le chemin des Montants pour apprécier l'un des plus beaux panoramas de l'île du Havre aux Maisons: les **Buttes pelées** ★★★. Du haut de ces collines, on s'émerveille devant l'immensité en apercevant la Dune du Sud, qui s'étend à perte de vue. De là, on peut également contempler les **Sillons**, ces empreintes qui témoignent de l'avancée progressive de la dune vers la mer.

Vous atteindrez la **plage de la Dune du Sud** ★★ par le chemin du même nom. Ceinturée au sud de falaises rouges et de grottes accessibles à marée basse, cette plage offre 22 km de sable fin. Une halte routière y facilite l'accès, et des toilettes et des tables de pique-nique sont mises à la disposition des visiteurs.

Continuez par la route 199, qui mène à Grosse-Île, l'agglomération de la Grosse Île, en traversant l'île aux Loups.

Île aux Loups

📖 *p 191*

Voir carte p 171.

Posée entre deux longues dunes, l'île aux Loups montre bien la fragilité du milieu madelinot. Le milieu dunaire, ces cordons sablonneux qui relient les îles de l'archipel, occupe 60% du littoral madelinot et peut parfois atteindre plusieurs mètres de hauteur. Avant l'arrivée des automobiles, c'est sur ces dunes que les insulaires voyageaient d'une île à l'autre.

L'île aux Loups est reconnue pour son abondance de mollusques (côté lagune) et pour la baignade dans les vagues (côté mer). Prenez toutefois garde aux forts courants marins, particulièrement dangereux lors des grandes marées et lorsqu'il vente, puisqu'ils peuvent sournoisement vous entraîner au large.

N'hésitez pas à emprunter les chemins du quai du Sud ou du quai du Nord pour saisir le charme suranné de ces vieux quais en bois. Puis, un arrêt s'impose à la **Maison du Héron** (voir p 192) si la paléontologie et l'archéologie vous intéressent. Dans cette galerie-boutique, les œuvres de l'artiste propriétaire côtoient une impressionnante collection personnelle d'artefacts, de fossiles et d'agates.

Îles de la Madeleine — **Attraits touristiques** - île aux Loups

La Grosse Île

Avec ses quelque 400 naufrages répertoriés, les Îles de la Madeleine portent le triste titre de cimetière marin, et les côtes accidentées de la Grosse Île sont particulièrement notoires. Au **Musée de la Mer** (voir p 175) de Havre-Aubert, on peut d'ailleurs visualiser une carte détaillant tous ces naufrages. À l'époque où l'isolement était quasi total, nombre de rescapés choisirent de s'installer chez leurs hôtes. C'est ainsi que des descendants écossais s'établirent sur la Grosse Île et qu'aujourd'hui 500 anglophones y habitent toujours.

Quelques kilomètres avant d'atteindre la Grosse Île en arrivant de l'île aux Loups, vous apercevrez les installations de la **mine de sel**. En activité depuis 1983, la compagnie Mines Seleines y extrait ce minerai à 300 m de profondeur dans des galeries qui s'étendent sur 1,6 km sous la dune et la mer. Le sel provient d'immenses dômes sur lesquels reposent les îles. Près de 200 personnes y travaillent annuellement pour extraire 1,5 million de tonnes métriques de sel du sous-sol madelinot. Le sel sert principalement au déglaçage des routes de la côte est des États-Unis. Malheureusement, la mine n'est pas ouverte aux visiteurs, mais le **Centre d'interprétation Les Portes de l'Est** *(56 route 199, Grosse-Île, ☎418-985-2387)* présente une exposition sur le monde fascinant du sel, en plus de renseigner les visiteurs sur l'histoire et les milieux naturels de l'est des Îles.

La route 199 conduit jusqu'à la **réserve nationale de faune de la Pointe-de-l'Est ★★★**, où vous attend un écosystème unique au Québec. Si vous vous y rendez pour observer sa riche faune ailée, comme le pluvier siffleur et le grèbe esclavon (ces deux espèces sont menacées), le canard pilet, le martin-pêcheur d'Amérique, le macareux moine et l'alouette cornue, prenez garde de ne pas endommager les lieux de nidification (ils sont indiqués). Deux sentiers d'interprétation, **Les Marais salés** et **L'Échourie**, accessibles gratuitement par deux entrées sur la route 199 après le village de Grosse-Île, permettent de parcourir les 684 ha de la réserve. Vous

pouvez également profiter des visites guidées proposées par le **Club Vacances Les Îles** *(☎418-985-2833 ou 888-537-4537, www.clubiles.qc.ca)*.

Plus loin, vous trouverez l'une des plus belles plages des Îles, la **plage de la Grande Échouerie ★★★**, qui semble s'étendre vers l'infini. La plage compte le seul stationnement payant de l'archipel, ainsi que des toilettes et des douches.

En poursuivant sur la route 199, vous atteindrez le **Complexe historique et patrimonial de C.A.M.I.** (Council for Anglophone Magdalen Islanders, soit le Conseil des Anglophones madelinots) *(entrée libre; en été tlj 8h à 16h, sur réservation reste de l'année; 787 route 199, ☎418-985-2534 ou 418-985-2116, www.ilesdelamadeleine.com/cami)*. Aménagé dans la «Little Red Schoolhouse» (la petite école rouge), le petit musée du complexe présente une exposition permanente d'objets et de photos d'époque retraçant l'héritage culturel et l'histoire des anglophones des Îles. À côté, le **Musée des vétérans** et son parc commémoratif rendent hommage aux Madelinots qui ont combattu pour le Canada. Les 23 poteaux de cèdre érigés en forme de croix dans le parc honorent la mémoire des 23 Madelinots qui ont fait l'ultime sacrifice de leur vie durant la Seconde Guerre mondiale.

Poursuivez sur la route 199 jusqu'à l'île de la Grande Entrée.

Île de la Grande Entrée
★★★

▲ *p 188*   ⏱ *p 189*   ➥ *p 190*

Tout au bout de la route 199, vous arriverez au bourg principal de l'île, **Grande-Entrée**, désignée «Capitale québécoise du homard» en 1994. Allez vous promener sur le quai de ce port très fréquenté durant la saison de pêche, d'où partent une centaine de bateaux multicolores. Le port de Grande-Entrée abrite aussi quelques boutiques et un restaurant, **Le Délice**

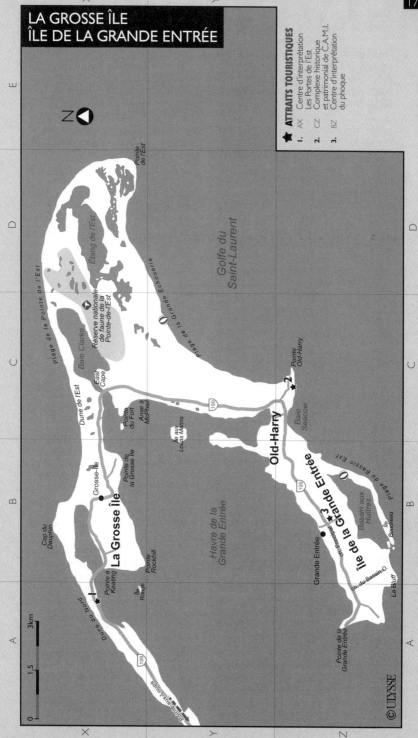

LA GROSSE ÎLE
ÎLE DE LA GRANDE ENTRÉE

N

ATTRAITS TOURISTIQUES

1. AX Centre d'interprétation
   Les Portes de l'Est
2. CZ Complexe historique
   et patrimonial de C.A.M.I.
3. BZ Centre d'interprétation
   du phoque

Pointe de l'Est

Golfe du
Saint-Laurent

Plage de la Pointe de l'Est

Étang de l'Est

Réserve nationale
de la faune de la
Pointe-de-l'Est

Baie Clarke

Plage de la Grande Échouerie

East
Cape

Dune de l'Est

Pointe
du Fort

Anse à
McPhail

Île aux
Louds Meins

199

Pointe
Old-Harry

2

Grosse-Île

Pointe de
la Grosse Île

Baie
Seacow

Old-Harry

La Grosse Île

Cap du
Dauphin

Havre de la
Grande Entrée

199

Plage du Bassin Est

Île de la Grande Entrée

Pointe
Rockhill

3 Grande Entrée

Bassin aux
Huîtres

Île
Boudreau

Pointe à
Keating

Île
Rouge

Ch. Principal

Grande Entrée

Ch. du Bassin O.

La Bluff

Dune du Nord

199

Pointe
aux Loups

Pointe de la
Grande Entrée

0   1,5   3km

©ULYSSE

de la mer (voir p 189), où vous pourrez goûter au fameux homard de la région.

Revenez sur vos pas et tournez dans le chemin du Bassin Ouest, où vous pourrez faire une randonnée facile d'environ 2 km qui vaut absolument le détour. Elle mène à l'**île Boudreau** ★ ★ ★, un joyau naturel qui cache des veines d'argile et qui abrite une colonie de phoques. Prenez le temps de savourer l'isolement de l'île; vous pourrez même en profiter pour vous improviser votre propre petit spa en plein air: rien ne vaut le plaisir d'un bain d'argile au soleil!

En revenant sur la route 199, ne manquez pas de visiter le **Centre d'interprétation du phoque** ★ *(7,50$; juin à sept tlj 10h à 18h; 377 route 199, Grande-Entrée,* ☎*418-985-2833, www.ilesdelamadeleine.com/cip)*. L'exposition interactive sur le monde fascinant du «loup marin» vous permettra d'en connaître davantage sur les habitudes de vie de ce mammifère marin, tandis que le diaporama *Histoire de glaces* vous transportera littéralement sur la banquise en compagnie des phoques.

- -

Île d'Entrée
★ ★

▲ *p 188*   ⮎ *p 190*

Voir carte p 174.

L'île d'Entrée constitue une destination en soi. Seule île habitée non reliée au reste de l'archipel, sa silhouette massive intrigue et inspire, et on se laisse aisément émouvoir par ses paysages bucoliques. Il faut absolument goûter l'incroyable sérénité qui règne sur cet îlot vallonné où les vaches et les chevaux paissent librement derrière les collines dans un vaste pâturage communautaire.

L'île d'Entrée fait moins de 3 km de diamètre et tire son nom de sa situation géographique. Située à l'entrée de la baie de Plaisance, elle est la première île que le

visiteur aperçoit en arrivant des provinces maritimes par traversier.

Un lien quotidien entre Cap-aux-Meules et l'île d'Entrée est assuré par le *S.P. Bonaventure (22$ aller-retour; mai à déc lun-sam deux départs par jour du port de Cap-aux-Meules 8h et 15h, retours 9h et 16h;* ☎*418-986-7172 ou 986-5705)*. La traversée dure environ 1h, et les réservations sont requises. L'entreprise **Excursions en mer** (voir p 184) fait également le trajet jusqu'à l'île d'Entrée.

Près de 130 personnes vivent actuellement sur l'île, au rythme des saisons. Car lorsque l'hiver s'installe et que la baie de Plaisance est immobilisée dans la glace, l'avion devient leur seul moyen de quitter l'île. L'économie de cette petite communauté anglophone de descendance écossaise et irlandaise est encore aujourd'hui presque exclusivement axée sur la pêche. Les paysages champêtres complètement dénudés et les chevaux sauvages donnent à cette île un charme bien particulier. Et pour l'observateur averti, une grande quantité d'oiseaux nicheurs anime les grandes falaises rouges de l'île.

C'est à l'île d'Entrée que se trouve le plus haut sommet des Îles, **Big Hill** (174 m). Pour vous y rendre à partir du port, suivez les chemins Main et Post Office, puis empruntez le sentier Ivan Quinn. Vous atteindrez alors Big Hill, d'où vous pourrez contempler l'archipel d'un bout à l'autre. Par temps clair, il est même possible d'apercevoir l'île du Cap-Breton au large. Il n'y a pas si longtemps, ce n'étaient pas les champs qui étaient clôturés ici mais les jardins pour éviter que les légumes soient piétinés ou mangés par les vaches. Si vous vous aventurez dans le pâturage et que vous vous retrouvez face à une clôture, longez-la, vous trouverez assurément un petit escalier aménagé pour la traverser.

Dans une petite maison au pied de Big Hill se trouve le **Musée historique de l'Île d'Entrée** *(entrée libre; juin à sept tlj;* ☎*418-986-6622)*. Des dons d'objets ayant appartenu aux membres de la communauté ont permis de créer ce musée qui témoigne de l'histoire de l'île et de ses habitants, particulièrement de ceux qui sont partis pour la guerre.

Île Brion
★ ★

C'est sur cette île, située à quelque 16 km de la Grosse Île, que l'on peut observer la riche diversité de la nature madelinienne à l'état original. Lorsque Cartier y fit escale en 1534, il nota dans son journal de bord: *Ceste dite isle est la meilleure terre que nous ayons veu, car un arpent d'icelle terre vaut mieux que toute la Terre Neuve*. Habitée pendant plus d'un siècle, l'île Brion garde les mystères des familles écossaises, des pêcheurs acadiens et des gardiens du phare qui y ont vécu.

Réserve écologique depuis 1984, ce joyau naturel abrite plus de 140 espèces d'oiseaux et une impressionnante forêt de conifères rabougris. L'accès y est restreint, mais l'entreprise **Vert et Mer** (voir p 170), la seule à détenir un permis d'accès, offre différents séjours éducatifs de un à quatre jours sur l'île. Les guides professionnels et passionnés de l'entreprise vous feront vivre, à pied ou en kayak de mer, un moment unique d'évasion et de ressourcement dont vous vous souviendrez très longtemps.

🏹 Activités de plein air

■ Cerf-volant de traction

Les vents qui balaient presque constamment l'archipel permettent de profiter de conditions idéales pour le cerf-volant de traction. Pour la pratique autonome, vous pourrez opter pour un plan d'eau en mer ou dans une lagune. Le **parc Fred-Jomphe** (voir p 173), qui donne accès à la lagune de la baie du Havre aux Basques, est l'endroit privilégié de centaines d'adeptes. En hiver, les lagunes gelées sont aussi un paradis pour les amateurs de ski cerf-volant.

L'entreprise récréotouristique **Aérosport Carrefour d'Aventures** *(juin à oct tlj 8h30 à 18h; 1390 ch. de La Vernière, L'Étang-du-*

Nord, ☎ *418-986-6677 ou 866-986-6677, www.aerosport.ca)* propose des initiations au cerf-volant de traction *(59$/2h)*, au surf cerf-volant ou *kitesurf (250$/3h)* et au buggy ou *kite buggy (79$/2h)*. Du 1er au 15 mars, ça se passe sur la neige!

■ Équitation

Le **Centre équestre La Crinière au Vent** *(115 ch. L.-Aucoin, Fatima,* ☎ *418-986-6777)* propose des randonnées en cheval ou en poney, des camps d'une journée d'initiation à l'équitation pour les jeunes de 7 à 14 ans et des balades en calèche pour tous.

À **La P'tite Ferme au Galop** *(35$/1h30; 784 route 199, Havre-Aubert,* ☎ *418-937-5664 ou 937-8923, www.ptitefermeaugalop.piczo.com)*, vous vivrez d'inoubliables randonnées sur la plage. Pour les parents qui ont de jeunes enfants, des selles doubles sont disponibles. La P'tite Ferme au Galop propose également des camps de jour où les petits s'amusent à apprivoiser les animaux de la ferme.

■ Golf

Club de golf des Îles
9 trous, tlj 7h à 21h
321 ch. Boisville O., L'Étang-du-Nord
☎ 418-986-3665
En plus de proposer le service de location d'équipement, le Club de golf des Îles renferme un restaurant et un bar.

■ Kayak

Pagayer en kayak est sans contredit l'une des meilleures façons d'apprécier le littoral de l'archipel puisque ça permet de s'offrir une vue imprenable sur les caps de grès rouge, inaccessibles à pied. Comme les entreprises fournissent tout l'équipement nécessaire, c'est l'activité sportive ou familiale par excellence. En voici quelques-unes qui organisent des excursions guidées près des grottes et des falaises. Pour chacune de ces entreprises, ce sont les vents qui dictent l'excursion. Ainsi, sur l'île du Cap aux Meules, on privilégiera soit le côté sud autour des falaises de Gros-Cap, soit le côté nord, au pied de la Belle Anse. Si les conditions le permettent, l'excursion près des **falaises**

Îles de la Madeleine - Activités de plein air

de la Belle Anse (voir p 172) au coucher du soleil est fabuleuse.

Centre nautique de L'Istorlet *(50$/3h; mai à sept; 100 ch. L'Istorlet, Havre-Aubert,* ☎*418-937-5266 ou 888-937-8166, www.istorlet. com).*

Le **Parc de Gros-Cap** *(40$/3h; juin à sept; 74 ch. du Camping, L'Étang-du-Nord,* ☎*418-986-4505 ou 800-986-4505, www.parcdegroscap. ca).*

Aérosport Carrefour d'Aventures *(59$/3h; juin à oct tlj 8h30 à 18h; 1390 ch. de La Vernière, L'Étang-du-Nord,* ☎*418-986-6677 ou 866-986-6677, www.aerosport.ca).*

Le **Club Vacances Les Îles** *(*☎*418-985-2833 ou 888-537-4537, www.clubiles.qc.ca)* propose quant à lui des sorties en kayak de surf *(37$)* au pied de saisissantes falaises. Et si vous êtes de nature aventureuse, vivez l'expérience unique de la **flottaison dans les grottes** *(40$)* en habit isothermique! Équipé d'un casque, d'un gilet de flottaison et de chaussons, vous pourrez vous laisser porter par les vagues à l'intérieur des grottes de surface.

■ Observation des oiseaux

Les amateurs d'ornithologie seront heureux d'apprendre que la diversité des milieux naturels propre aux Îles de la Madeleine (falaises de grès rouge, forêts, étangs d'eau douce, dunes) permet l'accueil d'une faune ailée très diversifiée. D'ailleurs, quelque 200 espèces d'oiseaux fréquentent annuellement l'archipel. Procurez-vous le calendrier des activités organisées par le Club d'ornithologie des Îles de la Madeleine ainsi que leur brochure, disponible au bureau d'information touristique (voir p 169), qui répertorie les oiseaux et les sites ornithologiques les plus populaires.

La **réserve nationale de faune de la Pointe-de-l'Est** (voir p 178) est la halte migratoire de plusieurs espèces de canards et d'oiseaux de rivage. En période de nidification, on peut y observer les espèces menacées de disparition que sont le pluvier siffleur et le grèbe esclavon. Notez que l'archipel est le plus important site de nidification

du pluvier siffleur au Québec (de la mi-avril à la mi-août).

À L'Étang-du-Nord, l'**Étang à Ben** *(accessible par le chemin Boisville Ouest ou le chemin Coulombe)* offre un abri à divers oiseaux nicheurs tels les canards, les râles, les plongeons et les martins-pêcheurs, ainsi qu'une halte migratoire aux bernaches cravants, aux grands chevaliers et aux pluviers argentés et bronzés.

Isolé à 32 km au nord-est de la Grosse Île, le **rocher aux Oiseaux** est le plus important des trois rochers qui font partie du refuge de plusieurs colonies d'oiseaux marins tels le fou de Bassan, le petit pingouin, le guillemot de Brünnich, le guillemot marmette et la mouette tridactyle. L'entreprise **Excursions en mer** (voir p 183) propose des excursions jusqu'à ce haut lieu de l'ornithologie du golfe du Saint-Laurent, déclaré refuge d'oiseaux migrateurs en 1919.

Le **sentier d'interprétation Le Barachois** est un endroit idéal pour s'initier à l'observation des oiseaux. Ce sentier de 5 km sillonne un milieu humide très particulier qui comprend des marais d'eau salée, d'eau saumâtre et d'eau douce, ainsi que des prés humides. Pour vous y rendre, suivez le chemin de l'Hôpital à Fatima, en direction de la plage de la Dune du Nord.

Vous pouvez aussi aller vous promener le long de la **lagune du Havre aux Basques** ou de la **dune Sandy Hook** pour observer les voyages migratoires d'oiseaux limicoles tels que la sterne Hansel, le bécasseau à col roux, le bécasseau cocorli, la barge hudsonienne, le petit et le grand chevaliers, le chevalier semipalmé et le courlis corlieu... Ouvrez grand les yeux: vous ferez sans doute des observations mémorables!

■ Pêche

Amateur de sensations fortes, vivez une expérience unique avec la **Pourvoirie Mako** *(24 ch. Pealey, Grande-Entrée,* ☎*418-985-2895)*: pêcher le requin au large des Îles. La pourvoirie organise également des excursions de pêche au homard et d'observation ornithologique.

La pêche aux mollusques

Certaines plages des Îles regorgent de succulents mollusques tels que les coques (*clams*) et les couteaux de mer. Lorsqu'un petit trou apparaît à la surface d'un platier de sable laissé à découvert par la marée basse, c'est là qu'il faut creuser. À la main, à la fourche ou encore mieux, avec un débouchoir à ventouse. Oui, oui, un vulgaire «siphon à toilette»…

Avant de déguster les mollusques, pour qu'ils se vident de leur sable, laissez-les manquer d'eau pendant 12h. Puis, laissez-les se rincer dans une chaudière pleine d'eau de mer pendant au moins 7h. Enfin, mettez-les à cuire à l'étouffée jusqu'à ce qu'ils ouvrent.

Pour faire la cueillette de mollusques comestibles à pied, rendez-vous aux lagunes dont les rives abritent des quantités de coquillages faciles à ramasser et délicieux à déguster. Vous pourrez donc aller récolter des palourdes et autres coques en famille, pieds nus et le pantalon retroussé au-dessus des genoux, avec votre seau à la main. Avant de partir, vérifiez l'horaire des marées au bureau d'information touristique, car il est toujours conseillé de partir à marée basse. Aussi, veillez à respecter les interdictions de cueillette qui peuvent survenir à n'importe quel moment. Les risques de contamination sont également réels. Pour plus de sûreté, n'hésitez pas à communiquer avec la ligne Info Mollusques au ☎418-986-3882.

Les amateurs de pêche à la ligne équipés de leur matériel peuvent rejoindre les pêcheurs installés au bout des jetées des ports de Cap-aux-Meules et de L'Étang-du-Nord. L'entreprise **Excursions en mer** *(mai à oct tlj 8h à 20h; 70 route 199, Cap-aux-Meules, billetterie à la marina de Cap-aux-Meules;* ☎ *418-986-4745, www. excursionsenmer.com)* vous emmène, quant à elle, au large des côtes pour pêcher le maquereau.

■ Plongée sous-marine

Vous pourrez louer de l'équipement de plongée sous-marine à l'adresse suivante:

Le Repère du Plongeur
début juil à mi-sept et mi-fév à fin mars
18 allée Léo-Leblanc
L'Étang-du-Nord
☎418-986-6548
www.repereduplongeur.com

■ Randonnée pédestre

Une quinzaine de sentiers sillonnent l'archipel, chacun offrant des points de vue remarquables. Parmi ceux-ci, retenons le **Sentier du littoral de Cap-aux-Meules** (voir p 170), celui qui mène à l'**île Boudreau** à partir de l'île de la Grande Entrée (voir p 180), la **piste cyclo-pédestre de la Belle-Anse** (voir p 172) et le **sentier de l'Anse de l'Étang-du-Nord** (voir p 172). N'hésitez pas à les explorer et à en découvrir d'autres. Mais prenez garde: tenez-vous toujours à au moins 3 m du bord des falaises, car la mer les gruge sans cesse et le grès rouge est particulièrement friable. Souvenez-vous aussi que cette érosion n'est pas toujours visible du haut des falaises.

Le **Club Vacances Les Îles** *(*☎*418-985-2833 ou 888-537-4537, www.clubiles.qc.ca)* organise des excursions pour vous faire découvrir à pied les divers écosystèmes de l'est des Îles.

L'hiver aux Îles

SI vous avez connu et aimé les Îles en été, vous serez émerveillé de voir qu'en hiver elles se dévoilent sous un tout autre jour. Au moment où les glaces se referment sur l'archipel, le temps aussi semble se figer. Les Îles se recouvrent alors d'un manteau blanc immaculé qui scintille au soleil. Le temps est doux, et les températures minimales n'excèdent généralement pas −18°C.

C'est le moment où les adeptes des sports de glisse se retrouvent sur les lagunes gelées, et où les pêcheurs, au repos forcé, pratiquent tranquillement la pêche blanche. On peut en outre explorer les plages ou les quelques sentiers boisés des Îles en skis de fond, en raquettes et même en traîneau à chiens. C'est aussi l'occasion de pratiquer une activité singulière: le kayak hivernal. Car partir à la découverte des flamboyantes falaises rouges en pagayant dans les saignées, ces couloirs naturels créés entre les amas de petits icebergs, c'est se permettre de vivre des moments d'une rare beauté.

Mais l'activité qui symbolise le mieux l'hiver aux Îles est sans doute l'observation des blanchons sur la banquise. Voilà une expérience tout à fait unique qu'il ne faut pas manquer. Vers la fin de février ou au début de mars, des dizaines de milliers de phoques du Groenland arrivent dans le golfe du Saint-Laurent avec la banquise pour donner naissance (mettre bas) à leurs blanchons. Il est très rare que les phoques viennent suffisamment près des Îles pour qu'on puisse s'approcher d'eux. Pour cela, il faut participer à l'une des expéditions en hélicoptère offertes par le **Château Madelinot** (voir p 186), qui vous mènera, après une heure de vol, au milieu de la mouvée. Chaque hiver, ce spectacle naturel attire un grand nombre de visiteurs, surtout des Japonais.

■ **Sorties en mer et observation des phoques**

Excursions en mer *(mai à oct tlj 8h à 20h; 70 route 199, Cap-aux-Meules, billetterie à la marina de Cap-aux-Meules;* ☎ *418-986-4745, www.excursionsenmer.com)* propose tous les jours de magnifiques balades en bateau et en canot pneumatique. Leurs guides-interprètes vous emmènent à la découverte des beautés du littoral madelinien, caractérisé par des falaises sculptées par la mer. L'entreprise offre également des sorties en mer jusqu'à l'île d'Entrée, l'île Brion et au **rocher aux Oiseaux** (voir p 182).

Le **Centre nautique de L'Istorlet** *(mai à sept; 100 ch. L'Istorlet, Havre-Aubert,* ☎ *418-937-5266 ou 888-937-8166, www.istorlet.com)* organise une excursion tout à fait unique en canot pneumatique pour aller plonger avec tuba et côtoyer les phoques près de la petite île du Corps-Mort *(excursion de 3h, 60$/observation seulement et 90$/plongée).*

Les **Excursions de la lagune** *(27$; juin à sept, départs tlj 9h, 11h et 14h; quai de la Pointe, route 199, Havre-aux-Maisons,* ☎ *418-969-4550)* font des sorties de 2h à bord d'un bateau à fond vitré dans la lagune du Havre aux Maisons. L'excursion permet d'aller à la rencontre des phoques, en plus d'assister à des démonstrations de pêche au homard et de culture de pétoncles et de moules. Il est même possible de déguster une assiette de mollusques et de crustacés fraîchement pêchés.

■ *Traîneau à chiens*

Aventures Banquises
47 ch. Lapierre, Fatima
☎ 418-986-5461

Découvrez les Îles en hiver d'une façon peu commune avec les excursions de traîneau à chiens proposées par l'entreprise Aventures Banquises. Traversez les boisés et glissez sur la banquise accompagné d'un guide expérimenté. Randonnées d'une demi-journée *(75$)*, d'une journée *(135$)* et même de 24 heures avec nuitée passée en forêt *(160$)*.

■ Vélo

Le vélo est une façon splendide de visiter les Îles… si le vent est tranquille. La Route verte permet de sillonner l'archipel tout en contemplant de beaux points de vue, mais elle emprunte fréquemment la route principale (route 199) et les accotements ne sont pas tous asphaltés.

Trois parcours panoramiques sont proposés aux amateurs de vélo: le Tour de l'île du Cap aux Meules (25 km), le Tour de la Pointe-Basse (8 km), sur l'île du Havre aux Maisons, et le Tour de la montagne (20 km), sur l'île du Havre Aubert. Une carte des parcours cyclables est publiée par Tourisme Îles de la Madeleine. Vous pourrez vous la procurer au bureau de renseignements touristiques de l'île du Cap aux Meules (voir p 169) ou la télécharger sur le site Internet *www.tourismeilesdelamadeleine.com*. Notez que les sentiers pédestres du littoral de Cap-aux-Meules, de la Belle-Anse, de l'île Boudreau et de l'Anse de l'Étang-du-Nord sont également aménagés pour les cyclistes, mais que seul celui du littoral de Cap-aux-Meules est asphalté.

Quelques intervenants touristiques offrent des services adaptés à la clientèle cycliste. Par exemple, le forfait croisière et vélo du **Groupe CTMA** (☎ *418-986-3278 ou 888-986-3278, www.ctma.ca)* propose une visite des Îles à vélo s'échelonnant sur trois jours. Une navette permet aux cyclistes de rejoindre le navire pour la nuit.

Les propriétaires de **La maison d'Éva-Anne** (voir p 187) organisent un forfait vélo incluant six nuitées en auberge, six petits déjeuners, un pique-nique et deux dîners, ainsi que le transport terrestre des cyclistes, des bagages et des vélos en fin

de journée. Ce forfait multi-activités offre non seulement la possibilité de parcourir les Îles à vélo accompagné d'un guide interprète, mais il comprend également une sortie en kayak et une journée de randonnée sur l'île d'Entrée. Comptez 1 140$ par personne avec hébergement en occupation double pour le forfait avec guide, et 965$ par personne en occupation double pour le forfait auto-guidé. Le forfait n'inclut cependant pas la location du vélo.

Pour louer un vélo aux Îles:

Le Pédalier
800 ch. Principal
Cap-aux-Meules
☎ 418-986-2965
www.lepedalier.com
Tous les vélos sont munis d'un porte-bagages. Comptez 6$/h, 24$/jour ou 90$/semaine, casque et cadenas inclus.

■ Voile et planche à voile

Les Îles sont le paradis des sports de voile et de glisse en raison de la constance des vents et la variété des plans d'eau. Si vous avez votre propre équipement, vous n'aurez aucun mal à trouver un endroit où pratiquer votre activité favorite, qu'il soit exposé en mer ou abrité dans une lagune. Notez que le bureau d'information touristique distribue une carte des meilleurs sites à visiter en fonction des vents. Le **parc Fred-Jomphe** (voir p 173), situé devant la baie du Havre aux Basques, est expressément aménagé à cette fin. Il offre un accès facile à la lagune et dispose d'un stationnement et de toilettes.

Le **Centre nautique de L'Istorlet** *(mai à sept; 100 ch. L'Istorlet, Havre-Aubert, ☎ 418-937-5266 ou 888-937-8166, www.istorlet.com)* est un centre de plein air qui propose une kyrielle d'activités pour toute la famille. Tout autour du Centre, les eaux sont sécuritaires et peu agitées. On y propose des cours, et différentes embarcations sont offertes en location. Comptez 40$ l'heure pour la location d'une planche ou d'un dériveur. Des camps nautiques pour les jeunes, d'un jour ou d'une semaine, sont aussi offerts.

Îles de la Madeleine – Activités de plein air

Hébergement

En été, les Madelinots vous ouvrent littéralement leurs portes. Car en plus des gîtes et des hôtels, plusieurs maisons et chalets sont à louer. Vous trouverez toute l'information et leurs coordonnées sur le site Internet *www.tourismeilesdelamadeleine.com*. Mais n'oubliez pas de réserver très tôt!

Île du Cap aux Meules

Camping du Parc de Gros-Cap / Auberge internationale de jeunesse des Îles
$ pdj
bc ⚡ @
début juin à fin sept
74 ch. du Camping
L'Étang-du-Nord
☎418-986-4505 ou 800-986-4505
www.parcdegroscap.ca

Le Parc de Gros-Cap gère à la fois un camping et l'auberge de jeunesse des Îles. Ainsi, vous trouverez, nichée au bout d'une petite péninsule, une auberge calme et conviviale comptant neuf chambres propres et lumineuses (trois privées et six partagées). Accès à la cuisine, salle à manger et Internet haute vitesse. Plage à deux pas. Le camping du parc compte 100 emplacements où l'on goûte bien les Îles, le vent et la mer.

Auberge chez Sam
$ pdj
bp/bc
1767 ch. de l'Étang-du-Nord
L'Étang-du-Nord
☎418-418-986-5780

En entrant dans la jolie maison de bois de l'Auberge chez Sam, on est tout de suite frappé par la gentillesse de l'accueil. On est ensuite ravi de découvrir les chambres, cinq au total, toutes mignonnes et bien tenues.

Camping Le Barachois
$
⚡
début mai à fin sept
87 ch. du Rivage
Fatima
☎418-986-6065

Situé au cœur d'un petit boisé donnant sur la mer, le Camping Le Barachois compte environ 180 emplacements bien abrités du vent.

La Maison du Cap-Vert
$$ pdj
bp/bc
202 ch. L.-Aucoin
Fatima
☎418-986-5331
www.maisonducapvert.ca

L'auberge familiale La Maison du Cap-Vert propose cinq chambres tout à fait charmantes, dotées de lits douillets, le tout dans une ambiance marine. Avec le délicieux petit déjeuner offert à volonté tous les matins, cet établissement représente sans contredit une valeur sûre.

Vert et Mer
$$
☎418-986-3555 ou 866-986-3555
www.vertetmer.com

Été comme hiver, l'entreprise écotouristique **Vert et Mer** (voir p 170) vous propose un hébergement en yourte autonome, équipée d'installations sanitaires rustiques dans un cadre sauvage. Une expérience à vivre dans les hauteurs de la Butte du Vent.

Château Madelinot
$$$
◎ ⚡ ≋ ♨ ⁂ ⚡
323 route 199
Fatima
☎418-986-3695 ou 800-661-4537
www.hotelsilesdelamadeleine.com

Vous serez peut-être d'abord surpris d'apercevoir ce grand bâtiment qui tient lieu de Château Madelinot. Mais le confort des chambres et la vue superbe de la mer tendent à faire oublier cette première image, et l'on y offre une foule de services et d'installations: piscine, sauna, en plus de différents forfaits, entre autres celui de l'observation des blanchons en mars.

Île du Havre Aubert

Camping Plage du Golfe
$
⚡
début juin à début sept
535 ch. du Bassin
Bassin
☎418-937-5224

Situé aux abords de la dune du Bassin, ce camping compte 72 emplacements, et l'on y loue également quelques chalets.

Camping Belle Plage
$
⚡
445 ch. du Bassin
Bassin
☎418-937-5408

Le Camping Belle Plage propose 94 emplacements donnant directement sur la plage Dune du Bassin.

Auberge Chez Denis à François
$$ pdj

mai à oct
404 ch. d'En Haut
Havre-Aubert
☎418-937-2371
www.aubergechezdenis.ca

L'Auberge Chez Denis à François a été construite avec la cargaison de bois d'un bateau qui fit naufrage non loin de là dans les années 1870. La convivialité règne dans cette auberge familiale qui surplombe le Site historique de La Grave. On y propose huit chambres avec salle de bain privée. Un bon restaurant se trouve au rez-de-chaussée (voir p 189).

Gîte le Berceau des Îles
$$-$$$

bp/bc
701 route 199
Havre-Aubert
☎418-937-5614

Situé à quelques minutes du Site historique de La Grave et de la dune du Bout du Banc, le spacieux Gîte le Berceau des Îles renferme de belles boiseries qui confèrent au lieu une hospitalité chaleureuse. On y trouve trois chambres avec salle de bain partagée, de même que deux suites avec balcon et salle de bain privée, dont une luxueuse avec baignoire à remous.

Auberge Havre sur Mer
$$-$$$$ pdj
@ ☂ ⚘ ⫶ @ ⚠
mai à mi-oct
1197 ch. du Bassin
Bassin
☎418-937-5675
www.havresurmer.com

L'Auberge Havre sur Mer est perchée au bord d'une falaise sur un site magnifique. Les chambres, qui donnent sur une terrasse commune d'où chacun des occupants peut profiter de la belle vue, attirent bon nombre de visiteurs amoureux des Îles et du calme. Sauna, spa et massages.

Île du Havre aux Maisons

Auberge de la Petite Baie
$$ pdj

187 route 199
Havre-aux-Maisons
☎418-969-4073

Pour un accueil chaleureux, rendez-vous à l'Auberge de la Petite Baie. Dans cette maison centenaire ayant gardé son cachet d'antan, on vous reçoit dans l'une de quatre chambres meublées avec goût et d'une propreté impeccable. Charmant restaurant au rez-de-chaussée.

La maison d'Éva-Anne
$$ pdj
bp/bc
juin à sept
326 ch. de la Pointe-Basse
Havre-aux-Maisons
☎418-969-4053

Cette imposante maison de style victorien construite à la fin du XIXe siècle par le maire du village de Havre-aux-Maisons est aujourd'hui habitée par sa petite fille qui vous y accueille avec sa famille. Située au cœur de la Pointe-Basse, à quelques pas de la mer, la Maison offre quatre chambres, dont deux avec salle de bain privée.

La Butte Ronde, Couette et café
$$-$$$ pdj

70 ch. des Buttes
Havre-aux-Maisons
☎418-969-2047 ou 866-969-2047
www.labutteronde.com

Nichée au pied de la jolie Butte Ronde dans ce qui a été jadis une école de rang, ce gîte touristique respire le calme et incite au repos. On y trouve cinq chambres ayant chacune leur propre salle de bain. L'établissement dispose de grands espaces communs où entre la lumière du jour, et un magnifique piano à queue égaie le salon.

Domaine du Vieux Couvent
$$$$-$$$$$ pdj
@ ⚘
292 route 199
Havre-aux-Maisons
☎418-969-2233
www.domaineduvieuxcouvent.com

Nouvellement rénové, l'incomparable Domaine du Vieux Couvent vous offre luxe, calme et confort, en plus d'une vue imprenable sur la mer. Couettes en duvet d'oie, service de repas aux chambres et Internet haute vitesse. Voisin et appartenant également au Domaine du Vieux Couvent, le Presbytère propose de petits appartements pouvant accueillir jusqu'à six personnes chacun.

Île de la Grande Entrée

Club Vacances Les Îles
$-$$$
377 route 199
Grande-Entrée
☎418-985-2833 ou 888-537-4537
www.clubiles.qc.ca
Le Club Vacances Les Îles est à la fois un camp de vacances familial et un lieu de détente. Il propose l'hébergement dans de belles grandes chambres confortables, sans téléviseur ni téléphone, avec forfaits d'au moins trois jours en pension complète. Les repas sont variés et savoureux. À même le Club se trouve également un bar où viennent se produire de temps à autre des chansonniers. Le service Internet sans fil est également offert. Son camping compte 24 emplacements, et un dortoir est mis à la disposition des visiteurs pour les jours de pluie.

Île d'Entrée

Chez McLean
$ pdj
ch. de l'École
☎418-986-4541
Seul lieu où dormir dans l'île d'Entrée, le gîte touristique Chez McLean offre trois chambres dans une maison typique des Îles.

Restaurants

Île du Cap aux Meules

Chez Armand
$
1342 ch. des Caps
Fatima
☎418-986-4579
Ce restaurant de style casse-croûte est très fréquenté par les Madelinots. Ici, la soupe aux fruits de mer et le généreux sandwich club au homard valent le détour, de même que la vue saisissante sur la mer et les couchers de soleil.

La Factrie
$$
Pêcheries Gros-Cap
521 ch. Gros-Cap
L'Étang-du-Nord
☎418-986-2710
De style cafétéria, La Factrie permet de déguster le «messe d'homard» le moins cher des Îles. L'établissement dispose d'un permis d'alcool et sert de généreuses portions de poisson et de fruits de mer frais, et pour cause, puisqu'au rez-de-chaussée se trouvent les **Pêcheries Gros-Cap** (voir p 170) et une poissonnerie où l'on vend notamment du homard cuit en coquille.

Les Pas Perdus
$$-$$$
169 route 199
Cap-aux-Meules
☎418-986-5151
www.pasperdus.com
Bistro-Dodo-C@fé... Deux établissements, quatre vocations, l'adresse bran-

chée des Îles. Que ce soit au restaurant-auberge ou au bar-salle de spectacle (voir p 190), c'est le lieu où faire des rencontres au détour d'un café ou d'une bière des Îles. Bonne table: goûtez le hamburger au requin ou la poutine au Pied-de-Vent. Six chambres à louer à l'étage.

Au Clair de Lune
$$-$$$
mi-juin à mi-sept
1003 ch. Les Caps
Fatima
☎418-986-2770
On se rend au restaurant Au Clair de Lune pour la chaleur de ses dîners-spectacles (musique, contes et légendes) et les brunchs du dimanche. Typique.

La Table des Roy
$$$$
juin à sept, fermé dim
1188 route 199
L'Étang-du-Nord
☎418-986-3004
www.latabledesroy.com
La Table des Roy propose une cuisine raffinée dans un cadre d'une élégance unique aux Îles. Haute gastronomie du terroir agrémentée de fleurs et de plantes comestibles de la région. Réservations requises.

Île du Havre Aubert

Café de La Grave
$-$$
mai à oct
969 route 199
La Grave, Havre-Aubert
☎418-937-5765
Laissez-vous envoûter par l'atmosphère unique

de cet ancien magasin général où l'on passe ses veillées à fredonner avec les habitués. À tout moment, attendez-vous à ce que la musique envahisse le café, car ici le piano est rarement silencieux et l'accordéon de la jeune propriétaire n'est jamais bien loin. Une petite terrasse donne sur la baie à l'arrière. Un lieu à fréquenter aussi bien en journée qu'en soirée pour boire une bière ou un délicieux café, ou encore pour déguster une bonne chaudrée de palourdes ou un morceau de gâteau. Un incontournable!

Le Four à pain
$-$$
mai à sept tlj 7h à 24h
995 route 199
La Grave, Havre-Aubert
☎418-937-5244
Petit et sympathique, ce café familial est idéal pour casser la croûte après une journée à la plage ou pour prendre le petit déjeuner avant de partir à la découverte des boutiques de La Grave. L'atmosphère y est ultra-décontractée, les commandes sont prises au comptoir, et l'accueil est toujours chaleureux. L'odeur des pâtés au saumon, au maquereau, des pizzas, des pains et des pâtisseries y est sûrement pour beaucoup.

Auberge Chez Denis à François
$$$
mai à oct tlj 17h à 21h30
404 ch. d'En Haut
Havre-Aubert
☎418-937-2371
Le restaurant de l'**Auberge Chez Denis à François** (voir p 187) propose un choix de tables d'hôte. «Loup

marin» braisé, paëlla, poten-pot aux fruits de mer et autres bons produits du terroir figurent au menu. Les desserts sont tous faits maison. Décor rustique, salle à manger ensoleillée, le tout dans une ambiance plutôt romantique.

Bistro du bout du monde
$$$$
mar-dim dès 17h
951 route 199
La Grave, Havre-Aubert
☎418-937-2000
www.bistroduboutdumonde.com
Réserver une table au Bistro du bout du monde, c'est entrer dans l'univers de la gastronomie. Ne vous laissez pas tromper par la simplicité du décor et du menu. Dans ce joyeux petit bistro ouvert sur la mer, la cuisine du jeune chef madelinot séduit les plus fins gourmets.

Île du Havre aux Maisons

Le Sablier
$$-$$$
257 route 199
Havre-aux-Maisons
☎418-969-9299
Au restaurant Le Sablier, on apprécie les petits déjeuners, particulièrement les brunchs du dimanche. Ce restaurant familial offre un bon rapport qualité/prix.

Le Réfectoire
$$$
tlj 11h à 22h
Domaine du Vieux Couvent
292 route 199
☎418-969-2233
Le **Domaine du Vieux Couvent** (voir p 187) est une véri-

table institution aux Îles. Ce joyau patrimonial abrite aujourd'hui l'une des tables les plus courues de la région. Ici, la chef propose des mets inspirés de la mer (calmars au parmesan, requin mariné, bouillabaisse, moules), mais aussi de la terre, tel le sanglier d'élevage local. La sélection de vins est reconnue. Ambiance bistro conviviale et animée, agrémentée d'un magnifique solarium donnant sur la mer.

La Petite Baie
$$$-$$$$
mai à oct
187 route 199
Havre-aux-Maisons
☎418-969-4073
À La Petite Baie, la table, ornée de vaisselle anglaise, vous ravit les papilles à coup de «loup marin» grillé et de poten-pot des Îles. On y sert aussi des mets bien apprêtés tels que grillades, fruits de mer et poissons. Des plats de bœuf, de porc et de poulet figurent également au menu. Le service est chaleureux et attentionné, et le décor très soigné.

Île de la Grande Entrée

Le Délice de la mer
$$
mai à sept
907 ch. Principal
Grande-Entrée
☎418-985-2364
Situé dans le port de Grande-Entrée, capitale madelinienne du homard, Le Délice de la mer se spécialise dans les poissons, fruits de mer et crustacés.

Le homard en coquille, que vous choisissez dans l'aquarium, est délicieux ici. Prix abordables et desserts maison.

Sorties

■ Activités culturelles

Pour connaître le calendrier complet des spectacles et événements, procurez-vous la brochure *Programmation culturelle*, publiée chaque année par **Arrimage, la Corporation culturelle des Îles de la Madeleine** (*☎418-986-3083, www.arrimage-im.qc.ca).

Île du Cap aux Meules

Théâtre des Pas Perdus
185 route 199
Cap-aux-Meules
☎418-986-6002
Les groupes québécois de l'heure se succèdent sur la scène de la salle de spectacle des Pas Perdus. L'acoustique est excellente dans cette salle de style cabaret qui attire surtout la jeune génération.

La Boîte à chansons La Côte
499 ch. Boisville O., (à côté du quai)
L'Étang-du-Nord
☎418-986-5085
Sur le **site de La Côte** (voir p 172), La Boîte à chansons La Côte propose des spectacles variés, et la scène extérieure accueille des spectacles gratuits en plein air du dimanche au jeudi, au coucher du soleil, et le dimanche matin à 11h.

Île du Havre Aubert

Centre culturel de Havre-Aubert
316 ch. d'En Haut
Havre-Aubert
☎418-937-2588
www.mesilesmonpays.com
Au Centre culturel de Havre-Aubert, 50 comédiens madelinots vous présentent le spectacle *Mes îles, mon pays*, une impressionnante reconstitution de l'histoire des Îles de la Madeleine. Une manière fort agréable de s'initier au patrimoine des Îles et de l'Acadie.

Au Vieux Treuil
971 route 199
La Grave, Havre-Aubert
☎418-937-5138
Au Vieux Treuil est une petite salle de spectacle où vous vous sentirez privilégié d'assister, dans un cadre intimiste, à des concerts de grande qualité. Programmation aussi riche que diversifiée. Réservez vos places.

■ Bars et discothèques

Île du Cap aux Meules

Bar du Théâtre des Pas Perdus
185 route 199
Cap-aux-Meules
☎418-986-6002
Le Théâtre des Pas Perdus abrite un bar branché où les planchers de bois et les sofas lui confèrent un charme unique et donnent envie d'y passer des heures. Bière des Îles, Internet sans fil et ordinateurs sur place. Ne manquez pas les lundis *jam*, ou mieux, apportez votre instrument si vous êtes musicien.

Microbrasserie À l'Abri de la Tempête
début juin à début oct tlj 11h à 23h
286 ch. Coulombe
L'Étang-du-Nord
☎418-986-5005
www.alabridelatempete.com
Derrière la **plage du Corfu** (voir p 172), vous trouverez la première microbrasserie québécoise à malter ses céréales de façon artisanale. Dégustez L'Écume, la Pas Perdus, la Vieux Couvent, La Grave et la Corne de Brume, toutes brassées à partir d'orge des Îles. Visites guidées et pub sur place.

Au Débaris
360 route 199
Cap-aux-Meules
☎418-986-3777
La clientèle locale se rend au Débaris pour écouter les chansonniers de 18h à 21h, danser en soirée ou profiter de la terrasse donnant sur la mer.

Île du Havre Aubert

Café de La Grave
mai à oct
969 route 199
La Grave, Havre-Aubert
☎418-937-5765
Vous perdrez le fil du temps au chaleureux **Café de La Grave** (voir p 188), là où les voix s'élèvent en chansons souvent jusqu'aux petites heures du matin.

Le Petit Mondrain
983 route 199
La Grave, Havre-Aubert
☎418-937-2499
C'est petit, c'est bruyant, mais c'est surtout festif.

Les Madelinots s'y entassent pour entendre le répertoire local et les chansons acadiennes et country interprétées par des musiciens et chansonniers locaux. Frites et fruits de mer.

■ Fêtes et festivals

Mai

On sent la fébrilité s'emparer des Îles à l'occasion de la **Mise à l'eau des cages**. Chaque année, le 1er ou le 2e samedi du mois de mai aux petites heures du matin, quelque 300 homardiers provenant d'un bout à l'autre de l'archipel prennent la mer chargés de leurs cages à homards. C'est au port de Grande-Entrée, capitale québécoise du homard, que l'événement est le plus impressionnant.

Juillet

Pendant une semaine, à la fin de juillet, une dizaine d'artistes peintres sillonnent les Îles pour capter, chaque jour sur leurs toiles, la lumière et les coloris uniques des paysages madeliniens. En fin de journée, allez à leur rencontre au **site de La Côte** (voir p 172) pendant le **Symposium de peinture figurative de L'Étang-du-Nord**.

Août

Pourriez-vous, en 3h et avec 200$ de matériaux, construire un bateau qui devra ensuite participer à une course en mer? Voilà le défi du **Concours de construction de**

petits bateaux, où ingéniosité rime souvent avec humour. L'événement donne le coup d'envoi au coloré **Festival acadien** *(La Grave, Havre-Aubert,* ☎418-937-2525). Plaisir assuré pour toute la famille.

Le **Concours des châteaux de sable** des Îles de la Madeleine est aujourd'hui le plus grand concours amateur de construction de châteaux de sable au monde. En une journée, des œuvres éphémères, souvent impressionnantes, surgissent en bord de mer et attirent les foules. Quelque 17 000 visiteurs et plus de 350 bâtisseurs se donnent rendez-vous sur la plage de la **dune du Havre-Aubert** (voir p 175) au cours de la deuxième fin de semaine d'août. Pour participer au concours, appelez au ☎418-986-6863. Et pour un aperçu romantique et unique, allez admirer les œuvres au coucher du soleil alors que la plage est déserte. Si vous n'êtes pas de passage aux Îles pendant le concours, vous pouvez tout de même goûter à la magie en prenant part aux ateliers-démonstrations de construction de châteaux de sable qui sont offerts en été tous les mardis et vendredis par beau temps, dès 13h. Adressez vous aux **Artisans du Sable** (☎*418-937-2917, www.artisansdusable. com)* pour plus d'information sur les ateliers.

Septembre

La vague effrénée de la haute saison touristique passée, tout s'apaise aux Îles, et il n'y a pas moment plus propice

pour se laisser bercer par la voix, les mots et l'imaginaire de conteurs d'ici et d'ailleurs. À la fin de septembre, ils sont habituellement une trentaine à débarquer aux Îles pour le **Festival International Contes en Îles** *(☎418-986-5281, www.conteseniles.com).*

🎁 Achats

■ Alimentation

Les savoureux produits issus du terroir madelinot sont nombreux. Lors de vos achats, recherchez l'appellation **Le bon goût frais des Îles**, qui indique qu'il s'agit bien d'un produit local.

Boucherie spécialisée Côte à Côte
295 route 199
Cap-aux-Meules
☎418-986-3322
À la Boucherie spécialisée Côte à Côte, il vous faut rencontrer Réjean, le boucher, et lui laisser vous présenter ses terrines de «loup marin» et son «loup marin» fumé. Pour un déjeuner rapide et savoureux, optez pour des plats cuisinés tels que le traditionnel bouilli de viande salée ou le pot-en-pot aux palourdes. La boucherie abrite également une épicerie fine.

Boulangerie artisanale La Fleur de sable
102 route 199
Havre-Aubert
☎418-937-2224
Ici tous les pains, et il y en a une grande variété,

sont façonnés à la main à partir de farines bios. Les viennoiseries 100% beurre n'ont pas d'égal, mais pour l'accent local essayez le pain à la bière des Îles ou la fougasse au hareng fumé. Puis, si vous n'êtes pas pressé, au petit café-bistro attenant à la boulangerie, vous prendrez plaisir à siroter un espresso les yeux perdus dans l'immensité de la mer qui s'étend devant vous.

Boulangerie Madelon
355 ch. Petitpas
Cap-aux-Meules
☎418-986-3409
En plus des pains et des pâtisseries, vous trouverez ici des charcuteries et la plus vaste sélection de fromages aux Îles. C'est le commerce à visiter si vous planifiez des pique-niques gourmands.

Les Cochons Tout Ronds
518 ch. Gros-Cap
L'Étang-du-Nord
☎418-986-5443
www.cochonstoutronds.com
Cette charcuterie artisanale offre une production de salaison traditionnelle toute faite aux Îles. Jambons crus séchés, saucissons secs, coppas, lonzos et terrines. Dégustation et vente sur place.

Pizza de la Pointe
86 route 199
Havre-aux-Maisons
☎418-969-2625
Ce comptoir à pizzas sert aussi des galettes et des brioches comme les aurait faites votre grand-mère. Mangez sur place la généreuse pizza aux fruits de mer ou achetez-en une prête à cuire.

■ Artisanat

Les Artisans du sable
tlj 10h à 21h
907 route 199
La Grave, Havre-Aubert
☎418-937-2917
www.artisansdusable.com
Ne manquez surtout pas cette boutique qui présente des pièces originales et uniques au monde. Une profusion de créations en sable pour offrir en cadeau ou pour se faire plaisir. À visiter aussi sur place, l'Économusée du sable.

Boutique d'art Tendance
715 route 199
Cap-aux-Meules
☎418-986-5111
Pour des souvenirs ou des cadeaux, cette jolie boutique propose des œuvres inspirées et de qualité: bijoux en coquilles de moules, verre recyclé, objets décoratifs et utilitaires en pierre d'albâtre et bois de plage.

Boutique Émerance
juin et sept tlj 10h à 18h, juil et août tlj 10h à 22h
949 route 199
La Grave, Havre-Aubert
☎418-937-9058
L'artiste joaillière madelinienne France Painchaud confectionne de superbes bijoux d'art en métaux précieux qui reproduisent de façon admirable les coquillages trouvés en bord de mer. Un bon endroit où se procurer un souvenir impérissable des Îles.

Galerie Boutique Le Flâneur
juin à sept jeu-mar 9h30 à 21h30
1944 ch. de l'Étang-du-Nord
L'Étang-du-Nord
☎418-986-6526
www.leflaneur.com
Dans un cadre exceptionnel, un salon de thé aux allures classiques côtoie des poupées totalement excentriques. Venez voir!

La Maison du Héron
021 ch. du Quai S.
Pointe-aux-Loup
☎418-969-4819
www.la-maison-du-heron.com
Cette boutique, trois fois trop petite pour ce qu'elle contient, mérite bien une visite. Les artefacts et les fossiles s'entremêlent aux créations d'artistes locaux (bijoux, peintures, tricots, articles en cuir de «loup marin»).

Verrerie La Méduse
638 route 199
Havre-aux-Maisons
☎418-969-4681
www.meduse.qc.ca
La Verrerie La Méduse permet aux visiteurs d'admirer les artisans souffleurs à l'œuvre *(3$/pers., 7$/famille)*. Attenantes à l'atelier, une galerie d'art et une petite boutique présentent diverses pièces fabriquées sur place, et l'on y expose également celles d'autres artisans.

■ Plein air

Au Gré du Vent
499 ch. Boisville O.
L'Étang-du-Nord
☎418-986-5069
www.greduvent.com
La boutique Au Gré du Vent est le paradis du cerf-volant pour qui veut acheter, fabriquer ou être initié aux techniques de vol co*nventionnelles ou acrobatiques. Le personnel est passionné et compétent.

Références

Index

Les numéros de page en **gras** renvoient aux cartes.

Liste des cartes

Liste des encadrés

Tous les guides Ulysse

Comprendre
Comprendre la Chine	16,95 $	14,00 €
Comprendre le Brésil	16,95 $	14,00 €
Comprendre le Japon	16,95 $	14,00 €

Espaces verts
Balades à vélo dans le sud du Québec	24,95 $	22,99 €
Camping au Québec	24,95 $	19,99 €
Cyclotourisme au Québec	24,95 $	22,99 €
Kayak de mer au Québec – Guide pratique	24,95 $	22,99 €
Les parcs nationaux de la Gaspésie et du Bas-Saint-Laurent	19,95 $	19,99 €
Le Québec cyclable	19,95 $	19,99 €
Randonnée pédestre Montréal et environs	19,95 $	19,99 €
Randonnée pédestre Nord-Est des États-Unis	24,95 $	22,99 €
Randonnée pédestre au Québec	24,95 $	19,99 €
Raquette et ski de fond au Québec	24,95 $	22,99 €
Ski alpin au Québec	24,95 $	22,99 €

Fabuleux
Fabuleuses Maritimes - Vivez la passion de l'Acadie	29,95 $	24,99 €
Fabuleux Montréal	29,95 $	24,99 €
Fabuleux Ouest canadien	29,95 $	24,99 €
Fabuleux Québec	29,95 $	22,99 €

Guides de conversation Ulysse
L'Allemand pour mieux voyager	9,95 $	6,99 €
L'Anglais pour mieux voyager en Amérique	9,95 $	6,99 €
L'Anglais pour mieux voyager en Grande-Bretagne	9,95 $	6,99 €
Le Brésilien pour mieux voyager	9,95 $	6,99 €
L'Espagnol pour mieux voyager en Amérique latine	9,95 $	6,99 €
L'Espagnol pour mieux voyager en Espagne	9,95 $	6,99 €
L'Italien pour mieux voyager	9,95 $	6,99 €
Le Portugais pour mieux voyager	9,95 $	6,99 €
Le Québécois pour mieux voyager	9,95 $	6,99 €
Guide de communication universel	9,95 $	8,99 €

Guides de voyage Ulysse
Arizona et Grand Canyon	34,95 $	27,99 €
Bahamas	29,95 $	24,99 €
Boston	24,95 $	19,99 €
Canada	34,95 $	27,99 €
Cancún et la Riviera Maya	24,95 $	19,99 €
Cape Cod, Nantucket, Martha's Vineyard	22,95 $	19,99 €
Chicago	24,95 $	19,99 €
Chili	34,95 $	24,99 €
Costa Rica	29,95 $	22,99 €

Tous les guides Ulysse

Guides de voyage Ulysse *(suite)*

Cuba	29,95 $	22,99 €
Disney World	19,95 $	22,99 €
Équateur - Îles Galapagos	29,95 $	23,99 €
Floride	27,95 $	22,99 €
Gaspésie, Bas-Saint-Laurent, Îles de la Madeleine	24,95 $	19,99 €
Guadeloupe	27,95 $	19,99 €
Guatemala	34,95 $	24,99 €
La Havane	17,95 $	14,99 €
Hawaii	37,95 $	27,99 €
Honduras	29,95 $	24,99 €
Las Vegas	19,95 $	19,99 €
Martinique	27,95 $	19,99 €
Miami et Fort Lauderdale	24,95 $	19,99 €
Montréal	24,95 $	19,99 €
New York	24,95 $	19,99 €
Nicaragua	29,95 $	24,99 €
Nouvelle-Angleterre	34,95 $	27,99 €
Ontario	32,95 $	24,99 €
Ouest canadien	32,95 $	24,99 €
Panamá	29,95 $	22,99 €
Pérou	34,95 $	27,99 €
Portugal	19,95 $	19,99 €
Provence - Côte d'Azur	19,95 $	19,99 €
Provinces atlantiques du Canada	24,95 $	22,99 €
Le Québec	34,95 $	24,99 €
Ville de Québec	24,95 $	19,99 €
Québec et Ontario	29,95 $	19,99 €
République dominicaine	24,95 $	22,99 €
Saint-Martin, Saint-Barthélemy	19,95 $	17,99 €
San Francisco	24,95 $	19,99 €
Sud-Ouest américain	37,95 $	24,99 €
Toronto	24,95 $	19,99 €
Tunisie	32,95 $	23,99 €
Vancouver, Victoria, Whistler	19,95 $	19,99 €
Washington, D.C.	24,95 $	19,99 €

Hors collection

Croisières dans les Caraïbes	29,95 $	23,99 €
Dictionnaire touristique Ulysse Le Globe-Rêveur	39,95 $	
Gîtes et Auberges du Passant & Tables et Relais du Terroir au Québec	24,95 $	19,99 €
Guide des longs séjours	24,95 $	19,99 €
Les meilleurs spas au Québec	24,95 $	19,99 €
Montréal en métro	24,95 $	19,99 €
Passeport québécois	9,95 $	7,99 €
Les plus belles escapades à Montréal et ses environs	24,95 $	19,99 €
Le Québec à moto	24,95 $	22,99 €

Tous les guides Ulysse

Stagiaires sans frontières	19,95 $	18,99 €
Le tour du monde en 250 questions	9,95 $	7,50 €
Le tour du monde à Montréal	24,95 $	22,99 €
Tout savoir sur le Québec	12,95 $	9,99 €
Voyager avec des enfants	24,95 $	19,99 €

Journaux de voyage Ulysse

Le Grand journal de voyage	14,95 $	14,95 €
Journal de ma croisière	14,95 $	14,99 €
Journal de mes vacances	14,95 $	11,99 €
Journal de voyage Amérique centrale et Mexique	17,95 $	17,99 €
Journal de voyage Asie	17,95 $	14,99 €
Journal de voyage Europe	17,95 $	14,99 €
Journal de voyage Prestige	17,95 $	17,99 €
Journal de voyage Ulysse – La feuille de palmier	12,95 $	12,95 €
Journal de voyage Ulysse – L'écrit	12,95 $	12,95 €
Journal de voyage Ulysse – L'empreinte	12,95 $	12,95 €
Journal des voyageurs	12,95 $	9,99 €

Petits bonheurs

101 idées d'activités estivales au Québec	14,95 $	13,99 €
Balades et circuits enchanteurs au Québec	14,95 $	13,99 €
Délices et séjours de charme au Québec	14,95 $	14,99 €
Escapades et douces flâneries au Québec	14,95 $	13,99 €
Montréal au fil de l'eau	14,95 $	12,99 €

Ulysse en tête

Montréal en tête	12,95 $	9,99 €

Titres	Quantité	Prix	Total
Nom:	Total partiel		
	Port		4,85$CA/4,00 €
Adresse:	TPS (au Canada)		
	Total		
Courriel :			
Paiement : ☐ Chèque ☐ Visa ☐ MasterCard			
N° de carte _____ Expiration _____			
Signature			

Pour commander, envoyez votre bon à l'un de nos bureaux, en France ou au Canada (voir les adresses à la page suivante), ou consultez notre site: **www.guidesulysse.com**.

Tous les guides Ulysse

Nos coordonnées

Nos bureaux

Canada: Guides de voyage Ulysse, 4176, rue Saint-Denis, Montréal (Québec) H2W 2M5, ☎514-843-9447, fax: 514-843-9448, info@ulysse.ca, www.guidesulysse.com
Europe: Guides de voyage Ulysse sarl, 127, rue Amelot, 75011 Paris, France, ☎01 43 38 89 50, voyage@ulysse.ca, www.guidesulysse.com

Nos distributeurs

Canada: Guides de voyage Ulysse, 4176, rue Saint-Denis, Montréal (Québec) H2W 2M5, ☎514-843-9882, poste 2232, fax: 514-843-9448, info@ulysse.ca, www.guidesulysse.com
Belgique: Interforum Bénélux, 117, boulevard de l'Europe, 1301 Wavre, ☎010 42 03 30, fax: 010 42 03 52
France: Interforum, 3, allée de la Seine, 94854 Ivry-sur-Seine Cedex, ☎01 49 59 10 10, fax: 01 49 59 10 72
Suisse: Interforum Suisse, ☎(26) 460 80 60, fax: (26) 460 80 68

Pour tout autre pays, contactez les Guides de voyage Ulysse (Montréal).

Écrivez-nous

Tous les moyens possibles ont été pris pour que les renseignements contenus dans ce guide soient exacts au moment de mettre sous presse. Toutefois, des erreurs peuvent toujours se glisser, des omissions sont toujours possibles, des adresses peuvent disparaître, etc.; la responsabilité de l'éditeur ou des auteurs ne pourrait s'engager en cas de perte ou de dommage qui serait causé par une erreur ou une omission.

Nous apprécions au plus haut point vos commentaires, précisions et suggestions, qui permettent l'amélioration constante de nos publications. Il nous fera plaisir d'offrir un de nos guides aux auteurs des meilleures contributions. Écrivez-nous à l'une des adresses suivantes, et indiquez le titre qu'il vous plairait de recevoir.

Guides de voyage Ulysse

4176, rue Saint-Denis
Montréal (Québec)
Canada H2W 2M5
www.guidesulysse.com
texte@ulysse.ca

Les Guides de voyage Ulysse, sarl

127, rue Amelot
75011 Paris
France
www.guidesulysse.com
voyage@ulysse.ca

Tableau des distances

Distances en kilomètres

Exemple: la distance entre Québec et Gaspé est de 704 km.

	Baie-Comeau	Cap-aux-Meules	Carleton-sur-Mer	Charlottetown (Î.-P.-É.)	Chicoutimi	Fredericton (N.-B.)	Gaspé	Halifax (N.-É.)	Matane	Montmagny	Montréal	Percé	Québec	Rimouski	Rivière-du-Loup	Trois-Pistoles
Cap-aux-Meules	920															
Carleton-sur-Mer	275	802														
Charlottetown (Î.-P.-É.)	727	190	609													
Chicoutimi	311	1194	505	1003												
Fredericton (N.-B.)	606	581	493	390	612											
Gaspé	357	1068	266	872	640	757										
Halifax (N.-É.)	813	407	690	266	1085	473	958									
Matane	59	862	216	669	343	548	296	752								
Montmagny	367	1110	527	914	281	525	625	1003	328							
Montréal	666	1411	828	1218	460	826	925	1302	627	303						
Percé	435	985	190	798	694	682	77	877	373	718	1020					
Québec	444	1183	606	996	208	606	704	1073	405	77	253	793				
Rimouski	153	1039	256	847	249	457	390	927	93	235	535	445	310			
Rivière-du-Loup	238	993	410	799	197	411	500	882	199	127	426	604	202	104		
Trois-Pistoles	200	993	320	800	183	410	455	881	156	171	473	507	248	62	41	
Trois-Rivières	550	1291	707	1099	327	707	808	1183	510	182	150	900	123	415	308	355

Tableau des distances

Légende des cartes

★	Attraits	✈	Aéroport	⌂	Pavillon de services
▲	Hébergement	🌲	Aire de pique-nique	🗼	Phare
●	Restaurants	🏦	Banque	🌙	Plage
	Mer, lac, rivière	🏛	Bâtiment / Point d'intérêt		Point de vue
	Forêt ou parc	✉	Bureau de poste	⚓	Port
	Place	🏳	Cimetière	▼	Réserve faunique
✪	Capitale de pays	H	Hôpital	P	Stationnement
✪	Capitale provinciale	❶	Information touristique	▲	Terrain de camping
— — — —	Frontière internationale	▲	Montagne		Traversier (ferry)
....	Frontière interprovinciale	🌳	Parc		Traversier (navette)
─ ─ ─ ─	Chemin de fer				
	Tunnel				

Symboles utilisés dans ce guide

@	Accès à Internet
♿	Accessibilité partielle ou totale aux personnes à mobilité réduite
≡	Air conditionné
♈	Apportez votre vin
🐾	Animaux domestiques admis
◎	Baignoire à remous
🏋	Centre de conditionnement physique
🍴	Cuisinette
½p	Demi-pension (nuitée, dîner et petit déjeuner)
▲	Foyer
✆	Label Ulysse pour les qualités particulières d'un établissement
pc	Pension complète
pdj	Petit déjeuner inclus dans le prix de la chambre
≈	Piscine
❄	Réfrigérateur
⊞	Restaurant
bc	Salle de bain commune
bp/bc	Salle de bain privée ou commune
)))	Sauna
⅄	Spa
📠	Télécopieur
☎	Téléphone
tlj	Tous les jours

Classification des attraits touristiques

★ ★ ★	À ne pas manquer
★ ★	Vaut le détour
★	Intéressant

Classification de l'hébergement

L'échelle utilisée donne des indications de prix pour une chambre standard pour deux personnes, avant taxe, en vigueur durant la haute saison.

$	moins de 60$
$$	de 60$ à 100$
$$$	de 101$ à 150$
$$$$	de 151$ à 225$
$$$$$	plus de 225$

Classification des restaurants

L'échelle utilisée dans ce guide donne des indications de prix pour un repas complet pour une personne, avant les boissons, les taxes et le pourboire.

$	moins de 15$
$$	de 15$ à 25$
$$$	de 26$ à 50$
$$$$	plus de 50$

Tous les prix mentionnés dans ce guide sont en dollars canadiens.

Les sections pratiques aux bordures grises répertorient toutes les adresses utiles. Repérez ces pictogrammes pour mieux vous orienter:

 Hébergement

 Restaurants

 Sorties

 Achats